はじめての食品成分表

八訂版

健康を保つためには、バランスのよい食事をとることが基本です。

『日本食品標準成分表』（文部科学省）は、日本に流通する食品にどんな栄養素がどのくらい含まれるかを国がまとめたデータです。このデータを活用することで自身が摂取した食品の栄養価を知り、食生活を管理することができます。

本書では、『日本食品標準成分表』のデータをどなたでも活用しやすいように、専門的な食品名は別名や一般名を入れてなじみのある名称にし、業務用食品などふだんの食生活では入手しにくい食品などは省きました。また、栄養素は日常の食事管理向けの 20 種類にしています。

どうぞ、本書を健康管理にお役立てください。

女子栄養大学出版部

目次

調べたい食品は
索引から探そう!
右ページ 1 参照

成分値を調べる

本書の成分値は、**食品の可食部（食べられる部分）100gあたりの数値**です。
調べたい食品が探せたら、数値を調べたい重量分に換算をします。

いわし 60g 分の栄養成分を調べたい場合

1 掲載ページを探す

食品名から該当のページを探します

●索引（243 ページ）を使う

あまのり	94	いかり豆 ▶フライビーンズ	28	いもがら ▶干しずいき	48
新巻きさけ	110	いしる（いしり）	206	いり鶏 ▶筑前煮	218
あらめ	94	いずみだい ▶ナイルテラピア	120	いわし ▶まいわし	102
あられ	182	いせえび	132	いわし　缶詰め	102~104
アルコール飲料類	194~196	いそべせんべい	182	いわな	104
アルファ化米	14	板ガム	192	岩のり	94
アルファルファもやし	68	板こんにゃく	18	イングリッシュマフィン	4
有平巻き ▶巻きせんべい	182	板麩	8	いんげんのごまあえ	218
アロエ	38	いたやがい	128	いんげん豆　こしあん	26
栗	2	イタリアンベルモット ▶ベルモット	196	いんげん豆（豆類）	26
あわび	128			いんげんまめ（野菜）	38
栗もち	2	いちご	74	インスタントコーヒー	198

⬅ **別名や市販の通称名も収載**

★一般に流通している「いわし」の多くは「まいわし」の一般名なので、まいわしの項目に載っていますが、本書では「いわし」からでも探せます

2 数値を確認する

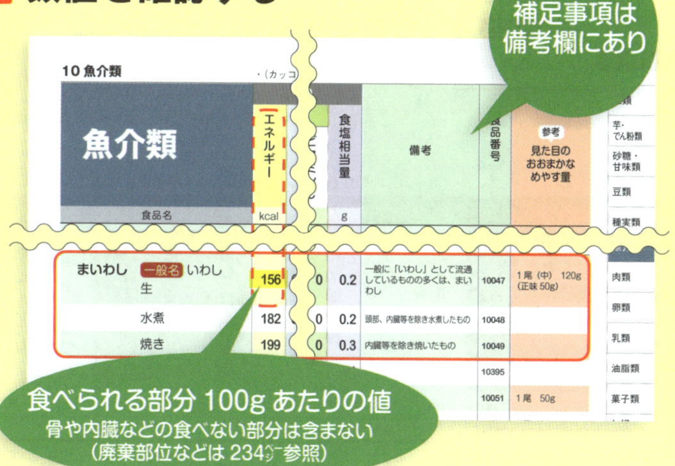

10 魚介類

魚介類 食品名	エネルギー kcal		食塩相当量 g	備考	食品番号	参考 見た目のおおまかなめやす量
まいわし 一般名 いわし 生	156	0	0.2	一般に「いわし」として流通しているものの多くは、まいわし	10047	1尾（中） 120g（正味 50g）
水煮	182	0	0.2	頭部、内臓等を除き水煮したもの	10048	
焼き	199	0	0.3	内臓等を除き焼いたもの	10049	
					10395	
					10051	1尾　50g

3 必要な重量分に換算する

重量あたりの成分値＝成分表の値×（重量（g）÷100）※

●いわし 60g 分のエネルギーは？

156kcal × 0.6 ≒ 94kcal

※掲載の値は 100g 分なので、60g の成分値を知りたい場合は、60÷100＝0.6 を 100g あたりの値にかければ OK！

この本の見方

本書の成分表は『日本食品標準成分表 2020 年版（八訂）』（文部科学省）に基づいています。

表中の記号

（　）	（カッコ）つきの成分は推定値または推計値。すなわち諸外国の食品成分表等の文献や原材料配合割合レシピ、類似食品等を基に推計したもの、あるいは推定したもの
微量と0	最小記載量の1/10以上含まれているが5/10未満は「微量」、1/10 未満は「0」 最小記載量が1の場合………0.1 以上 0.5 未満は微量、0.1 未満は 0 最小記載量が 0.1 の場合……0.01 以上 0.05 未満は微量、0.01 未満は 0 最小記載量が 0.01 の場合 ….0.001 以上 0.005 未満は微量、0.001 未満は 0 ただし、食塩相当量の 0 は 0.05 未満であることを示します。 なお、カップ・スプーンによる重量分の成分値の算出では、100g あたりが微量の場合、数値が不明で算出できないため微量としました。
未測定	未測定、あるいは定量が困難なもの

表中の単位

1 g＝1,000mg（ミリグラム）
＝1,000,000μg（マイクログラム）

1カップ＝200mL

大さじ1＝15mL

小さじ1＝5mL

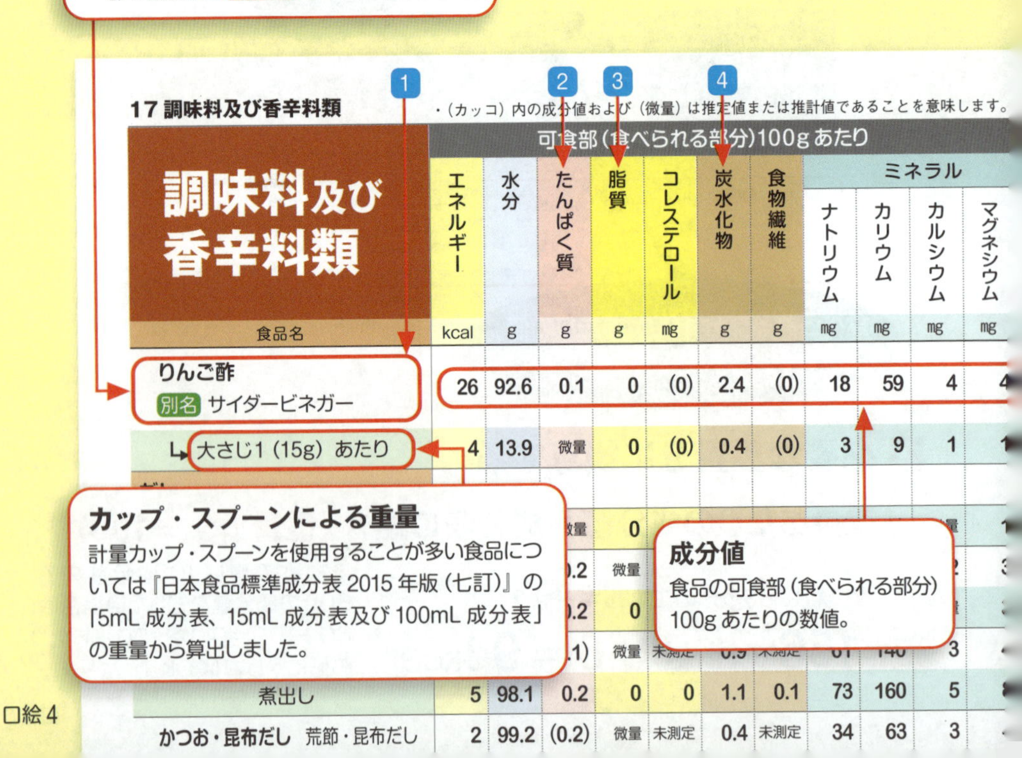

1 食品名

『日本食品標準成分表』の食品名を、よりわかりやすく一部を改変しています。

2 たんぱく質

「アミノ酸組成によるたんぱく質」、その値がないものは「たんぱく質」の値を収載しています。

3 脂質

「脂肪酸のトリアシルグリセロール当量」、その値がないものは「脂質」の値を収載しています。

4 炭水化物

体が利用できる利用可能炭水化物※の値です。食物繊維は含まれないことに留意しましょう。

5 ビタミンA

ビタミンAはレチノールを指しますが、カロテンも体内でビタミンAとして働きます。
そのため、カロテンがビタミンAとして働く量もレチノールに換算して合計した値がレチノール活性当量です。

※利用可能炭水化物には、3種類あります。本書では摂取量計算を目的として「利用可能炭水化物（質量計）」（この値がないものなどは「差引き法による利用可能炭水化物」）の成分値を収載しています。

参考 見た目のおおまかなめやす量

1個単位、あるいは1回に使うめやすの重量です。殻や内臓など、食べない部分がある場合は、その重量を含みます。食品の大きさはばらつきがありますので、参考としてお使いください。

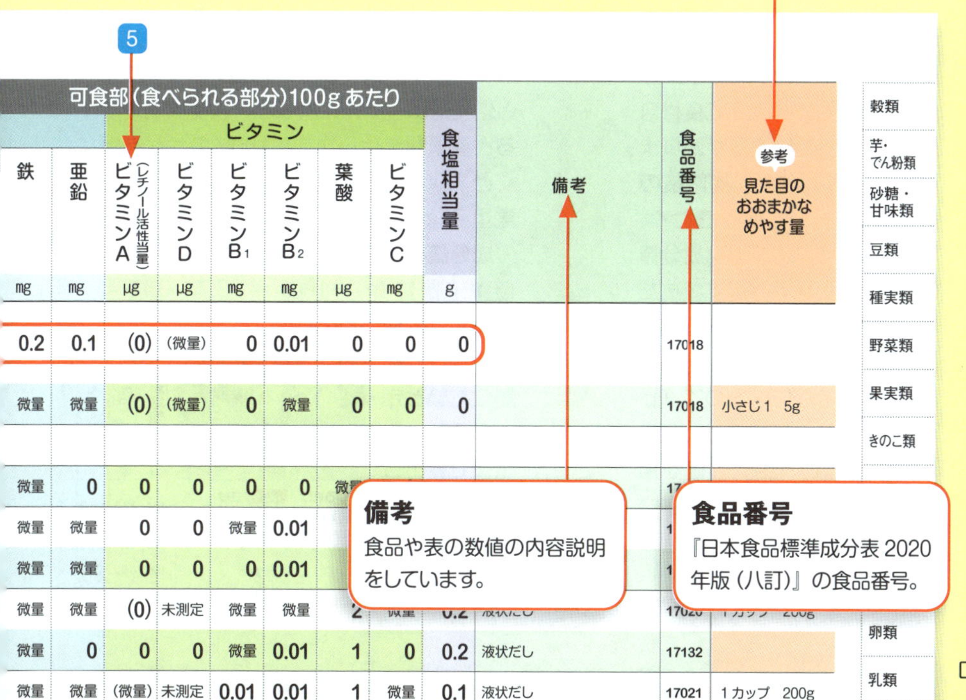

可食部（食べられる部分）100gあたり		ビタミン										
鉄	亜鉛	ビタミンA（レチノール活性当量）	ビタミンD	ビタミンB1	ビタミンB2	葉酸	ビタミンC	食塩相当量	備考	食品番号	参考 見た目のおおまかなめやす量
mg	mg	µg	µg	mg	mg	µg	mg	g			
0.2	0.1	(0)	(微量)	0	0.01	0	0	0		17018	
微量	微量	(0)	(微量)	0	微量	0	0	0		17018	小さじ1　5g
微量	0	0	0	0	0	微量					
微量	微量	0	0	微量	0.01						
微量	微量	0	0	0	0.01						
微量	微量	(0)	未測定	微量	微量	2					
微量	0	0	0	微量	0.01	1	0	0.2	液状だし	17132	
微量	微量	(微量)	未測定	0.01	0.01	1	微量	0.1	液状だし	17021	1カップ　200g

成分値を調べるときQ&A

成分表には、ふだんはあまりなじみのない言葉やルールがあります。
本書ではできる限りわかりやすい表現を心がけましたが、
中でも迷いやすいポイントをまとめました。

Q 食品はいつ計量したらいいの？

A 下処理後に行なってください

成分値は、食品の食べられる部分の値です。計量するときは皮や種、内臓、殻などの食べない部分を除いたあとに行なってください。廃棄率（234ページ）を使って、食品の総重量から食べられる部分の重量を算出することもできます。

Q 「生」と「ゆで」どちらの項目を使ったらいいの？

A 調理によって使い分けましょう

食品は調理（加熱調理）すると栄養素の量が変わります。たとえば、ゆでることで水溶性ビタミンやカリウムがゆで湯の中にとけでて食材自体に含まれている量が減ります。「ゆで」など、加熱後の項目の成分値を使うことで、食べる状態により近い成分値を知ることができます。ただし、煮汁ごと全量食べる場合は煮汁に流出する栄養素も全部食べることになるので、（ビタミンCなど加熱でこわれるもの以外は）「生」の値を用いるなどくふうをするとよいでしょう。

Q ゆでたり焼いたりするとたんぱく質が増える？

A 成分値は調理後の重量で算出します

本書の成分値は、食品の可食部（食べられる部分）100gあたりの数値です。たとえば、さけの場合、生100gあたりのたんぱく質が18.9g、焼きは23.7g。一見すると増えたように見えますが、食品は調理すると重量が変化します。100gのサケを焼くと75gになります。この焼いたときの重量75gで「さけ　焼き」のたんぱく質の成分値を調べます（口絵3ページ）。成分値×（重量(g)÷100）＝23.7×0.75≒17.8g。調理後の成分値を知りたいときは、調理後の重量で算出してください。

10 魚介類　＊（カッコ）内の成分値およ

魚介類 食品名	エネルギー kcal	水分 g	たんぱく質 g
しろさけ 一般名 さけ 別名 あきさけ 生	124	72.3	18.9
水煮	142	68.5	21.0
焼き	160	64.2	23.7
荒巻き 生	138	67.0	(19.3)
荒巻き 焼き	177	59.5	(24.9)

Q 牛肉、豚肉で赤身肉はどの項目を使えばいい？

A 赤身の多い肉を使用する場合は「脂身なし」を用います

赤身肉というとき、一般には皮下脂肪を除いたものをさします。したがって「脂身なし」の項目を見ます（筋間脂肪は含まれます）。なお、「ヒレ」など筋間脂肪がない部位などの場合は、「赤肉」として載っています。

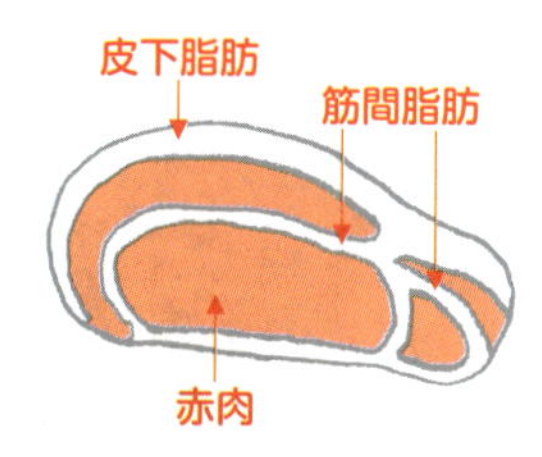

Q お茶はどの項目を見ればいい？

A 飲料としてのお茶は「浸出液」にあたります

緑茶や紅茶には「茶葉」と「浸出液」の項目があります。「茶葉」は茶葉そのものを指し、飲料としての緑茶や紅茶は「浸出液」にあたります。ちなみに、コーヒーは「浸出液」「インスタントコーヒー」「コーヒー飲料」の３項目で、インスタントコーヒーはインスタントコーヒー粉末（飲料ではない）のことを指します。

Q 塩分はどの項目を見ればいいの？

A 一般にいう塩分は、成分表の「食塩相当量」にあたります

食塩は、塩化ナトリウム（NaCl）です。一般にいう塩分、正確には「食塩相当量」は、食品に含まれている「ナトリウム」を食塩相当量として表わしたものです。ナトリウムと食塩相当量の関係は次の式のとおりです。

塩分（g）＝ナトリウム値（mg）×2.54※÷1000　※換算係数

例）魚肉ハム薄切り１枚20gあたりのナトリウム量　180mg
180mg × 2.54 ÷ 1000 ＝ 0.4572g ≒ 0.5g

栄養計算をする

成分表を使えば、自分で栄養計算ができます。

栄養計算の基本

❶ 口に入るすべての食品の重量を確認する
❷ 食品ごとに、重量あたりの栄養量を計算する
❸ 成分ごとに、栄養量を合算する

「さやいんげんのごまあえ」のエネルギー・塩分を計算する

さやいんげんのごまあえ

材料／1人分
さやいんげん………100g
a 白すりごま…大さじ1
a しょうゆ………小さじ1
a 砂糖……………小さじ1

作り方
❶さやいんげんは沸騰湯でゆでて水にとる。さめたら水けをきり、食べやすく切る。
❷aを混ぜ合わせ、さやいんげんをあえる。

1 口に入るすべての食品の重量を確認する

さやいんげん……100g → ゆでたあとの重量を計量する：94g
白すりごま………大さじ1 → 6g※1
しょうゆ …………小さじ1 → 5.9g※2
砂糖…………………小さじ1 → 3.3g※2

※1　表の中に小さじ、大さじの成分値がない場合は、備考欄や巻末ページの標準計量カップ・スプーンによる重量表(g)を参照
※2　表の中に小さじ、大さじの成分値がある場合は、その数値を用いればOK!

注意

皮や種、内臓、殻などの食べない部分を除いて計量する。食品全体の重量しかわからない場合は、廃棄率（234ページ）を活用する。「ゆで」の値を用いる場合は、ゆでたあとの重量を計る。乾物は、元の状態と水にもどした状態とで重量が大きく変化するため、食品名の欄の「乾燥」「水もどし」などの表記に注意して項目を選ぶこと。

2 食品ごとに、重量あたりの栄養量を計算する

さやいんげんをゆでたあとの重量を計量する。
●ゆでたさやいんげんが 94g の場合

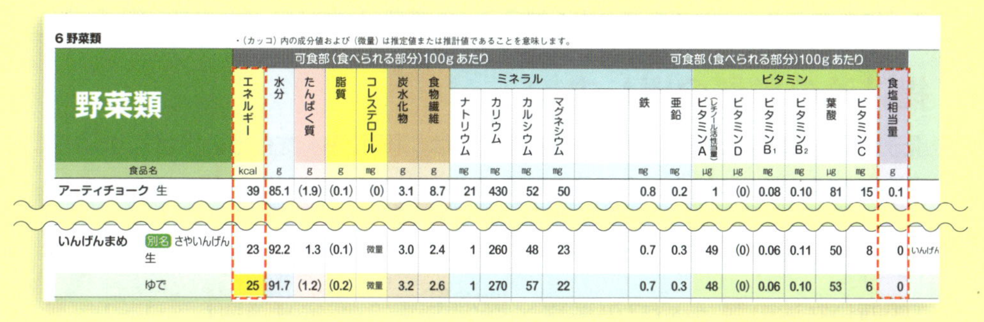

6 野菜類

・（カッコ）内の成分値および（微量）は推定値または推計値であることを意味します。

野菜類 食品名		エネルギー	水分	たんぱく質	脂質	コレステロール	炭水化物	食物繊維	ナトリウム	カリウム	カルシウム	マグネシウム	鉄	亜鉛	ビタミンA（レチノール活性当量）	ビタミンD	ビタミンB1	ビタミンB2	葉酸	ビタミンC	食塩相当量
		kcal	g	g	g	mg	g	g	mg	mg	mg	mg	mg	mg	μg	μg	mg	mg	μg	mg	g
アーティチョーク	生	39	85.1	(1.9)	(0.1)	(0)	3.1	8.7	21	430	52	50	0.8	0.2	1	(0)	0.08	0.10	81	15	0.1
いんげんまめ	別名 さやいんげん 生	23	92.2	1.3	(0.1)	微量	3.0	2.4	1	260	48	23	0.7	0.3	49	(0)	0.06	0.11	50	8	0
	ゆで	25	91.7	(1.2)	(0.2)	微量	3.2	2.6	1	270	57	22	0.7	0.3	48	(0)	0.06	0.10	53	6	0

（可食部（食べられる部分）100g あたり）

➡重量あたりの成分値＝
100gあたりの値×（重量（g）÷100）※

※重量 94g なら 0.94 を、重量 6g なら 0.06 を 100g あたりの値にかければ OK!

エネルギー➡ 25 ×0.94＝23.5 ≒ 24

3 成分ごとに、栄養量を合算する（下表）

	重量	エネルギー	塩分（食塩相当量）
さやいんげん・ゆで（38 ページ） 100g 値×（重量（g）÷100）	94 g	24 kcal （25kcal × 0.94）	0 g （0g × 0.94）
白すりごま→いりごま（34 ページ） 100g 値×（重量（g）÷100）	6 g	36 kcal （605kcal × 0.06）	0 g （0g × 0.06）
しょうゆ（200 ページ）	5.9 g	4 kcal	0.9 g
砂糖（上白糖）（24 ページ）	3.3 g	13 kcal	0 g
合計値		77 kcal	0.9 g

▼

さやいんげんのごまあえ
1 食あたり
エネルギー ： 77 kcal
塩分（食塩相当量） ： 0.9 g

栄養計算ソフトを使えば、計算が手軽にできます

商品例
栄養 Pro Cloud
定価（年間使用料）／
6600 円（税込）

揚げ物の吸油率について

揚げ物の場合、調理によって吸収した油の量（吸油率）を加味して計算しましょう。
吸油率とは、揚げる前の生の食品の重量（衣はついていない状態）に対し、
揚げたあとに増えた油の割合を示す言葉です。

揚げ油の重量の出し方

調理によって吸収した油の量を計算するときは、「吸油率」を使う。

吸油率とは、揚げる前の生の食品の重量（衣はついていない状態）に対し、
揚げたあとに増えた油の割合を示す言葉。

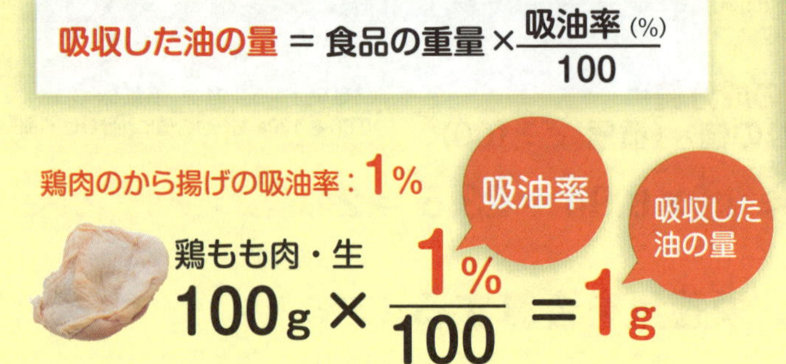

吸油率のめやす

素揚げ	1～14%
から揚げ	1～13%
フライ	8～33%
天ぷら	12～42%

食品によっても吸油率は異なります。食品ごとの吸油率を知りたい場合は、『調理のためのベーシックデータ』（女子栄養大学出版部）を参照ください。なお、『八訂 食品成分表』（女子栄養大学出版部）でも、揚げ物における脂質量の増減が掲載されています。

調味液やつゆが残った場合について

料理に使った調味料は、基本的にすべて口に入ったものとして計算します。
しかし、漬け汁や煮汁、めん料理のつゆが残った（食べなかった）場合は、
その分は引いて、口に入った量を計算します。

たとえば、ほうれん草のお浸しの浸し地を 1/3 量（33%）残した場合
使用した浸し地から、食べなかった分（1/3 量）を引いて計算する。

使用した量	▶	使用した量	－	食べなかった量	＝	口に入った量
しょうゆ　小さじ1	▶	小さじ1 （6g）	－	小さじ 1/3 （2g）	＝	小さじ 2/3 （4g）
だし　大さじ1	▶	大さじ1 （15g）	－	大さじ 1/3 （5g）	＝	大さじ 2/3 （10g）

はじめての
食品成分表

八訂版

注意

栄養成分値は、可食部100g あたりの数値であり、めやす量あたりの数値ではありませんのでご注意ください。

表中の記号

口絵 4 ページ参照

(　　)：(カッコ)内の成分値および(微量)は推定値または推計値

微　量：微量に含むもの

未測定：未測定、あるいは定量が困難なもの

表中の単位

1 g ＝ 1,000 mg(ミリグラム)
　　＝ 1,000,000 μg(マイクログラム)

1 カップ＝ 200 mL

大さじ 1 ＝ 15 mL

小さじ 1 ＝ 5 mL

ミニスプーン＝ 1 mL

参考　見た目のめやす量

1個単位、あるいは1回に使うめやすの重量です。殻や内臓など、食べない部分がある場合は、ことわりのない限りはその重量を含みます。**食品の大きさはばらつきがありますので、参考としてお使いください。**

・（カッコ）内の成分値および（微量）は推定値または推計値であることを意味します。

穀類

食品名	エネルギー	水分	たんぱく質	脂質	コレステロール	炭水化物	食物繊維	ナトリウム	カリウム	カルシウム	マグネシウム
	可食部（食べられる部分）100gあたり							ミネラル			
食品名	kcal	g	g	g	mg	g	g	mg	mg	mg	mg
アマランサス　玄穀	343	13.5	(11.3)	5.0	(0)	57.8	7.4	1	600	160	270
粟（あわ）　精白粒	346	13.3	10.2	4.1	(0)	63.3	3.3	1	300	14	110
粟もち	210	48.0	(4.5)	(1.2)	0	44.6	1.5	0	62	5	12
えんばく　オートミール	350	10.0	12.2	(5.1)	(0)	57.4	9.4	3	260	47	100
大麦　七分つき押麦	343	14.0	(9.7)	1.8	(0)	(64.9)	10.3	2	220	23	46
押麦　乾燥	329	12.7	5.9	1.2	(0)	65.8	12.2	2	210	21	40
押麦　ごはん	118	68.6	2.0	0.4	(0)	24.6	4.2	微量	38	6	10
米粒麦（べいりゅうばく）　別名 切断麦	333	14.0	(6.2)	(1.8)	(0)	68.6	8.7	2	170	17	25
大麦めん　乾燥	343	14.0	(11.7)	(1.4)	(0)	(65.7)	6.3	1100	240	27	63
ゆで	121	70.0	(4.4)	(0.5)	(0)	(22.9)	2.5	64	10	12	18
麦こがし　別名 香煎（こうせん）、はったい粉	368	3.5	(11.1)	(4.2)	(0)	63.8	15.5	2	490	43	130
キヌア　玄穀	344	12.2	9.7	2.7	0	67.1	6.2	35	580	46	180
きび　精白粒	353	13.8	10.0	2.9	(0)	70.9	1.6	2	200	9	84
小麦											
小麦粉											
小麦粉　薄力粉	349	14.0	7.7	1.3	(0)	73.1	2.5	微量	110	20	12
中力粉	337	14.0	8.3	1.4	(0)	69.5	2.8	1	100	17	18
強力粉	337	14.5	11.0	1.3	(0)	66.8	2.7	微量	89	17	23
強力粉　全粒粉	320	14.5	(11.7)	(2.4)	(0)	(55.6)	11.2	2	330	26	140
プレミックス粉　お好み焼き用	335	9.8	9.0	1.8	1	67.6	2.8	1400	210	64	31
ホットケーキ用	360	11.1	(7.1)	(3.6)	31	(72.4)	1.8	390	230	100	12
から揚げ用	311	8.3	9.2	1.0	0	63.4	2.6	3800	280	110	39
天ぷら用	337	12.4	8.2	1.1	3	70.1	2.5	210	160	140	19
天ぷら用　バッター	132	65.5	(3.0)	(0.4)	1	(27.6)	1.9	64	67	84	6

可食部（食べられる部分）100g あたり

鉄	亜鉛	ビタミン ビタミンA（レチノール活性当量）	ビタミンD	ビタミンB1	ビタミンB2	葉酸	ビタミンC	食塩相当量	備考	食品番号	参考 見た目のおおまかなめやす量
mg	mg	µg	µg	mg	mg	µg	mg	g			
9.4	5.8	微量	(0)	0.04	0.14	130	(0)	0		01001	1カップ 180g 大さじ1 12g
4.8	2.5	(0)	(0)	0.56	0.07	29	0	0	うるち粟、もち粟を含む	01002	1カップ 160g 大さじ1 12g
0.7	1.1	0	0	0.08	0.01	7	0	0	原材料配合：もち粟 50、もち米 50	01003	1個 40g
3.9	2.1	(0)	(0)	0.20	0.08	30	(0)	0		01004	1カップ 80g 大さじ1 6g
1.3	1.4	(0)	(0)	0.22	0.07	17	(0)	0		01005	1カップ 125g
1.1	1.1	(0)	(0)	0.11	0.03	10	(0)	0		01006	1カップ 130g 大さじ1 10g
0.4	0.4	(0)	(0)	0.02	微量	3	(0)	0		01170	
1.2	1.2	(0)	(0)	0.19	0.05	10	(0)	0	白麦を含む。精白した大麦を黒条に沿って2つに切断したもの	01007	
2.1	1.5	(0)	(0)	0.21	0.04	19	(0)	2.8	原材料配合割合：大麦粉 50、小麦粉 50	01008	
0.9	0.6	(0)	(0)	0.04	0.01	5	(0)	0.2	原材料配合割合：大麦粉 50、小麦粉 50	01009	
3.1	3.8	(0)	(0)	0.09	0.10	24	(0)	0		01010	1カップ 70g
4.3	2.8	1	(0)	0.45	0.24	190	0	0.1		01167	
2.1	2.7	(0)	(0)	0.34	0.09	13	0	0	うるちきび、もちきびを含む	01011	1カップ 160g 大さじ1 12g
0.5	0.3	(0)	0	0.11	0.03	9	(0)	0		01015	1カップ 110g 大さじ1 9g
0.5	0.5	(0)	0	0.10	0.03	8	(0)	0		01018	1カップ 110g 大さじ1 9g
0.9	0.8	(0)	0	0.09	0.04	16	(0)	0		01020	1カップ 110g 大さじ1 9g
3.1	3.0	(0)	(0)	0.34	0.09	48	(0)	0		01023	1カップ 100g 大さじ1 9g
1.0	0.7	1	0.1	0.21	0.03	17	微量	3.7	プレミックス粉：小麦粉・でん粉をベースに調味料等が加えられた調整粉	01146	1カップ 105g
0.5	0.3	9	0.1	0.10	0.08	10	0	1.0		01024	1カップ 110g
1.2	0.7	5	0	0.15	0.07	26	0	9.7		01147	
0.6	0.5	1	0	0.12	0.99	12	0	0.5		01025	1カップ 110g 大さじ1 9g
0.2	0.1	3	(0)	0.04	0.16	3	(0)	0.2	バッター：天ぷらの衣や、フライのパン粉の前につける衣として用いられる液状の生地。配合割合：天ぷら粉 39、水 61	01171	

・（カッコ）内の成分値および（微量）は推定値または推計値であることを意味します。

穀類

食品名	エネルギー	水分	たんぱく質	脂質	コレステロール	炭水化物	食物繊維	ミネラル			
								ナトリウム	カリウム	カルシウム	マグネシウム
可食部（食べられる部分）100gあたり	kcal	g	g	g	mg	g	g	mg	mg	mg	mg
バッター　揚げ 別名 揚げ玉、天かす	588	10.2	(3.9)	47.7	2	34.3	3.3	79	93	100	8
パン類											
角形食パン　食パン	248	39.2	7.4	3.7	0	44.2	4.2	470	86	22	18
焼き 別名 トースト	269	33.6	8.3	4.0	未測定	47.8	4.6	520	93	26	20
耳を除いたもの 別名 サンドイッチ用食パン	226	44.2	6.9	3.4	未測定	40.2	3.8	440	78	20	16
耳	273	(33.5)	(9.7)	(4.5)	未測定	(46.1)	(4.7)	(510)	(92)	(23)	(18)
食パン 別名 フランス食パン　リーンタイプ	246	(39.2)	(7.4)	(3.5)	(微量)	(44.1)	(2.0)	(520)	(67)	(12)	(16)
リッチタイプ	256	(39.2)	(7.2)	(5.5)	(32)	(42.7)	(1.7)	(400)	(88)	(25)	(15)
山形食パン　食パン 別名 イギリスパン	246	(39.2)	(7.2)	(3.3)	(微量)	(44.7)	(1.8)	(490)	(76)	(18)	(16)
コッペパン	259	37.0	7.3	(3.6)	(微量)	48.5	2.0	520	95	37	24
乾パン	386	5.5	(8.7)	(4.0)	(微量)	(74.9)	3.1	490	160	30	27
フランスパン	289	30.0	8.6	(1.1)	(0)	58.2	2.7	620	110	16	22
ライ麦パン	252	35.0	6.7	(2.0)	(0)	49.0	5.6	470	190	16	40
全粒粉パン	251	39.2	7.2	5.4	微量	39.9	4.5	410	140	14	51
ぶどうパン	263	35.7	(7.4)	(3.3)	(微量)	49.9	2.2	400	210	32	23
ロールパン	309	30.7	8.5	8.5	(微量)	48.6	2.0	490	110	44	22
クロワッサン　レギュラータイプ	406	(20.0)	(5.9)	(19.3)	(20)	(51.2)	(1.9)	(530)	(110)	(27)	(14)
リッチタイプ	438	20.0	(7.3)	(25.4)	(35)	44.1	1.8	470	90	21	17
くるみパン	292	(39.2)	(7.5)	(12.5)	(12)	(34.8)	(2.4)	(310)	(150)	(35)	(33)
イングリッシュマフィン	224	46.0	(7.4)	(3.2)	(微量)	40.6	1.2	480	84	53	19

可食部（食べられる部分）100gあたり									備考	食品番号	参考 見た目のおおまかなめやす量
		ビタミン									
鉄	亜鉛	ビタミンA（レチノール活性当量）	ビタミンD	ビタミンB1	ビタミンB2	葉酸	ビタミンC	食塩相当量			
mg	mg	µg	µg	mg	mg	µg	mg	g			
0.3	0.1	0	未測定	0.05	0.14	4	(0)	0.2		01172	大さじ1　4g 小さじ1　2g
0.5	0.5	0	0	0.07	0.05	30	0	1.2		01026	6枚切り1枚　60g
0.5	0.6	未測定	未測定	0.07	0.05	30	0	1.3		01174	6枚切り1枚　60g
0.4	0.4	微量	未測定	0.06	0.05	17	0	1.1		01175	
(0.5)	(0.6)	(1)	未測定	(0.06)	(0.06)	(27)	(微量)	(1.3)		01176	
(0.6)	(0.6)	(0)	(0.3)	(0.10)	(0.05)	(28)	(0)	(1.3)		01206	
(0.6)	(0.7)	(55)	(0.3)	(0.09)	(0.09)	(42)	(0)	(1.0)		01207	
(0.6)	(0.6)	(0)	(微量)	(0.08)	(0.06)	(34)	(0)	(1.3)		01205	1枚　60g
1.0	0.7	(0)	(0)	0.08	0.08	45	(0)	1.3		01028	1個　100g
1.2	0.6	(0)	(0)	0.14	0.06	20	(0)	1.2		01030	4個　10g
0.9	0.8	(0)	(0)	0.08	0.05	33	(0)	1.6		01031	1本　230g
1.4	1.3	(0)	微量	0.16	0.06	34	(0)	1.2	主原料配合：ライ麦粉 50%	01032	1枚　30g
1.3	0.4	0	微量	0.17	0.07	49	0	1.0		01208	1枚　60g
0.9	0.6	微量	微量	0.11	0.05	33	(微量)	1.0		01033	6枚切り1枚　65g
0.7	0.8	1	0.1	0.10	0.06	38	(0)	1.2		01034	1個　30g
(0.4)	(0.5)	(37)	(1.4)	(0.11)	(0.09)	(46)	0	(1.4)		01209	1個　40g
0.6	0.6	6	0.1	0.08	0.03	33	(0)	1.2		01035	1個　40g
(0.8)	(0.9)	(16)	(0.1)	(0.11)	(0.09)	(45)	0	(0.8)		01210	
0.9	0.8	微量	(0)	0.15	0.08	23	(0)	1.2		01036	1個　60g

・(カッコ)内の成分値および(微量)は推定値または推計値であることを意味します。

穀類

食品名	エネルギー	水分	たんぱく質	脂質	コレステロール	炭水化物	食物繊維	ミネラル ナトリウム	カリウム	カルシウム	マグネシウム
	可食部(食べられる部分)100gあたり										
	kcal	g	g	g	mg	g	g	mg	mg	mg	mg
ナン	257	37.2	(9.3)	3.1	(0)	46.9	2.0	530	97	11	22
ベーグル	270	32.3	8.2	1.9	未測定	53.6	2.5	460	97	24	24
うどん・そうめん類											
うどん　生	249	33.5	5.2	(0.5)	(0)	54.2	3.6	1000	90	18	13
ゆで	95	75.0	2.3	(0.3)	(0)	19.5	1.3	120	9	6	6
半生うどん	296	23.8	(6.6)	(2.9)	(0)	(57.4)	4.1	(1200)	(98)	(22)	(15)
干しうどん　乾燥	333	13.5	8.0	(1.0)	(0)	(69.9)	2.4	1700	130	17	19
ゆで	117	70.0	(2.9)	(0.4)	(0)	(24.2)	0.7	210	14	7	4
そうめん・ひや麦　乾燥	333	12.5	8.8	(1.0)	(0)	71.0	2.5	1500	120	17	22
ゆで	114	70.0	(3.3)	(0.3)	(0)	23.3	0.9	85	5	6	5
手延そうめん・手延ひや麦　乾燥	312	14.0	8.6	1.4	(0)	63.5	1.8	2300	110	20	23
ゆで	119	70.0	(3.2)	(0.6)	(0)	24.8	1.0	130	5	6	4
中華めん類											
中華めん　生	249	33.0	8.5	(1.0)	(0)	47.6	5.4	410	350	21	13
ゆで	133	65.0	(4.8)	(0.5)	(0)	25.2	2.8	70	60	20	7
半生中華めん	305	23.7	(9.8)	(3.5)	(0)	(54.2)	6.2	(470)	(430)	(21)	(15)
蒸し中華めん	162	57.4	4.7	(1.5)	微量	30.6	3.1	110	80	10	9
干し中華めん　乾燥	337	14.7	(11.5)	(1.4)	(0)	65.0	6.0	410	300	21	23
ゆで	131	66.8	(4.8)	(0.4)	(0)	25.4	2.6	66	42	13	10
沖縄そば　生	266	32.3	(9.1)	(1.7)	(0)	52.5	2.1	810	340	11	50
ゆで	132	65.5	(5.1)	(0.7)	(0)	(24.8)	1.5	170	80	9	28
干し沖縄そば　乾燥	317	13.7	(11.9)	(1.5)	(0)	(61.3)	2.1	1700	130	23	22
ゆで	132	65.0	(5.1)	(0.5)	(0)	(25.2)	1.5	200	10	11	8
即席めん類											
袋入りインスタントラーメン　油揚げ　調理後　全体	100	(78.5)	(2.3)	(4.4)	(1)	(12.2)	(0.5)	(430)	(33)	(28)	(6)

可食部（食べられる部分）100gあたり											
		ビタミン									
鉄 mg	亜鉛 mg	ビタミンA（レチノール活性当量）µg	ビタミンD µg	ビタミンB1 mg	ビタミンB2 mg	葉酸 µg	ビタミンC mg	食塩相当量 g	備考	食品番号	参考 見た目のおおまかなめやす量
0.8	0.7	(0)	(0)	0.13	0.06	36	(0)	1.3		01037	1枚 80g
1.3	0.7	未測定	未測定	0.19	0.08	47	未測定	1.2		01148	1個 90g
0.3	0.3	(0)	(0)	0.09	0.03	5	(0)	2.5	きしめん、ひもかわを含む	01038	1玉 150g
0.2	0.1	(0)	(0)	0.02	0.01	2	(0)	0.3	きしめん、ひもかわを含む	01039	1玉分 270g 1袋 200g
(0.6)	(0.3)	(0)	(0)	(0.10)	(0.03)	(6)	(0)	(3.0)	乾めんと生めんの中間の水分状態のもの	01186	
0.6	0.4	(0)	(0)	0.08	0.02	9	(0)	4.3		01041	1束 100g
0.2	0.1	(0)	(0)	0.02	0.01	2	(0)	0.5		01042	1束分 240g
0.6	0.4	(0)	(0)	0.08	0.02	8	(0)	3.8		01043	1束（そうめんの場合） 50g
0.2	0.2	(0)	(0)	0.02	0.01	2	(0)	0.2		01044	1束分 135g
0.6	0.4	(0)	(0)	0.06	0.02	10	(0)	5.8		01045	1束 50g
0.2	0.1	(0)	(0)	0.03	0.01	2	(0)	0.3		01046	1束分 150g
0.5	0.4	(0)	(0)	0.02	0.02	8	(0)	1.0		01047	1玉 110g
0.3	0.2	(0)	(0)	0.01	0.01	3	(0)	0.2		01048	1玉分 210g
(0.7)	(0.4)	(0)	(0)	(0.07)	(0.03)	(9)	(0)	(1.2)		01187	
0.4	0.2	(0)	(0)	0	0.16	4	(0)	0.3	焼きそば用	01049	1袋 150g
1.1	0.5	(0)	(0)	0.02	0.03	11	(0)	1.0		01050	1玉 90g
0.4	0.2	(0)	(0)	0	0	3	(0)	0.2		01051	1玉分 225g
0.7	1.1	(0)	(0)	0.02	0.04	15	(0)	2.1		01052	1玉 160g
0.4	0.6	(0)	(0)	0.01	0.02	6	(0)	0.4		01053	1玉分 270g 1袋 200g
1.5	0.4	(0)	(0)	0.12	0.05	8	(0)	4.3		01054	1束 80g
0.5	0.1	(0)	(0)	0.02	0.02	3	(0)	0.5		01055	1束分 180g
(0.2)	(0.1)	0	0	(0.02)	(0.13)	(2)	0	(1.1)	添付調味料等を含む	01198	1袋 100g

・(カッコ) 内の成分値および (微量) は推定値または推計値であることを意味します。

穀類

食品名	エネルギー	水分	たんぱく質	脂質	コレステロール	炭水化物	食物繊維	ナトリウム	カリウム	カルシウム	マグネシウム
	可食部(食べられる部分)100g あたり							ミネラル			
	kcal	g	g	g	mg	g	g	mg	mg	mg	mg
袋入りインスタントラーメン　ノンフライ　調理後　全体	93	(76.2)	(3.0)	(0.8)	(1)	(18.0)	(0.6)	(430)	(68)	(6)	(6)
カップめん式インスタントラーメン　油揚げ　塩味　調理後　全体	92	(79.8)	(2.1)	(4.0)	(4)	(11.2)	(1.3)	(520)	(43)	(43)	(6)
めん	175	62.0	3.3	7.2	1	22.7	2.2	440	37	76	7
しょうゆ味　調理後　全体	90	(80.8)	(2.0)	(4.4)	(2)	(9.8)	(1.4)	(590)	(43)	(46)	(6)
めん	142	69.1	2.6	5.6	1	19.4	1.9	450	33	74	6
カップ焼きそば　油揚げ　調理後　全体	222	(53.6)	(4.2)	(10.6)	(3)	(25.8)	(3.3)	(910)	(100)	(94)	(14)
カップラーメン　ノンフライ　調理後　全体	66	(83.5)	(2.1)	(2.0)	(2)	(9.2)	(1.5)	(560)	(77)	(44)	(7)
めん	121	68.8	2.9	1.1	1	23.4	2.5	380	53	76	7
即席めん類　カップうどん　油揚げ　調理後　全体	91	(80.5)	(1.9)	(4.4)	(1)	(10.3)	(1.4)	(550)	(34)	(41)	(6)
めん	163	64.4	2.4	7.0	2	21.2	2.4	420	26	78	6
マカロニ・スパゲッティ類											
マカロニ　乾燥	347	11.3	12.0	1.5	(0)	66.9	5.4	1	200	18	55
ゆで	150	60.0	5.3	0.7	(0)	28.5	3.0	460	14	8	20
スパゲッティ　乾燥	347	11.3	12.0	1.5	(0)	66.9	5.4	1	200	18	55
ゆで	150	60.0	5.3	0.7	(0)	28.5	3.0	460	14	8	20
生パスタ　生	232	42.0	7.5	1.7	(0)	45.9	1.5	470	76	12	18
麩(ふ)類											
生麩	161	60.0	(11.7)	(0.7)	(0)	26.8	0.5	7	30	13	18
焼き麩　釜焼き麩	357	11.3	26.8	(2.3)	(0)	55.2	3.7	6	120	33	43
板麩	351	12.5	(23.6)	(2.9)	(0)	55.9	3.8	190	220	31	90
車麩	361	11.4	(27.8)	(2.9)	(0)	54.4	2.6	110	130	25	53

可食部（食べられる部分）100g あたり									備考	食品番号	参考 見た目のおおまかなめやす量
		ビタミン									
鉄	亜鉛	ビタミンA（レチノール活性当量）	ビタミンD	ビタミンB1	ビタミンB2	葉酸	ビタミンC	食塩相当量			
mg	mg	µg	µg	mg	mg	µg	mg	g			
(0.2)	(0.1)	0	0	(0.01)	(0.01)	(4)	0	(1.1)	添付調味料等を含む	01199	
(0.2)	(0.1)	(6)	（微量）	(0.20)	(0.14)	(4)	(1)	(1.3)	添付調味料等を含む	01201	
0.3	0.2	6	0	0.19	0.14	4	0	1.1	スープを残したもの	01194	
(0.2)	(0.1)	(3)	0	(0.14)	(0.12)	(3)	(1)	(1.5)	添付調味料等を含む	01200	
0.2	0.1	1	0	0.15	0.14	3	0	1.1	スープを残したもの	01192	
(0.4)	(0.3)	(2)	0	(0.28)	(0.30)	(9)	(2)	(2.3)	添付調味料等を含む	01202	
(0.2)	(0.1)	(3)	（微量）	(0.10)	(0.10)	(4)	(2)	(1.4)	添付調味料等を含む	01203	
0.3	0.1	微量	0	0.05	0.06	3	0	1.0	スープを残したもの	01195	
(0.2)	(0.1)	（微量）	0	(0.19)	(0.08)	(2)	(2)	(1.4)	添付調味料等を含む	01204	
0.2	0.1	0	0	0.15	0.06	3	1	1.1	スープを残したもの	01196	
1.4	1.5	1	(0)	0.19	0.06	13	(0)	0		01063	1食分　25g
0.7	0.7	(0)	(0)	0.06	0.03	4	(0)	1.2	1.5% 食塩水でゆでた場合	01064	1食分　60g
1.4	1.5	1	(0)	0.19	0.06	13	(0)	0		01063	1食分　100g
0.7	0.7	(0)	(0)	0.06	0.03	4	(0)	1.2	1.5% 食塩水でゆでた場合	01064	1食分　220g
0.5	0.5	(0)	未測定	0.05	0.04	9	(0)	1.2	デュラム小麦 100 % 以外のものも含む	01149	1食分　150g
1.3	1.8	(0)	(0)	0.08	0.03	7	(0)	0		01065	
3.3	2.2	(0)	(0)	0.16	0.07	16	(0)	0	平釜焼き麩（小町麩、切り麩、おつゆ麩等）および型釜焼き麩（花麩等）	01066	小町麩1個　0.7g
4.9	2.9	(0)	(0)	0.20	0.08	22	(0)	0.5		01067	1枚　16g
4.2	2.7	(0)	(0)	0.12	0.07	11	(0)	0.3		01068	1枚　6g

・(カッコ)内の成分値および(微量)は推定値または推計値であることを意味します。

穀類

食品名	エネルギー	水分	たんぱく質	脂質	コレステロール	炭水化物	食物繊維	ミネラル ナトリウム	カリウム	カルシウム	マグネシウム
可食部(食べられる部分)100gあたり	kcal	g	g	g	mg	g	g	mg	mg	mg	mg
油ふ	547	7.1	22.7	35.3	1	34.4	未測定	22	71	19	28
小麦(その他)											
かやきせんべい 別名 おつゆせんべい	359	9.8	10.6	1.9	未測定	75.1	未測定	970	150	19	27
ぎょうざの皮	275	32.0	(8.4)	(1.2)	0	(54.9)	2.2	2	64	16	18
しゅうまいの皮	275	31.1	(7.5)	(1.2)	(0)	(55.7)	2.2	2	72	16	17
春巻きの皮 生	288	26.7	8.3	1.6	微量	57.7	4.5	440	77	13	13
春巻きの皮 揚げ	512	7.3	7.2	30.7	1	49.5	4.2	370	66	11	11
ピザ生地 別名 ピザクラスト	265	35.3	9.1	2.7	(0)	(48.5)	2.3	510	91	13	22
ちくわぶ	160	60.4	(6.5)	(1.0)	(0)	30.3	1.5	1	3	8	6
パン粉 生	277	35.0	(9.1)	(4.6)	(0)	(47.2)	3.0	350	110	25	29
半生	315	26.0	(10.4)	(5.2)	(0)	(53.8)	3.5	400	130	28	34
乾燥	369	13.5	(12.1)	(6.1)	(0)	(62.9)	4.0	460	150	33	39
冷めん 生	249	36.4	3.4	0.6	(0)	57.1	1.1	530	59	11	12
米											
米 玄米	346	14.9	6.0	2.5	(0)	71.3	3.0	1	230	9	110
半つき米	345	14.9	(5.6)	(1.7)	(0)	74.1	1.4	1	150	7	64
七分つき米	348	14.9	(5.4)	(1.4)	(0)	75.8	0.9	1	120	6	45
精白米 うるち米	342	14.9	5.3	0.8	(0)	75.6	0.5	1	89	5	23
もち米	343	14.9	5.8	1.0	(0)	77.4	(0.5)	微量	97	5	33
インディカ米	347	13.7	6.4	0.7	(0)	78.3	0.5	1	68	5	18
胚芽精米(はいがせいまい)	343	14.9	6.5	1.9	(0)	72.2	1.3	1	150	7	51
発芽玄米	339	14.9	5.5	2.8	(0)	69.3	3.1	3	160	13	120
赤米	344	14.6	8.5	3.3	未測定	65.2	6.5	2	290	12	130
黒米	341	15.2	7.8	3.2	未測定	65.7	5.6	1	270	15	110

可食部(食べられる部分)100gあたり											
		ビタミン									
鉄	亜鉛	ビタミンA(レチノール活性当量)	ビタミンD	ビタミンB1	ビタミンB2	葉酸	ビタミンC	食塩相当量	備考	食品番号	参考 見た目のおおまかなめやす量
mg	mg	µg	µg	mg	mg	µg	mg	g			
1.7	1.4	0	0	0.07	0.03	17	未測定	0.1	棒状の生地を油で揚げたもの。宮城県の伝統食品	01177	
0.8	0.6	0	0	0.17	0.02	16	未測定	2.5	せんべい汁用に焼いた塩味の小麦粉せんべい。岩手県の伝統食品	01178	
0.8	0.6	(0)	(0)	0.08	0.04	12	0	0		01074	1枚　4g
0.6	0.5	(0)	(0)	0.09	0.04	9	0	0		01075	1枚　3g
0.3	0.3	0	0	0.03	0.01	9	未測定	1.1		01179	1枚　20㎝角　13g
0.3	0.3	0	0	0.02	0.01	8	未測定	0.9		01180	
0.8	0.6	(0)	(0)	0.15	0.11	20	(0)	1.3		01076	1枚　100g
0.5	0.2	(0)	(0)	0.01	0.02	4	(0)	0		01069	1本　100g
1.1	0.7	微量	(0)	0.11	0.02	40	(0)	0.9		01077	大さじ1　3g
1.2	0.8	微量	(0)	0.13	0.03	46	(0)	1.0		01078	大さじ1　3g
1.4	0.9	微量	(0)	0.15	0.03	54	(0)	1.2		01079	大さじ1　3g
0.3	0.2	(0)	未測定	0.04	微量	4	(0)	1.3		01150	1玉　160g
2.1	1.8	微量	(0)	0.41	0.04	27	(0)	0	品種：水稲米。うるち米	01080	1合　150g 1カップ　170g
1.5	1.6	(0)	(0)	0.30	0.03	18	(0)	0	うるち米	01081	1合　150g
1.3	1.5	(0)	(0)	0.24	0.03	15	(0)	0	うるち米	01082	1合　150g
0.8	1.4	(0)	(0)	0.08	0.02	12	(0)	0		01083	1合　150g 1カップ　170g 無洗米1合　160g 1カップ　180g
0.2	1.5	(0)	(0)	0.12	0.02	(12)	(0)	0		01151	1合　155g 1カップ　175g
0.5	1.6	(0)	(0)	0.06	0.02	16	(0)	0	うるち米	01152	
0.9	1.6	(0)	(0)	0.23	0.03	18	(0)	0	うるち米	01084	1合　150g 1カップ　170g
1.0	1.9	(0)	(0)	0.35	0.02	18	(0)	0	うるち米	01153	
1.2	2.4	0	0	0.38	0.05	30	未測定	0	古代米の名で販売されている場合もある	01181	
0.9	1.9	3	0	0.39	0.10	49	未測定	0	古代米の名で販売されている場合もある	01182	

・(カッコ)内の成分値および(微量)は推定値または推計値であることを意味します。

穀類

食品名		エネルギー	水分	たんぱく質	脂質	コレステロール	炭水化物	食物繊維	ミネラル ナトリウム	カリウム	カルシウム	マグネシウム
		kcal	g	g	g	mg	g	g	mg	mg	mg	mg
ごはん	玄米	152	60.0	2.4	(0.9)	(0)	32.0	1.4	1	95	7	49
	半つき米	154	60.0	(2.2)	(0.5)	(0)	33.5	0.8	1	43	4	22
	七分つき米	160	60.0	(2.1)	(0.5)	(0)	36.7	0.5	1	35	4	13
	精白米　インディカ米	184	54.0	3.2	0.3	(0)	41.9	0.4	0	31	2	8
	うるち米	156	60.0	2.0	0.2	(0)	34.6	1.5	1	29	3	7
	もち米	188	52.1	3.1	0.4	(0)	41.5	(0.4)	0	28	2	5
	胚芽精米	159	60.0	2.7	(0.6)	(0)	34.5	0.8	1	51	5	24
	発芽玄米	161	60.0	2.7	1.3	(0)	33.7	1.8	1	68	6	53
	赤米	150	61.3	3.8	1.3	未測定	28.2	3.4	1	120	5	55
	黒米	150	62.0	3.6	1.4	未測定	28.2	3.3	微量	130	7	55
軟めし 別名 なんはん、なんばん、やわらかめし	精白米	113	(71.5)	(1.8)	(0.3)	0	(24.7)	(1.1)	(1)	(20)	(3)	(5)
全かゆ	玄米	64	(83.0)	(1.0)	(0.4)	(0)	(13.6)	(0.6)	(1)	(41)	(3)	(21)
	半つき米	65	(83.0)	(0.9)	(0.3)	(0)	(14.2)	(0.3)	(微量)	(18)	(2)	(9)
	七分つき米	68	(83.0)	(0.9)	(0.2)	(0)	(15.6)	(0.2)	(微量)	(15)	(2)	(6)
	精白米	65	(83.0)	(0.9)	(0.1)	(0)	(14.7)	(0.1)	(微量)	(12)	(1)	(3)
五分かゆ	玄米	32	(91.5)	(0.5)	(0.2)	(0)	(6.8)	(0.3)	(微量)	(20)	(1)	(10)
	半つき米	32	(91.5)	(0.5)	(0.1)	(0)	(7.1)	(0.1)	(微量)	(9)	(1)	(5)
	七分つき米	32	(91.5)	(0.5)	(0.1)	(0)	(7.1)	(0.1)	(微量)	(8)	(1)	(3)
	精白米	33	(91.5)	(0.4)	(0.1)	(0)	(7.4)	(0.1)	(微量)	(6)	(1)	(1)
おもゆ	玄米	19	(95.0)	(0.3)	(0.1)	(0)	(4.0)	(0.2)	(微量)	(12)	(1)	(6)
	半つき米	19	(95.0)	(0.2)	(0.1)	(0)	(4.2)	(0.1)	(微量)	(5)	(1)	(3)
	七分つき米	20	(95.0)	(0.2)	(0.1)	(0)	(4.7)	(微量)	(微量)	(4)	(1)	(2)
	精白米	19	(95.0)	(0.2)	(0)	(0)	(4.3)	(微量)	(微量)	(4)	(微量)	(1)

表見出し：可食部(食べられる部分)100gあたり

可食部(食べられる部分)100g あたり

鉄 (mg)	亜鉛 (mg)	ビタミン ビタミンA(レチノール活性当量) (µg)	ビタミンD (µg)	ビタミンB1 (mg)	ビタミンB2 (mg)	葉酸 (µg)	ビタミンC (mg)	食塩相当量 (g)	備考	食品番号	参考 見た目のおおまかなめやす量
0.6	0.8	(0)	(0)	0.16	0.02	10	(0)	0	うるち米。玄米47g相当量を含む	01085	茶わん1杯 150g 1カップ 120g
0.2	0.7	(0)	(0)	0.08	0.01	6	(0)	0	うるち米。半つき米47g相当量を含む	01086	茶わん1杯 150g
0.2	0.7	(0)	(0)	0.06	0.01	5	(0)	0	うるち米。七分つき米47g相当量を含む	01087	茶わん1杯 150g
0.2	0.8	(0)	(0)	0.02	微量	6	(0)	0	精白米51g相当量を含む	01168	
0.1	0.6	(0)	(0)	0.02	0.01	3	(0)	0	精白米47g相当量を含む	01088	茶わん1杯 150g 1カップ 120g
0.1	0.8	(0)	(0)	0.03	0.01	(4)	(0)	0	精白米55g相当量を含む	01154	茶わん1杯 150g 1カップ 160g
0.2	0.7	(0)	(0)	0.08	0.01	6	(0)	0	うるち米。はいが精白米47g相当量を含む	01089	茶わん1杯 150g 1カップ 120g
0.4	0.9	(0)	(0)	0.13	0.01	6	(0)	0	うるち米。発芽玄米47g相当量を含む	01155	
0.5	1.0	0	未測定	0.15	0.02	9	未測定	0	古代米の名で販売されている場合もある	01183	
0.4	0.9	1	未測定	0.14	0.04	19	未測定	0	古代米の名で販売されている場合もある	01184	
(0.1)	(0.4)	0	0	(0.02)	(0.01)	(2)	0	0	うるち米。離乳食や病院食、介護食として利用され、ごはんと全かゆの中間の水分含量のもの	01185	
(0.2)	(0.3)	(0)	(0)	(0.07)	(0.01)	(4)	(0)	0	うるち米。5倍かゆ。玄米20g相当量を含む	01090	
(0.1)	(0.3)	(0)	(0)	(0.03)	(微量)	(2)	(0)	0	うるち米。5倍かゆ。半つき米20g相当量を含む	01091	
(0.1)	(0.3)	(0)	(0)	(0.03)	(微量)	(2)	(0)	0	うるち米。5倍かゆ。七分つき米20g相当量を含む	01092	
(微量)	(0.3)	(0)	(0)	(0.01)	(微量)	(1)	(0)	0	うるち米。5倍かゆ。精白米20g相当量を含む	01093	丼1杯 200g 1カップ 210g
(0.1)	(0.2)	(0)	(0)	(0.03)	(微量)	(2)	(0)	0	うるち米。10倍かゆ。玄米10g相当量を含む	01094	
(微量)	(0.2)	(0)	(0)	(0.02)	(微量)	(1)	(0)	0	うるち米。10倍かゆ。半つき米10g相当量を含む	01095	
(微量)	(0.1)	(0)	(0)	(0.01)	(微量)	(1)	(0)	0	うるち米。10倍かゆ。七分つき米10g相当量を含む	01096	
(微量)	(0.1)	(0)	(0)	(微量)	(微量)	(1)	(0)	0	うるち米。10倍かゆ。精白米10g相当量を含む	01097	丼1杯 200g 1カップ 200g
(0.1)	(0.1)	(0)	(0)	(0.02)	(微量)	(1)	(0)	0	うるち米。弱火で加熱、ガーゼでこしたもの。玄米6g相当量を含む	01098	
(微量)	(0.1)	(0)	(0)	(0.01)	(微量)	(1)	(0)	0	うるち米。弱火で加熱、ガーゼでこしたもの。半つき米6g相当量を含む	01099	
(微量)	(0.1)	(0)	(0)	(0.01)	(微量)	(1)	(0)	0	うるち米。弱火で加熱、ガーゼでこしたもの。七分つき米6g相当量を含む	01100	
(微量)	(0.1)	(0)	(0)	(微量)	(微量)	(微量)	(0)	0	うるち米。弱火で加熱、ガーゼでこしたもの。精白米6g相当量を含む	01101	丼1杯 200g 1カップ 200g

・（カッコ）内の成分値および（微量）は推定値または推計値であることを意味します。

穀類

食品名	エネルギー	水分	たんぱく質	脂質	コレステロール	炭水化物	食物繊維	ナトリウム	カリウム	カルシウム	マグネシウム
	可食部（食べられる部分）100g あたり							ミネラル			
	kcal	g	g	g	mg	g	g	mg	mg	mg	mg
うるち米製品											
アルファ化米	358	7.9	5.0	0.8	(0)	79.6	1.2	5	37	7	14
おにぎり	170	57.0	2.4	(0.3)	(0)	39.3	0.4	200	31	3	7
焼きおにぎり	166	56.0	(2.7)	(0.3)	0	(36.9)	0.4	380	56	5	11
きりたんぽ	200	50.0	(2.8)	(0.4)	0	46.2	0.4	1	36	4	9
上新粉	343	14.0	5.4	(0.8)	(0)	75.9	0.6	2	89	5	23
米粉	356	11.1	5.1	0.6	(0)	82.2	0.6	1	45	6	11
米粉パン　食パン	247	(41.2)	(10.2)	(4.6)	(微量)	(40.9)	(0.7)	(420)	(57)	(22)	(14)
ロールパン	256	(41.2)	(8.2)	(6.2)	(18)	(41.5)	(0.6)	(370)	(66)	(26)	(12)
小麦グルテン不使用のもの	247	41.2	2.8	2.8	未測定	50.8	0.9	340	92	4	11
米粉めん	252	37.0	3.2	0.6	(0)	57.9	0.9	48	43	5	11
ビーフン	360	11.1	5.8	(1.5)	(0)	80.3	0.9	2	33	14	13
ライスペーパー 別名 生春巻きの皮	339	13.2	0.4	0.2	0	83.7	0.8	670	22	21	21
米こうじ	260	33.0	4.6	1.4	(0)	55.9	1.4	3	61	5	16
もち米製品											
もち	223	44.5	3.6	(0.5)	(0)	50.8	0.5	0	32	3	6
赤飯	186	53.0	(3.6)	(0.5)	0	41.1	1.6	0	71	6	11
あくまき	131	69.5	(2.0)	(1.5)	(0)	(26.4)	0.2	16	300	6	6
白玉粉 別名 寒晒し粉（かんざらしこ）	347	12.5	5.5	(0.8)	(0)	76.5	0.5	2	3	5	6
道明寺粉	349	11.6	(6.1)	0.5	(0)	(77.3)	0.7	4	45	6	9
その他											
米ぬか	374	10.3	10.9	17.5	(0)	32.9	20.5	7	1500	35	850

可食部（食べられる部分）100g あたり											
		ビタミン									
鉄	亜鉛	ビタミンA（レチノール活性当量）	ビタミンD	ビタミンB1	ビタミンB2	葉酸	ビタミンC	食塩相当量	備考	食品番号	参考 見た目のおおまかなめやす量
mg	mg	µg	µg	mg	mg	µg	mg	g			
0.1	1.6	(0)	(0)	0.04	微量	7	(0)	0		01110	1カップ　100g
0.1	0.6	(0)	(0)	0.02	0.01	3	0	0.5	塩むすび（のり、具材なし）。食塩 0.5g を含む	01111	1個　100g
0.2	0.7	(0)	(0)	0.03	0.02	5	0	1.0	こいくちしょうゆ 6.5g を含む	01112	1個　50g
0.1	0.7	(0)	(0)	0.03	0.01	4	0	0	飯をつぶして、ちくわのようにして焼いてつくる秋田地方の食品	01113	1本　65g
0.8	1.0	(0)	(0)	0.09	0.02	12	(0)	0		01114	1カップ　130g 大さじ1　9g
0.1	1.5	(0)	未測定	0.03	0.01	9	(0)	0	米粉は精白米を粉にしたものの総称	01158	1カップ　100g 大さじ1　9g
(0.8)	(1.3)	未測定	未測定	(0.05)	(0.06)	(32)	0	(1.1)	米粉パンは原料が米粉だけの製品と小麦粉を混ぜた製品がある。小麦たんぱく質を原料に含む	01211	
(0.6)	(1.2)	未測定	(0.5)	(0.05)	(0.08)	(35)	0	(0.9)	小麦たんぱく質を原料に含む	01212	
0.2	0.9	未測定	未測定	0.05	0.03	30	未測定	0.9	小麦アレルギー対応食品（米粉 100%）	01159	
0.1	1.1	(0)	未測定	0.03	微量	4	(0)	0.1	小麦アレルギー対応食品（米粉 100%）	01160	
0.7	0.6	(0)	(0)	0.06	0.02	4	(0)	0		01115	1袋　80g
1.2	0.1	0	0	0.01	0	3	0	1.7		01169	1枚直径 22cm　10g 1枚直径 16cm　5g
0.3	0.9	(0)	(0)	0.11	0.13	71	(0)	0		01116	大さじ1　8g
0.1	0.9	(0)	(0)	0.03	0.01	4	(0)	0		01117	1個　50g
0.4	0.9	0	(0)	0.05	0.01	9	0	0	原材料配合割合：もち米 100、ささげ 10	01118	茶わん1杯　150g
0.1	0.7	(0)	(0)	微量	微量	1	(0)	0	鹿児島地方に伝わるちまきの一種	01119	1個　300g
1.1	1.2	(0)	(0)	0.03	0.01	14	(0)	0		01120	1カップ　120g 大さじ1　9g
0.4	1.5	(0)	(0)	0.04	0.01	6	(0)	0		01121	1カップ　150g 大さじ1　12g
7.6	5.9	(0)	未測定	3.12	0.21	180	(0)	0		01161	

・（カッコ）内の成分値および（微量）は推定値または推計値であることを意味します。

穀類

食品名	可食部（食べられる部分）100gあたり										
								ミネラル			
	エネルギー	水分	たんぱく質	脂質	コレステロール	炭水化物	食物繊維	ナトリウム	カリウム	カルシウム	マグネシウム
	kcal	g	g	g	mg	g	g	mg	mg	mg	mg
そば											
そば粉 全層粉 別名 挽（ひ）きぐるみ	339	13.5	10.2	2.9	(0)	63.9	4.3	2	410	17	190
内層粉 別名 更科（さらしな）粉、御膳粉	342	14.0	(5.1)	(1.5)	(0)	73.8	1.8	1	190	10	83
そば米 別名 むきそば	347	12.8	(8.0)	(2.3)	(0)	71.8	3.7	1	390	12	150
そば 別名 そば切り 生	271	33.0	8.2	(1.7)	(0)	(51.3)	6.0	1	160	18	65
ゆで	130	68.0	(3.9)	(0.9)	(0)	(24.5)	2.9	2	34	9	27
半生そば	325	23.0	(8.7)	(3.8)	(0)	(59.0)	6.9	(3)	(190)	(20)	(74)
干しそば 乾燥	344	14.0	11.7	(2.1)	(0)	(65.9)	3.7	850	260	24	100
ゆで	113	72.0	(3.9)	(0.6)	(0)	(21.5)	1.5	50	13	12	33
とうもろこし											
コーンミール	375	14.0	(7.0)	(3.6)	(0)	(72.5)	8.0	2	220	5	99
コーンフラワー	347	14.0	(5.7)	(2.5)	(0)	(72.5)	1.7	1	200	3	31
ジャイアントコーン フライ 味付け	409	4.3	(5.2)	10.6	(0)	67.8	10.5	430	110	8	88
ポップコーン	472	4.0	(8.7)	(21.7)	(0)	(54.1)	9.3	570	300	7	95
コーンフレーク	380	4.5	6.8	(1.2)	(0)	(82.2)	2.4	830	95	1	14
雑穀ほか											
はと麦 精白粒	353	13.0	12.5	1.3	(0)	72.4	0.6	1	85	6	12
ひえ 精白粒	361	12.9	8.4	3.0	(0)	70.8	4.3	6	240	7	58
ライ麦 全粒粉	317	12.5	10.8	(2.0)	(0)	55.7	13.3	1	400	31	100
ライ麦粉	324	13.5	7.8	1.2	(0)	64.0	12.9	1	140	25	30

可食部（食べられる部分）100g あたり											
		ビタミン									
鉄	亜鉛	ビタミンA（レチノール活性当量）	ビタミンD	ビタミンB1	ビタミンB2	葉酸	ビタミンC	食塩相当量	備考	食品番号	参考 見た目のおおまかなめやす量
mg	mg	µg	µg	mg	mg	µg	mg	g			
2.8	2.4	(0)	(0)	0.46	0.11	51	(0)	0	表層粉の一部を除いたもの。殻ごと、もしくは殻を除いた実を挽いたもの	01122	1カップ 120g 大さじ1 9g
1.7	0.9	(0)	(0)	0.16	0.07	30	(0)	0	一番粉。おもに一番中心の内層部	01123	1カップ 110g
1.6	1.4	(0)	(0)	0.42	0.10	23	0	0	そばの実をゆでて乾燥、殻を除いたもの	01126	1カップ 170g
1.4	1.0	(0)	(0)	0.19	0.09	19	(0)	0	原材料配合割合：小麦粉 65、そば粉 35	01127	1玉 120g
0.8	0.4	(0)	(0)	0.05	0.02	8	(0)	0		01128	1玉分 230g 1袋 160g
(1.3)	(1.2)	0	(0)	(0.22)	(0.10)	(22)	(0)	0		01197	
2.6	1.5	(0)	(0)	0.37	0.08	25	(0)	2.2	原材料配合割合：小麦粉 65、そば粉 35	01129	1束 100g
0.9	0.4	(0)	(0)	0.08	0.02	5	(0)	0.1		01130	1束分 260g
1.5	1.4	13	(0)	0.15	0.08	28	(0)	0	黄色種	01132	1カップ 130g
0.6	0.6	11	(0)	0.14	0.06	9	(0)	0	黄色種	01134	1カップ 90g
1.3	1.6	(0)	(0)	0.08	0.02	12	(0)	1.1		01135	
4.3	2.4	15	(0)	0.13	0.08	22	(0)	1.4		01136	
0.9	0.2	10	(0)	0.03	0.02	6	(0)	2.1		01137	1カップ 30g
0.4	0.4	(0)	(0)	0.02	0.05	16	(0)	0		01138	
1.6	2.2	(0)	(0)	0.25	0.02	14	0	0		01139	1カップ 160g 大さじ1 12g
3.5	3.5	(0)	(0)	0.47	0.20	65	0	0		01142	1カップ 110g
1.5	0.7	(0)	(0)	0.15	0.07	34	(0)	0		01143	1カップ 90g 大さじ1 6g

・（カッコ）内の成分値および（微量）は推定値または推計値であることを意味します。

いも及びでん粉類

可食部（食べられる部分）100gあたり

食品名	エネルギー	水分	たんぱく質	脂質	コレステロール	炭水化物	食物繊維	ミネラル ナトリウム	カリウム	カルシウム	マグネシウム
	kcal	g	g	g	mg	g	g	mg	mg	mg	mg
芋											
菊芋 生	66	81.7	1.9	0.4	(0)	12.2	1.9	1	610	14	16
水煮	51	85.4	1.6	0.5	(0)	8.7	2.1	1	470	13	13
こんにゃく											
板こんにゃく 精粉こんにゃく	5	97.3	0.1	微量	(0)	0.1	2.2	10	33	43	2
生芋こんにゃく	8	96.2	0.1	0.1	(0)	0.3	3.0	2	44	68	5
赤こんにゃく	6	97.1	0.1	微量	(0)	0.2	2.3	11	48	46	3
しらたき 別名 糸こんにゃく	7	96.5	0.2	微量	(0)	0.1	2.9	10	12	75	4
さつま芋類											
さつま芋 皮つき 生	127	64.6	0.8	0.1	(0)	28.4	2.8	23	380	40	24
蒸し	129	64.2	0.7	0.1	(0)	28.9	3.8	22	390	40	23
天ぷら	205	52.4	1.2	6.3	未測定	33.5	3.1	36	380	51	25
さつま芋 皮むき 生	126	65.6	1.0	0.1	(0)	28.3	2.2	11	480	36	24
蒸し	131	65.6	1.0	(0.1)	(0)	30.3	2.3	11	480	36	24
焼き 別名 石焼き芋	151	58.1	1.2	(0.1)	(0)	34.4	3.5	13	540	34	23
蒸し切り干し 別名 乾燥芋、干し芋	277	22.2	2.7	0.2	(0)	62.5	5.9	18	980	53	45
むらさき芋 皮むき 生	123	66.0	0.9	0.1	(0)	27.5	2.5	30	370	24	26
蒸し	122	66.2	1.0	0.1	(0)	27.2	3.0	28	420	34	26
里芋類											
里芋 生	53	84.1	1.2	0.1	(0)	10.3	2.3	微量	640	10	19
水煮	52	84.0	1.3	(0.1)	(0)	10.2	2.4	1	560	14	17
冷凍	69	80.9	1.8	0.1	(0)	13.9	2.0	3	340	20	20

可食部（食べられる部分）100g あたり											
		ビタミン									
鉄	亜鉛	ビタミンA（レチノール活性当量）	ビタミンD	ビタミンB1	ビタミンB2	葉酸	ビタミンC	食塩相当量	備考	食品番号	参考 見た目のおおまかなめやす量
mg	mg	µg	µg	mg	mg	µg	mg	g			
0.3	0.3	0	(0)	0.08	0.04	20	10	0		02001	
0.3	0.3	0	(0)	0.06	0.03	19	6	0		02041	
0.4	0.1	(0)	(0)	(0)	(0)	1	(0)	0	突きこんにゃく、玉こんにゃくを含む	02003	1枚　250g
0.6	0.2	(0)	(0)	0	0	2	0	0	突きこんにゃく、玉こんにゃくを含む	02004	
78.0	0.1	(0)	(0)	0	(0)	1	(0)	0		02042	
0.5	0.1	(0)	(0)	(0)	(0)	0	(0)	0		02005	1玉　200g
0.5	0.2	3	(0)	0.10	0.02	49	25	0.1		02045	1本（中）　200g 1本（大）　270g
0.5	0.2	4	(0)	0.10	0.02	54	20	0.1		02046	
0.5	0.2	5	(0)	0.11	0.04	57	21	0.1		02047	
0.6	0.2	2	(0)	0.11	0.04	49	29	0		02006	
0.6	0.2	2	(0)	0.11	0.04	50	29	0		02007	
0.7	0.2	1	(0)	0.12	0.06	47	23	0		02008	
2.1	0.5	(0)	(0)	0.19	0.08	13	9	0		02009	
0.6	0.2	微量	(0)	0.12	0.02	22	29	0.1		02048	
0.6	0.3	微量	(0)	0.13	0.03	24	24	0.1		02049	
0.5	0.3	微量	(0)	0.07	0.02	30	6	0		02010	1個　50g （正味 45g）
0.4	0.3	微量	(0)	0.06	0.02	28	5	0		02011	
0.6	0.4	微量	(0)	0.07	0.01	22	5	0		02012	

・（カッコ）内の成分値および（微量）は推定値または推計値であることを意味します。

いも及びでん粉類

可食部（食べられる部分）100gあたり

食品名	エネルギー	水分	たんぱく質	脂質	コレステロール	炭水化物	食物繊維	ミネラル ナトリウム	カリウム	カルシウム	マグネシウム
	kcal	g	g	g	mg	g	g	mg	mg	mg	mg
水芋 別名 田芋 生	111	70.5	0.5	0.2	(0)	25.3	2.2	6	290	46	23
水煮	101	72.0	0.5	0.2	(0)	22.0	2.5	5	270	79	23
ハつ頭 生	94	74.5	2.5	0.3	(0)	18.4	2.8	1	630	39	42
水煮	92	75.6	2.3	0.3	(0)	18.2	2.8	1	520	34	39
じゃが芋類 別名 馬鈴薯（ばれいしょ）											
じゃが芋 皮つき 生	51	81.1	1.4	微量	(0)	6.2	9.8	1	420	4	19
電子レンジ調理	78	77.6	1.6	微量	(0)	15.6	3.9	微量	430	4	23
フライドポテト（生を揚げたもの）	153	65.2	2.1	5.3	1	21.6	4.3	1	580	6	29
じゃが芋 皮むき 生	59	79.8	1.3	微量	(0)	8.5	8.9	1	410	4	19
水煮	71	80.6	1.4	(微量)	(0)	14.6	3.1	1	340	4	16
蒸し	76	78.8	1.5	(0.1)	(0)	15.1	3.5	1	420	5	24
電子レンジ調理	78	78.0	1.5	微量	(0)	15.9	3.5	1	430	4	20
フライドポテト（生を揚げたもの）	159	64.2	2.1	5.5	1	23.0	3.9	1	570	5	29
フライドポテト（市販品を揚げたもの）	229	52.9	(2.3)	(10.3)	微量	30.2	3.1	2	660	4	35
乾燥マッシュポテト	347	7.5	5.3	0.5	(0)	76.1	6.6	75	1200	24	71
やまの芋類 別名 山芋											
いちょう芋 生 別名 手芋	108	71.1	3.1	0.3	(0)	21.5	1.4	5	590	12	19
長芋 生	64	82.6	1.5	0.1	(0)	13.8	1.0	3	430	17	17
水煮	58	84.2	1.4	(0.1)	(0)	11.8	1.4	3	430	15	16
大和芋 生	119	66.7	2.9	0.1	(0)	24.5	2.5	12	590	16	28

可食部（食べられる部分）100g あたり											
		ビタミン									
鉄	亜鉛	ビタミンA（レチノール活性当量）	ビタミンD	ビタミンB1	ビタミンB2	葉酸	ビタミンC	食塩相当量	備考	食品番号	参考 見た目のおおまかなめやす量
mg	mg	µg	µg	mg	mg	µg	mg	g			
1.0	0.2	1	(0)	0.16	0.02	27	7	0	九州南部から沖縄にかけて栽培される	02013	1個　65g
1.0	0.2	(0)	(0)	0.16	0.02	27	4	0		02014	
0.7	1.4	1	(0)	0.13	0.06	39	7	0		02015	
0.6	1.3	(0)	(0)	0.11	0.04	30	5	0		02016	
1.0	0.2	0	(0)	0.08	0.03	20	28	0		02063	
0.9	0.3	1	(0)	0.07	0.02	15	13	0		02064	
1.6	0.4	1	(0)	0.09	0.03	26	16	0		02065	
0.4	0.2	0	(0)	0.09	0.03	20	28	0		02017	1個　150g（正味 135g）
0.6	0.2	0	(0)	0.07	0.03	18	18	0		02019	
0.6	0.3	微量	(0)	0.08	0.03	21	11	0		02018	
0.4	0.3	0	(0)	0.09	0.03	17	23	0		02066	
0.5	0.4	1	(0)	0.10	0.02	24	16	0		02067	
0.8	0.4	(0)	(0)	0.12	0.06	35	40	0		02020	拍子木切り 10 本　85g
3.1	0.9	(0)	(0)	0.25	0.05	100	5	0.2		02021	1カップ　50g
0.6	0.4	微量	(0)	0.15	0.05	13	7	0		02022	手の平大1個　350g
0.4	0.3	(0)	(0)	0.10	0.02	8	6	0		02023	1本　600g（正味 540g）10cm　150g
0.4	0.3	(0)	(0)	0.08	0.02	6	4	0		02024	
0.5	0.6	1	(0)	0.13	0.02	6	5	0		02025	1個　500g

・（カッコ）内の成分値および（微量）は推定値または推計値であることを意味します。

いも及びでん粉類

食品名	エネルギー kcal	水分 g	たんぱく質 g	脂質 g	コレステロール mg	炭水化物 g	食物繊維 g	ミネラル ナトリウム mg	ミネラル カリウム mg	ミネラル カルシウム mg	ミネラル マグネシウム mg
じねんじょ　生	118	68.8	1.8	0.3	(0)	25.7	2.0	6	550	10	21
でん粉・でん粉製品											
でん粉類											
くず粉 別名 くずでん粉	356	13.9	0.2	0.2	(0)	(85.6)	(0)	2	2	18	3
かたくり粉 別名 じゃが芋でん粉、馬鈴薯（ばれいしょ）でん粉	338	18.0	0.1	0.1	(0)	(81.6)	(0)	2	34	10	6
コーンスターチ 別名 とうもろこしでん粉	363	12.8	0.1	(0.7)	(0)	(86.3)	(0)	1	5	3	4
でん粉製品類											
くずきり　乾燥	341	11.8	0.2	0.2	(0)	81.5	0.9	4	3	19	4
ゆで	133	66.5	0.1	0.1	(0)	32.5	0.8	2	微量	5	1
ごま豆腐	75	84.8	(1.5)	(3.5)	0	8.9	1.0	微量	32	6	27
タピオカパール　乾燥	352	11.9	0	0.2	(0)	87.4	0.5	5	12	24	3
ゆで	61	84.6	0	微量	(0)	15.1	0.2	微量	1	4	0
でん粉めん　生	129	67.4	0.1	0.2	(0)	31.4	0.8	8	3	1	0
乾燥	347	12.6	0.2	0.3	(0)	84.9	1.8	32	38	6	5
ゆで	83	79.2	0	0.2	(0)	20.0	0.6	5	7	1	1
春雨　緑豆春雨　乾燥	344	11.8	0.2	0.4	(0)	80.4	4.1	14	13	20	3
ゆで	78	79.3	微量	0.1	(0)	18.0	1.5	0	0	3	微量
普通春雨　乾燥	346	12.9	0	0.2	(0)	85.4	1.2	7	14	41	5
ゆで	76	80.0	0	微量	(0)	17.9	0.8	1	2	10	1

（可食部（食べられる部分）100gあたり）

可食部（食べられる部分）100g あたり											
		ビタミン									
鉄	亜鉛	ビタミンA（レチノール活性当量）	ビタミンD	ビタミンB1	ビタミンB2	葉酸	ビタミンC	食塩相当量	備考	食品番号	参考 見た目のおおまかなめやす量
mg	mg	µg	µg	mg	mg	µg	mg	g			
0.8	0.7	微量	(0)	0.11	0.04	29	15	0	伊勢芋、丹波芋を含む	02026	1本　450g
2.0	微量	(0)	(0)	(0)	(0)	(0)	(0)	0		02029	大さじ1　10g
0.6	微量	0	(0)	0	0	(0)	0	0		02034	大さじ1　9g 小さじ1　3g
0.3	0.1	0	(0)	0	0	(0)	0	0		02035	大さじ1　6g 小さじ1　2g 1カップ　100g
1.4	0.1	(0)	(0)	(0)	(0)	(0)	(0)	0		02036	1食分　10g
0.4	微量	(0)	(0)	(0)	(0)	(0)	(0)	0		02037	1食分　35g
0.6	0.4	0	0	0.10	0.01	6	0	0		02056	
0.5	0.1	(0)	(0)	(0)	(0)	(0)	(0)	0		02038	
0.1	0	(0)	(0)	(0)	(0)	(0)	(0)	0		02057	
0.1	0	(0)	(0)	(0)	(0)	(0)	(0)	0	低たんぱくめんも含む。商品名に「マロニー」など	02058	
0.2	微量	(0)	(0)	(0)	(0)	(0)	(0)	0.1		02059	
0.1	0	(0)	(0)	(0)	(0)	(0)	(0)	0		02060	
0.5	0.1	(0)	(0)	(0)	(0)	(0)	(0)	0	主原料：緑豆でん粉	02039	1袋（大）　100g
0.1	微量	(0)	(0)	(0)	(0)	(0)	(0)	0		02061	
0.4	微量	(0)	(0)	(0)	(0)	(0)	(0)	0	主原料：じゃが芋でん粉・さつま芋でん粉	02040	1袋（大）　100g
0.1	0	(0)	(0)	(0)	(0)	(0)	(0)	0		02062	1袋　410g

・（カッコ）内の成分値および（微量）は推定値または推計値であることを意味します。

砂糖及び甘味類

食品名	エネルギー	水分	たんぱく質	脂質	コレステロール	炭水化物	食物繊維	ミネラル ナトリウム	カリウム	カルシウム	マグネシウム
可食部（食べられる部分）100gあたり	kcal	g	g	g	mg	g	g	mg	mg	mg	mg
砂糖類											
黒砂糖	352	4.4	0.7	微量	(0)	88.9	(0)	27	1100	240	31
和三盆糖	393	0.3	0.2	微量	(0)	(99.6)	(0)	1	140	27	17
上白糖	391	0.7	(0)	(0)	(0)	99.3	(0)	1	2	1	微量
↳ 小さじ1（3.3g）あたり	13	微量	(0)	(0)	(0)	3.3	(0)	0	0	0	微量
三温糖	390	0.9	微量	(0)	(0)	99.0	(0)	7	13	6	2
↳ 小さじ1（3.1g）あたり	12	微量	微量	(0)	(0)	3.1	(0)	微量	微量	微量	0
グラニュー糖	394	微量	(0)	(0)	(0)	(99.9)	(0)	微量	微量	微量	0
↳ 小さじ1（4.5g）あたり	18	微量	(0)	(0)	(0)	(4.5)	(0)	微量	微量	微量	0
ざらめ糖　中ざら糖　別名 黄ざら糖	393	微量	(0)	(0)	(0)	(99.9)	(0)	2	1	微量	微量
角砂糖	394	微量	(0)	(0)	(0)	(99.9)	(0)	微量	微量	微量	0
氷砂糖　別名 氷糖	394	微量	(0)	(0)	(0)	(99.9)	(0)	微量	微量	微量	微量
コーヒーシュガー	394	0.1	0.1	(0)	(0)	99.9	(0)	2	微量	1	微量
粉糖　別名 粉砂糖	393	0.3	(0)	(0)	(0)	(99.7)	(0)	1	1	微量	微量
↳ 小さじ1（1.9g）あたり	7	0	(0)	(0)	(0)	(1.9)	(0)	0	0	微量	微量
でん粉糖類											
水あめ	342	15.0	(0)	(0)	(0)	85.0	(0)	微量	0	微量	0
↳ 大さじ1（21.0g）あたり	72	3.2	(0)	(0)	(0)	17.9	(0)	微量	0	微量	0
その他の甘味料											
黒蜜	199	46.5	1.0	0	0	(49.7)	0	15	620	140	17
↳ 大さじ1（20.6g）あたり	41	9.6	0.2	0	0	(10.2)	0	3	128	29	4
はちみつ	329	17.6	(0.2)	微量	(0)	81.7	(0)	2	65	4	2
↳ 大さじ1（21.0g）あたり	69	3.7	(微量)	微量	(0)	17.2	(0)	微量	14	1	微量
メープルシロップ　別名 かえで糖	266	33.0	0.1	0	(0)	66.3	(0)	1	230	75	18
↳ 大さじ1（19.8g）あたり	53	6.5	微量	0	(0)	13.1	(0)	微量	46	15	4

可食部（食べられる部分）100gあたり

鉄 mg	亜鉛 mg	ビタミンA（レチノール活性当量） µg	ビタミンD µg	ビタミンB1 mg	ビタミンB2 mg	葉酸 µg	ビタミンC mg	食塩相当量 g	備考	食品番号	参考 見た目のおおまかなめやす量
4.7	0.5	1	(0)	0.05	0.07	10	(0)	0.1		03001	大さじ1 9g 小さじ1 3g
0.7	0.2	0	(0)	0.01	0.03	2	(0)	0		03002	
微量	0	(0)	(0)	(0)	(0)	(0)	(0)	0		03003	
微量	0	(0)	(0)	(0)	(0)	(0)	(0)	0			
0.1	微量	(0)	(0)	微量	0.01	(0)	(0)	0		03004	
0	微量	(0)	(0)	微量	0	(0)	(0)	0			
微量	微量	(0)	(0)	(0)	(0)	(0)	(0)	0		03005	
微量	微量	(0)	(0)	(0)	(0)	(0)	(0)	0			
0.1	微量	(0)	(0)	(0)	(0)	(0)	(0)	0		03007	
0.1	0	(0)	(0)	(0)	(0)	(0)	(0)	0		03008	1個 4g
0.1	微量	(0)	(0)	(0)	(0)	(0)	(0)	0		03009	1粒 3g
0.2	1.2	(0)	(0)	(0)	(0)	(0)	(0)	0		03010	
0.2	0	(0)	(0)	(0)	(0)	(0)	(0)	0	顆粒状のものを含む	03011	
0	0	(0)	(0)	(0)	(0)	(0)	(0)	0			
0.1	0	(0)	(0)	(0)	(0)	(0)	(0)	0		03024	
微量	0	(0)	(0)	(0)	(0)	(0)	(0)	0			
2.6	0.3	0	0	0.03	0.04	6	0	0		03029	
0.5	0.1	0	0	0.01	0.01	1	0	0			
0.2	0.1	0	(0)	微量	0.01	7	0	0		03022	
微量	微量	0	(0)	微量	微量	1	0	0			
0.4	1.5	(0)	(0)	微量	0.02	1	(0)	0		03023	
0.1	0.3	(0)	(0)	微量	微量	微量	(0)	0			

・（カッコ）内の成分値および（微量）は推定値または推計値であることを意味します。

豆類

食品名		エネルギー	水分	たんぱく質	脂質	コレステロール	炭水化物	食物繊維	ミネラル			
									ナトリウム	カリウム	カルシウム	マグネシウム
		kcal	g	g	g	mg	g	g	mg	mg	mg	mg
あずき	乾燥	304	14.2	17.8	0.8	0	42.3	24.8	1	1300	70	130
	ゆで	124	63.9	7.4	(0.3)	(0)	18.3	8.7	1	430	27	43
	ゆであずき缶詰め	202	45.3	3.6	0.2	(0)	44.9	3.4	90	160	13	36
	こしあん	147	62.0	8.5	(0.3)	(0)	23.6	6.8	3	60	73	30
	さらしあん	335	7.8	20.2	(0.4)	(0)	47.7	26.8	11	170	58	83
	こしあん（加糖） 並あん	255	(35.0)	(4.9)	(0.1)	(0)	(56.8)	(3.9)	(2)	(35)	(42)	(17)
	中割りあん	262	(33.2)	(4.4)	(0.1)	(0)	(59.3)	(3.5)	(2)	(32)	(38)	(16)
	もなかあん	292	(25.7)	(4.4)	(0.1)	(0)	(66.9)	(3.5)	(2)	(32)	(38)	(16)
	つぶしあん（加糖） 別名 小倉あん	239	39.3	4.9	0.3	0	51.6	5.7	56	160	19	23
いんげん豆	乾燥	280	15.3	17.7	1.5	(0)	38.1	19.6	微量	1400	140	150
	ゆで	127	63.6	(7.3)	(0.7)	(0)	15.8	13.6	微量	410	62	46
	うずら豆	214	41.4	6.1	0.6	(0)	43.2	5.9	110	230	41	25
	こしあん	135	62.3	(7.4)	(0.5)	(0)	20.9	8.5	9	55	60	45
	豆きんとん	238	37.8	(3.8)	(0.3)	(0)	52.7	4.8	100	120	28	23
青えんどう	乾燥	310	13.4	17.8	1.5	(0)	47.8	17.4	1	870	65	120
	ゆで	129	63.8	(7.4)	(0.6)	(0)	19.7	7.7	1	260	28	40
	グリンピース（揚げ豆）	375	5.6	(16.6)	9.8	(0)	45.2	19.6	350	850	88	110
	塩豆	321	6.3	(18.6)	1.7	(0)	49.0	17.9	610	970	1300	120
	うぐいす豆	228	39.7	(4.5)	0.3	(0)	49.1	5.3	150	100	18	26
ささげ	乾燥	280	15.5	19.6	1.3	(0)	37.1	18.4	1	1400	75	170
	ゆで	130	63.9	(8.2)	(0.6)	(0)	17.0	10.7	微量	400	32	55
そら豆	乾燥	323	13.3	20.5	1.3	(0)	52.8	9.3	1	1100	100	120

可食部（食べられる部分）100gあたり

可食部（食べられる部分）100gあたり		ビタミン										
鉄	亜鉛	ビタミンA（レチノール活性当量）	ビタミンD	ビタミンB1	ビタミンB2	葉酸	ビタミンC	食塩相当量	備考	食品番号	参考 見た目のおおまかなめやす量
mg	mg	µg	µg	mg	mg	µg	mg	g			
5.5	2.4	1	(0)	0.46	0.16	130	2	0		04001	1カップ　170g
1.6	0.9	微量	(0)	0.15	0.04	23	微量	0	砂糖無添加	04002	1カップ　150g
1.3	0.4	(0)	(0)	0.02	0.04	13	微量	0.2	加糖。液汁を含む	04003	小1缶　200g
2.8	1.1	(0)	(0)	0.02	0.05	2	微量	0	砂糖無添加。生こしあん	04004	1カップ　170g
7.2	2.3	(0)	(0)	0.01	0.03	2	微量	0	砂糖無添加。こしあんを乾燥させたもの	04005	1カップ　170g 大さじ1　13g
(1.6)	(0.6)	(0)	(0)	(0.01)	(0.03)	(1)	0	0	並あん、および中割あんは、生あんに対する砂糖の使用量の違いによる分類。 配合割合：こし生あん100、上白糖70、水あめ7	04101	
(1.5)	(0.6)	(0)	(0)	(0.01)	(0.03)	(1)	0	0	配合割合：こし生あん100、上白糖85、水あめ7	04102	
(1.5)	(0.6)	(0)	(0)	(0.01)	(0.03)	(1)	0	0	配合割合：こし生あん100、上白糖100、水あめ7	04103	
1.5	0.7	(0)	(0)	0.02	0.03	8	微量	0.1		04006	1カップ　240g 大さじ1　18g
5.9	2.5	微量	(0)	0.64	0.16	87	微量	0	金時類、白金時類、手亡類、うずら類、大福、とら豆を含む	04007	1カップ　160g
2.0	1.0	0	(0)	0.22	0.07	32	微量	0		04008	1カップ　150g
2.3	0.6	(0)	(0)	0.03	0.01	23	微量	0.3	煮豆。原材料：金時類	04009	1カップ　160g
2.7	0.8	(0)	(0)	0.01	0.02	14	微量	0	砂糖無添加。生こしあん	04010	大さじ1　20g
1.0	0.5	(0)	(0)	0.01	0.01	15	微量	0.3		04011	1カップ　240g
5.0	4.1	8	(0)	0.72	0.15	24	微量	0		04012	1カップ　170g
2.2	1.4	4	(0)	0.27	0.06	5	微量	0		04013	1カップ　150g
5.4	3.5	2	(0)	0.52	0.16	8	微量	0.9	青えんどう豆を油で揚げて味つけしたもの	04014	10粒　3g
5.6	3.6	6	(0)	0.20	0.10	17	微量	1.5	青えんどう豆をいった塩味の豆。炭酸カルシウム使用	04015	大さじ1　12g
2.5	0.8	微量	(0)	0.02	0.01	4	微量	0.4	青えんどうの煮豆	04016	大さじ1　17g
5.6	4.9	2	(0)	0.50	0.10	300	微量	0		04017	1カップ　160g
2.6	1.5	1	(0)	0.20	0.05	48	微量	0		04018	1カップ　130g
5.7	4.6	微量	(0)	0.50	0.20	260	微量	0		04019	1カップ　120g

・（カッコ）内の成分値および（微量）は推定値または推計値であることを意味します。

豆類

食品名	エネルギー	水分	たんぱく質	脂質	コレステロール	炭水化物	食物繊維	ミネラル ナトリウム	カリウム	カルシウム	マグネシウム
	kcal	g	g	g	mg	g	g	mg	mg	mg	mg
フライビーンズ 別名 いかり豆	436	4.0	(19.0)	(19.6)	未測定	38.4	14.9	690	710	90	87
おたふく豆	237	37.2	(6.1)	0.6	(0)	48.7	5.9	160	110	54	27
ふき豆	251	34.5	(7.4)	1.1	(0)	50.7	4.5	320	110	39	20
しょうゆ豆	173	50.2	9.8	(0.5)	(0)	27.4	10.1	460	280	39	38
大豆											
黄大豆 乾燥	372	12.4	32.9	18.6	微量	6.7	21.5	1	1900	180	220
ゆで	163	65.4	14.1	(9.2)	(微量)	1.5	8.5	1	530	79	100
黒大豆 乾燥	349	12.7	31.5	16.5	微量	7.3	20.6	1	1800	140	200
いり大豆 黄大豆	429	2.5	35.0	20.2	(微量)	15.9	19.4	5	2000	160	240
黒大豆	431	2.4	33.6	20.3	(微量)	17.9	19.2	4	2100	120	220
水煮缶詰 黄大豆	124	71.7	12.5	(6.3)	(微量)	0.8	6.8	210	250	100	55
蒸し大豆 黄大豆	186	57.4	(15.8)	(9.2)	0	4.5	10.6	230	810	75	110
きな粉 青大豆 別名 うぐいすきな粉	424	5.9	34.9	20.9	(微量)	14.7	16.9	1	2000	160	240
黄大豆	451	4.0	34.3	24.7	(微量)	13.9	18.1	1	2000	190	260
ぶどう豆	265	36.0	13.5	(8.9)	(微量)	30.0	6.3	620	330	80	60
大豆（豆腐・油揚げ類）											
もめん豆腐	73	85.9	6.7	4.5	0	0.8	1.1	9	110	93	57
凝固剤：塩化マグネシウム	73	85.9	6.7	4.5	0	0.8	1.1	21	110	40	76
凝固剤：硫酸カルシウム	73	85.9	6.7	4.5	0	0.8	1.1	3	110	150	34
絹ごし豆腐	56	88.5	5.3	(3.2)	(0)	0.9	0.9	11	150	75	50
凝固剤：塩化マグネシウム	56	88.5	5.3	3.2	(0)	0.9	0.9	19	150	30	63
凝固剤：硫酸カルシウム	56	88.5	5.3	3.2	(0)	0.9	0.9	7	150	120	33
充てん豆腐	56	88.6	5.1	(2.8)	(0)	2.4	0.3	10	200	31	68
沖縄豆腐 別名 島豆腐	99	81.8	(8.8)	(6.6)	(0)	(1.0)	0.5	170	180	120	66

可食部（食べられる部分）100gあたり

可食部（食べられる部分）100g あたり											
		ビタミン									
鉄	亜鉛	ビタミンA（レチノール活性当量）	ビタミンD	ビタミンB1	ビタミンB2	葉酸	ビタミンC	食塩相当量	備考	食品番号	参考 見た目のおおまかなめやす量
mg	mg	µg	µg	mg	mg	µg	mg	g			
7.5	2.6	2	(0)	0.10	0.05	120	微量	1.8	種皮つきのまま油で揚げ、塩で味つけしたもの	04020	10粒　20g
5.3	0.8	(0)	(0)	0.01	0.01	30	微量	0.4	種皮つき煮豆	04021	10粒　70g
2.7	0.9	(0)	(0)	0.02	0.01	36	微量	0.8	煮豆。種皮を除いたもの	04022	大さじ1　18g
1.9	1.1	微量	(0)	0.06	0.09	45	0	1.2	煮豆。調味液を除いたもの	04076	
6.8	3.1	1	(0)	0.71	0.26	260	3	0		04023	1カップ　150g
2.2	1.9	0	(0)	0.17	0.08	41	微量	0		04024	1カップ　135g
6.8	3.7	2	0	0.73	0.23	350	3	0		04077	1カップ　150g
7.6	4.2	1	(0)	0.14	0.26	260	1	0		04078	
7.2	3.7	1	(0)	0.12	0.27	280	1	0		04079	
1.8	1.1	(0)	(0)	0.01	0.02	11	微量	0.5	液汁を除いたもの	04028	1カップ　140g
2.8	1.8	0	0	0.15	0.10	96	0	0.6	レトルト製品	04081	1カップ　150g
7.9	4.5	4	(0)	0.29	0.29	250	1	0	砂糖無添加。粉砕前に種皮を除かないもの	04082	
8.0	4.1	微量	(0)	0.07	0.24	220	1	0	砂糖無添加。粉砕前に種皮を除かないもの	04029	大さじ1　5g
4.2	1.1	(0)	(0)	0.09	0.05	48	微量	1.6	黄大豆、黒大豆の煮豆	04031	大さじ1　16g
1.5	0.6	0	(0)	0.09	0.04	12	0	0	凝固剤の種類は問わないもの	04032	1丁　300g
1.5	0.6	0	(0)	0.09	0.04	12	0	0.1		04097	
1.5	0.6	0	(0)	0.09	0.04	12	0	0		04098	
1.2	0.5	0	(0)	0.11	0.04	12	0	0	凝固剤の種類は問わないもの	04033	1丁　300g
1.2	0.5	0	(0)	0.11	0.04	12	0	0		04099	
1.2	0.5	0	(0)	0.11	0.04	12	0	0		04100	
0.8	0.6	(0)	(0)	0.15	0.05	23	微量	0		04035	1丁　300g
1.7	1.0	(0)	(0)	0.10	0.04	14	微量	0.4	成形後、かたく絞った堅豆腐の一種	04036	1丁　500g

・（カッコ）内の成分値および（微量）は推定値または推計値であることを意味します。

豆類

食品名	エネルギー	水分	たんぱく質	脂質	コレステロール	炭水化物	食物繊維	ナトリウム	カリウム	カルシウム	マグネシウム
	可食部（食べられる部分）100gあたり							ミネラル			
	kcal	g	g	g	mg	g	g	mg	mg	mg	mg
ゆし豆腐	47	90.0	(4.1)	(2.6)	(0)	1.8	0.3	240	210	36	43
焼き豆腐	82	84.8	7.8	(5.2)	(0)	0.6	0.5	4	90	150	37
生揚げ 別名 厚揚げ	143	75.9	10.3	(10.7)	微量	1.1	0.7	3	120	240	55
油揚げ 生	377	39.9	23.0	31.2	(微量)	0.5	1.3	4	86	310	150
油抜き 生	266	56.9	17.9	21.3	(微量)	0.3	0.9	2	51	230	110
ゆで	164	72.6	12.3	12.5	(微量)	0.1	0.6	微量	12	140	59
甘煮	231	54.9	10.4	11.8	0	20.5	0.5	460	61	120	51
がんもどき	223	63.5	15.2	(16.8)	微量	2.0	1.4	190	80	270	98
凍り豆腐 別名 高野豆腐 乾燥	496	7.2	49.7	32.3	(0)	0.2	2.5	440	34	630	140
水煮	104	79.6	10.8	6.7	(0)	0.1	0.5	260	3	150	29
豆腐よう	183	60.6	(9.0)	7.5	(0)	19.6	0.8	760	38	160	52
豆腐ちくわ 蒸し	121	71.6	(13.6)	3.7	12	7.9	0.8	740	140	70	65
焼き	133	68.8	(14.4)	4.1	13	9.3	0.7	900	150	100	73
大豆（納豆類）											
納豆	190	59.5	14.5	(9.7)	微量	7.7	6.7	2	660	90	100
ひきわり納豆	185	60.9	15.1	(9.7)	(0)	6.4	5.9	2	700	59	88
五斗（ごと）納豆 別名 こうじ納豆	214	45.8	15.3	6.9	(0)	20.3	4.9	2300	430	49	61
寺納豆 別名 塩辛納豆、浜納豆	248	24.4	18.6	6.1	(0)	25.9	7.6	5600	1000	110	140
大豆（その他）											
おから 生	88	75.5	5.4	(3.4)	(0)	3.2	11.5	5	350	81	40
乾燥	333	7.1	(20.2)	(12.7)	(0)	12.6	43.6	19	1300	310	150
豆乳 無調整豆乳	44	90.8	3.4	(1.8)	(0)	3.3	0.2	2	190	15	25
調製豆乳	63	87.9	3.1	3.4	(0)	4.8	0.3	50	170	31	19
豆乳飲料 麦芽コーヒー	59	87.4	2.1	2.1	0	8.0	0.1	42	110	20	13
粒状大豆たんぱく	318	7.8	(44.1)	1.9	(0)	22.2	17.8	3	2400	270	290

可食部（食べられる部分）100gあたり		ビタミン						食塩相当量	備考	食品番号	参考 見た目のおおまかなめやす量
鉄	亜鉛	ビタミンA（レチノール活性当量）	ビタミンD	ビタミンB1	ビタミンB2	葉酸	ビタミンC				
mg	mg	μg	μg	mg	mg	μg	mg	g			
0.7	0.5	(0)	(0)	0.10	0.04	13	微量	0.6	豆乳ににがりを加えて作るやわらかいかたまりに食塩を加えたもの	04037	1カップ　210g
1.6	0.8	(0)	(0)	0.07	0.03	12	微量	0		04038	1丁　300g
2.6	1.1	(0)	(0)	0.07	0.03	23	微量	0		04039	1枚（大）　200g 1枚（小）　100g
3.2	2.5	(0)	(0)	0.06	0.04	18	0	0		04040	1枚　20g 1枚（手揚げ風）　40g
2.5	2.1	(0)	(0)	0.04	0.02	12	0	0		04084	
1.6	1.4	(0)	(0)	0.01	0.01	3	0	0		04086	
1.5	1.1	0	(0)	0.01	0.02	3	0	1.2		04095	
3.6	1.6	(0)	(0)	0.03	0.04	21	微量	0.5		04041	1個（大）　100g 1個（小）　20g
7.5	5.2	1	(0)	0.02	0.02	6	0	1.1		04042	1個　17g
1.7	1.2	0	(0)	0	0	0	0	0.7	湯戻し後、煮たもの	04087	1個　75g
1.7	1.7	微量	(0)	0.02	0.07	7	微量	1.9	豆腐を泡盛ですりつぶした米麹に漬けた発酵食品	04043	1個　20g
2.0	1.0	3	(0)	0.12	0.08	11	微量	1.9	原材料配合割合：豆腐2、すり身1	04044	1本　140g
2.3	1.0	(0)	(0)	0.13	0.08	17	微量	2.3		04045	
3.3	1.9	(0)	(0)	0.07	0.56	120	微量	0	糸引き納豆	04046	1パック（大）　40g 1パック（小）　30g
2.6	1.3	(0)	(0)	0.14	0.36	110	微量	0		04047	1パック（大）　40g 1パック（小）　30g
2.2	1.1	(0)	(0)	0.08	0.35	110	微量	5.8	納豆に米麹と食塩を加えて発酵熟成させたもの	04048	1パック　40g
5.9	3.8	(0)	(0)	0.04	0.35	39	微量	14.2	大豆から麹をつくり、塩水に漬けて熟成、乾燥したもの	04049	大さじ1　10g
1.3	0.6	(0)	(0)	0.11	0.03	14	微量	0		04051	1カップ　70g
4.9	2.3	(0)	(0)	0.42	0.11	53	微量	0		04089	
1.2	0.3	(0)	(0)	0.03	0.02	28	微量	0		04052	コップ1杯　150g 1カップ　200g
1.2	0.4	(0)	(0)	0.07	0.02	31	微量	0.1	豆乳に砂糖や食塩を加えたもの	04053	コップ1杯　150g 1カップ　200g
0.3	0.2	0	0	0.01	0.01	15	微量	0.1		04054	1カップ　210g
7.7	4.5	(0)	(0)	0.67	0.30	370	微量	0		04055	

・（カッコ）内の成分値および（微量）は推定値または推計値であることを意味します。

豆類

食品名	エネルギー	水分	たんぱく質	脂質	コレステロール	炭水化物	食物繊維	ミネラル ナトリウム	カリウム	カルシウム	マグネシウム
可食部（食べられる部分）100gあたり	kcal	g	g	g	mg	g	g	mg	mg	mg	mg
繊維状大豆たんぱく	365	5.8	(56.5)	3.6	(0)	23.8	5.6	1400	270	70	55
湯葉 生	218	59.1	21.4	12.3	(0)	5.1	0.8	4	290	90	80
干し 乾燥	485	6.9	49.7	30.0	(0)	2.6	3.0	12	840	210	220
湯戻し	151	72.8	15.3	9.6	(0)	0.4	1.2	2	140	66	60
金山寺みそ	247	34.3	(5.8)	2.6	(0)	48.5	3.2	2000	190	33	54
ひしおみそ	198	46.3	(5.4)	2.2	(0)	37.5	2.8	1900	340	56	56
テンペ	180	57.8	(11.9)	7.8	(0)	10.2	10.2	2	730	70	95
つるあずき 別名 たけあずき 乾燥	297	12.0	(17.8)	1.0	(0)	43.3	22.0	1	1400	280	230
ゆで	132	60.5	(8.4)	(0.6)	(0)	(16.2)	13.4	0	370	130	77
ひよこ豆 別名 チックピー、ガルバンゾー 乾燥	336	10.4	(16.7)	4.3	(0)	49.4	16.3	17	1200	100	140
ゆで	149	59.6	(7.9)	2.1	(0)	18.2	11.6	5	350	45	51
フライ 味つけ	366	4.6	(15.7)	8.1	(0)	47.0	21.0	700	690	73	110
紅花いんげん豆 別名 花豆 乾燥	273	15.4	(13.8)	1.2	(0)	38.4	26.7	1	1700	78	190
ゆで	103	69.7	(5.0)	0.4	(0)	16.1	7.6	1	440	28	50
らい豆 別名 バタービーン 乾燥	306	11.7	(18.8)	1.3	(0)	44.8	19.6	微量	1800	78	170
ゆで	122	62.3	(8.3)	(0.7)	(0)	(14.9)	10.9	0	490	27	52
緑豆 乾燥	319	10.8	20.7	1.0	(0)	49.4	14.6	0	1300	100	150
ゆで	125	66.0	(8.2)	(0.4)	(0)	19.5	5.2	1	320	32	39
レンズ豆 別名 ひら豆 乾燥	313	12.0	(19.7)	1.0	(0)	47.9	16.7	微量	1000	57	100
ゆで	149	57.9	(9.5)	(0.5)	(0)	(21.2)	9.4	0	330	27	44

可食部（食べられる部分）100gあたり

鉄	亜鉛	ビタミン ビタミンA（レチノール活性当量）	ビタミンD	ビタミンB1	ビタミンB2	葉酸	ビタミンC	食塩相当量	備考	食品番号	参考 見た目のおおまかなめやす量
mg	mg	µg	µg	mg	mg	µg	mg	g			
8.2	2.4	(0)	(0)	0.62	0.16	170	微量	3.6	大豆たんぱくを主原料とし、繊維状に成形し、肉に近い食感に仕上げたもの。大豆ミートとも呼ばれる。	04058	
3.6	2.2	1	(0)	0.17	0.09	25	微量	0		04059	1枚　30g
8.3	4.9	1	(0)	0.35	0.12	38	0	0		04060	1枚　5g
2.6	1.6	0	(0)	0.05	0.01	3	0	0		04091	
1.7	0.7	(0)	(0)	0.12	0.18	34	微量	5.1		04061	大さじ1　20g
1.9	0.9	(0)	(0)	0.11	0.27	12	微量	4.8		04062	大さじ1　20g
2.4	1.7	微量	(0)	0.07	0.09	49	微量	0	丸大豆製品。インドネシアの伝統的な発酵食品	04063	1個　250g
11.0	3.1	2	(0)	0.50	0.13	210	3	0		04064	1カップ　160g
3.3	1.2	1	(0)	0.16	0.04	48	微量	0		04092	
2.6	3.2	2	(0)	0.37	0.15	350	微量	0		04065	1カップ　170g
1.2	1.8	1	(0)	0.16	0.07	110	微量	0		04066	1カップ　140g
4.2	2.7	微量	(0)	0.21	0.10	100	微量	1.8		04067	20粒　12g
5.4	3.4	微量	(0)	0.67	0.15	140	微量	0		04068	1カップ　135g
1.6	0.8	微量	(0)	0.14	0.05	23	微量	0		04069	1カップ　130g
6.2	2.9	微量	(0)	0.47	0.16	120	0	0		04070	1カップ　160g
2.3	1.1	0	(0)	0.10	0.04	25	0	0		04093	
5.9	4.0	13	(0)	0.70	0.22	460	微量	0		04071	1カップ　170g
2.2	0.8	7	(0)	0.19	0.06	80	微量	0		04072	1カップ　120g
9.0	4.8	3	(0)	0.52	0.17	77	1	0		04073	1カップ　170g
4.3	2.5	1	(0)	0.20	0.06	22	0	0		04094	1カップ　130g

・（カッコ）内の成分値および（微量）は推定値または推計値であることを意味します。

種実類

食品名		エネルギー	水分	たんぱく質	脂質	コレステロール	炭水化物	食物繊維	ナトリウム	カリウム	カルシウム	マグネシウム
		kcal	g	g	g	mg	g	g	mg	mg	mg	mg
アーモンド	乾燥	609	4.7	18.7	51.9	未測定	11.5	10.1	1	760	250	290
	フライ 味つけ	626	1.8	21.1	53.2	0	10.6	10.1	100	760	240	270
	いり 無塩	608	1.8	(19.0)	(54.2)	未測定	(5.6)	11.0	微量	740	260	310
あさ	乾燥	450	4.6	25.7	27.3	(0)	14.0	23.0	2	340	130	400
あまに	いり	540	0.8	20.3	41.1	2	10.2	23.8	70	760	210	410
えごま 別名 あぶらえ	乾燥	523	5.6	16.9	40.6	(0)	12.2	20.8	2	590	390	230
カシューナッツ	フライ 味つけ	591	3.2	19.3	47.9	(0)	(17.2)	6.7	220	590	38	240
かぼちゃの種	いり 味つけ	590	4.5	(25.3)	(48.7)	(0)	9.0	7.3	47	840	44	530
ぎんなん	生	168	57.4	4.2	1.3	(0)	33.9	1.6	微量	710	5	48
	ゆで	169	56.9	(4.0)	(1.2)	(0)	34.3	2.4	1	580	5	45
栗	生	147	58.8	2.4	(0.4)	(0)	30.6	4.2	1	420	23	40
	ゆで	152	58.4	(2.9)	0.5	(0)	30.0	6.6	1	460	23	45
	甘露煮	232	40.8	(1.5)	(0.3)	(0)	54.4	2.8	7	75	8	8
	甘栗	207	44.4	(4.3)	(0.9)	(0)	(40.2)	8.5	2	560	30	71
くるみ	いり	713	3.1	13.4	70.5	(0)	2.6	7.5	4	540	85	150
けし	乾燥	555	3.0	(20.2)	47.6	(0)	3.2	16.5	4	700	1700	350
ココナッツパウダー		676	2.5	(5.6)	(64.3)	(0)	11.5	14.1	10	820	15	110
ごま	いりごま	605	1.6	19.6	51.6	(0)	9.3	12.6	2	410	1200	360
	ねりごま	646	0.5	(18.3)	57.1	(0)	9.0	11.2	6	480	590	340
しい	生	244	37.3	(2.6)	(0.8)	(0)	54.9	3.3	1	390	62	82
すいかの種	いり 味つけ	528	5.9	(28.7)	36.9	(0)	16.7	7.1	580	640	70	410
チアシード	乾燥	446	6.5	18.0	32.7	1	0.9	36.9	0	760	570	360
とち	蒸し	148	58.0	(1.5)	1.9	(0)	27.8	6.6	250	1900	180	17
はす	未熟 生	81	77.5	(5.8)	0.4	(0)	(12.0)	2.6	2	410	53	57
	成熟 乾燥	327	11.2	(18.0)	1.6	(0)	54.9	10.3	6	1300	110	200

※ヘッダー：可食部（食べられる部分）100gあたり／ミネラル（ナトリウム・カリウム・カルシウム・マグネシウム）

鉄	亜鉛	ビタミンA（レチノール活性当量）	ビタミンD	ビタミンB1	ビタミンB2	葉酸	ビタミンC	食塩相当量	備考	食品番号	参考 見た目のおおまかなめやす量
mg	mg	µg	µg	mg	mg	µg	mg	g			
3.6	3.6	1	(0)	0.20	1.06	65	0	0		05001	5粒 6g
3.5	3.1	1	0	0.05	1.07	49	0	0.3		05002	5粒 6g
3.7	3.7	1	(0)	0.03	1.04	48	0	0		05040	
13.0	6.1	2	(0)	0.35	0.19	82	微量	0		05003	大さじ1 8g
9.0	6.1	1	0	0.01	0.17	45	0	0.2		05041	
16.0	3.8	2	(0)	0.54	0.29	59	微量	0		05004	大さじ1 6g
4.8	5.4	1	(0)	0.54	0.18	63	0	0.6		05005	5粒 8g
6.5	7.7	3	(0)	0.21	0.19	79	微量	0.1		05006	10粒 4g
1.0	0.4	24	(0)	0.28	0.08	45	23	0		05008	1個 4g
1.2	0.4	24	(0)	0.26	0.07	38	23	0		05009	1個 3g
0.8	0.5	3	(0)	0.21	0.07	74	33	0		05010	1個 20g（正味14g）
0.7	0.6	3	(0)	0.17	0.08	76	26	0		05011	
0.6	0.1	3	(0)	0.07	0.03	8	0	0	液汁を除いたもの	05012	
2.0	0.9	6	(0)	0.20	0.18	100	2	0	中国栗	05013	1個 6g（正味5g）
2.6	2.6	2	(0)	0.26	0.15	91	0	0		05014	1粒 6g
23.0	5.1	微量	(0)	1.61	0.20	180	0	0		05015	大さじ1 9g
2.8	1.4	(0)	(0)	0.03	0.03	10	0	0		05016	大さじ1 5g
9.9	5.9	1	(0)	0.49	0.23	150	微量	0		05018	大さじ1 6g 小さじ1 2g
5.8	5.3	1	(0)	0.32	0.15	99	0	0		05042	大さじ1 18g
0.9	0.1	1	(0)	0.28	0.09	8	110	0		05020	10個 20g
5.3	3.9	1	(0)	0.10	0.16	120	微量	1.5		05021	大さじ1 9g
7.6	5.9	0	(0)	0.97	0.25	84	1	0		05046	
0.4	0.5	(0)	(0)	微量	0	1	0	0.6	あく抜き冷凍品	05022	1個 12g
0.6	0.8	微量	(0)	0.18	0.09	230	27	0		05023	
2.9	2.8	1	(0)	0.44	0.11	200	1	0		05024	10粒 8g

可食部（食べられる部分）100g あたり

・（カッコ）内の成分値および（微量）は推定値または推計値であることを意味します。

種実類

食品名	エネルギー	水分	たんぱく質	脂質	コレステロール	炭水化物	食物繊維	ミネラル ナトリウム	カリウム	カルシウム	マグネシウム
	可食部（食べられる部分）100gあたり										
	kcal	g	g	g	mg	g	g	mg	mg	mg	mg
ゆで	118	66.1	(7.2)	(0.5)	(0)	(18.1)	5.0	1	240	42	67
ピスタチオ　いり　味つけ	617	2.2	16.2	55.9	(0)	(7.7)	9.2	270	970	120	120
ひまわりの種　フライ　味つけ	587	2.6	(18.7)	49.0	(0)	(14.0)	6.9	250	750	81	390
ブラジルナッツ　フライ　味つけ	703	2.8	(14.1)	68.9	(0)	(2.9)	7.2	78	620	200	370
ヘーゼルナッツ　フライ　味つけ 別名 西洋はしばみ	701	1.0	(11.0)	69.3	(0)	(4.6)	7.4	35	610	130	160
ペカン　フライ　味つけ	716	1.9	(8.0)	71.9	(0)	(5.6)	7.1	140	370	60	120
マカダミアナッツ　いり　味つけ	751	1.3	7.7	76.6	(0)	(4.5)	6.2	190	300	47	94
松の実　生	681	2.5	(14.5)	66.7	(0)	(3.8)	4.1	2	730	14	290
いり	724	1.9	13.7	70.6	(0)	5.1	6.9	4	620	15	250
落花生 別名 なんきんまめ、ピーナッツ 乾燥	572	6.0	24.0	46.4	(0)	10.0	8.5	2	740	49	170
いり	613	1.7	23.6	50.5	(0)	10.1	11.4	2	760	50	200
小粒種　いり	607	2.1	(25.0)	(50.3)	(0)	(10.0)	7.2	2	770	50	200
バターピーナッツ	609	2.4	22.6	51.8	(0)	8.3	9.5	120	700	50	190
ピーナッツバター	599	1.2	19.7	47.8	(0)	18.6	7.6	350	650	47	180

可食部（食べられる部分）100gあたり											
		ビタミン									
鉄	亜鉛	ビタミンA（レチノール活性当量）	ビタミンD	ビタミンB1	ビタミンB2	葉酸	ビタミンC	食塩相当量	備考	食品番号	参考 見た目のおおまかなめやす量
mg	mg	µg	µg	mg	mg	µg	mg	g			
1.1	0.2	0	(0)	0.08	0.02	36	0	0		05043	
3.0	2.5	10	(0)	0.43	0.24	59	(0)	0.7		05026	殻つき10個　15g
3.6	5.0	1	(0)	1.72	0.25	280	0	0.6		05027	大さじ1　9g
2.6	4.0	1	(0)	0.88	0.26	1	0	0.2		05028	10粒　30g
3.0	2.0	(0)	(0)	0.26	0.28	54	0	0.1		05029	10粒　15g
2.7	3.6	4	(0)	0.19	0.19	43	0	0.4		05030	10粒　35g
1.3	0.7	(0)	(0)	0.21	0.09	16	(0)	0.5		05031	8粒　20g
5.6	6.9	(0)	(0)	0.63	0.13	79	微量	0		05032	大さじ1　9g 小さじ1　3g
6.2	6.0	(0)	(0)	0.61	0.21	73	(0)	0		05033	
1.6	2.3	1	0	0.41	0.10	76	0	0		05034	殻つき10個　20g
1.7	3.0	1	(0)	0.24	0.13	58	0	0		05035	10粒　10g
1.7	3.0	1	(0)	0.23	0.10	57	(0)	0		05045	
2.0	3.1	微量	(0)	0.20	0.10	98	0	0.3	渋皮を除いて油で揚げ、味つけしたもの	05036	10粒　8g
1.6	2.7	微量	(0)	0.10	0.09	86	(0)	0.9	いった種子をすりつぶし、砂糖等を加えて練ったもの	05037	大さじ1　18g 小さじ1　6g

・（カッコ）内の成分値および（微量）は推定値または推計値であることを意味します。

野菜類

食品名	エネルギー	水分	たんぱく質	脂質	コレステロール	炭水化物	食物繊維	ナトリウム	カリウム	カルシウム	マグネシウム
	可食部（食べられる部分）100gあたり							ミネラル			
	kcal	g	g	g	mg	g	g	mg	mg	mg	mg
アーティチョーク 生	39	85.1	(1.9)	(0.1)	(0)	3.1	8.7	21	430	52	50
ゆで	35	85.9	(1.7)	(0.1)	(0)	2.6	8.6	12	380	47	46
あさつき 生	34	89.0	(2.9)	(0.1)	(0)	3.8	3.3	4	330	20	16
ゆで	41	87.3	(2.9)	(0.1)	(0)	5.4	3.4	4	330	21	17
あしたば 別名 はちじょうそう 生	30	88.6	(2.4)	0.1	(0)	2.0	5.6	60	540	65	26
ゆで	28	89.5	(2.1)	0.1	(0)	2.1	5.3	43	390	58	20
アスパラガス 生	21	92.6	1.8	(0.2)	微量	2.1	1.8	2	270	19	9
ゆで	25	92.0	(1.8)	(0.1)	微量	3.3	2.1	2	260	19	12
水煮缶詰め	24	91.9	(1.6)	(0.1)	(0)	3.4	1.7	350	170	21	7
アロエ 生	3	99.0	0	0.1	(0)	0.3	0.4	8	43	56	4
いんげんまめ 別名 さやいんげん 生	23	92.2	1.3	(0.1)	微量	3.0	2.4	1	260	48	23
ゆで	25	91.7	(1.2)	(0.2)	微量	3.2	2.6	1	270	57	22
うど類											
うど 生	19	94.4	(0.8)	0.1	(0)	2.9	1.4	微量	220	7	9
水さらし	13	95.7	(0.6)	0	(0)	1.8	1.6	微量	200	6	8
やまうど 生	19	93.9	(1.0)	0.1	(0)	2.6	1.8	1	270	11	13
うるい 葉 生 別名 ウリッパ、アマナ、ギンボ	19	92.8	1.5	0.2	(0)	1.1	3.3	1	390	40	14
枝豆 生	125	71.7	10.3	5.7	(0)	5.7	5.0	1	590	58	62
ゆで	118	72.1	(9.8)	5.8	(0)	(4.3)	4.6	2	490	76	72
冷凍	143	67.1	(11.1)	7.2	(0)	4.9	7.3	5	650	76	76
エンダイブ 生	14	94.6	(0.9)	(0.1)	(0)	1.1	2.2	35	270	51	19
えんどう類											
豆苗（とうみょう） 茎葉 生	28	90.9	(2.2)	0.4	(0)	2.3	3.3	7	350	34	22

可食部（食べられる部分）100gあたり		ビタミン										
鉄	亜鉛	ビタミンA（レチノール活性当量）	ビタミンD	ビタミンB1	ビタミンB2	葉酸	ビタミンC	食塩相当量	備考	食品番号	参考 見た目のおおまかなめやす量
mg	mg	μg	μg	mg	mg	μg	mg	g			
0.8	0.2	1	(0)	0.08	0.10	81	15	0.1		06001	1個　450g
0.7	0.2	微量	(0)	0.07	0.08	76	11	0		06002	
0.7	0.8	62	(0)	0.15	0.16	210	26	0		06003	1束　36g
0.7	0.8	60	(0)	0.17	0.15	200	27	0		06004	
1.0	0.6	440	(0)	0.10	0.24	100	41	0.2		06005	1束　180g
0.5	0.3	440	(0)	0.07	0.16	75	23	0.1	ゆでた後水冷し、手搾りしたもの	06006	
0.7	0.5	31	(0)	0.14	0.15	190	15	0	グリーンアスパラガス	06007	1本　20g 1束（7本）　150g
0.6	0.6	30	(0)	0.14	0.14	180	16	0		06008	1本　15g 1束（7本）　120g
0.9	0.3	1	(0)	0.07	0.06	15	11	0.9	ホワイトアスパラガス。液汁を除いたもの	06009	1本　15g
0	0	0	(0)	0	0	4	1	0		06328	
0.7	0.3	49	(0)	0.06	0.11	50	8	0	いんげん豆の未熟菜	06010	1本　8g
0.7	0.3	48	(0)	0.06	0.10	53	6	0		06011	1本　7g
0.2	0.1	(0)	(0)	0.02	0.01	19	4	0	暗所で軟白栽培したもの	06012	1本　250g
0.1	0.1	(0)	(0)	0.01	0.02	19	3	0		06013	
0.3	0.2	微量	(0)	0.03	0.02	20	5	0	以前は自生のものだったが、最近は葉先を緑化した栽培品が多い	06014	
0.5	0.5	160	(0)	0.09	0.12	120	50	0		06363	
2.7	1.4	22	(0)	0.31	0.15	320	27	0	大豆の未熟種子	06015	10さや　30g （正味15g）
2.5	1.3	24	(0)	0.24	0.13	260	15	0		06016	
2.5	1.4	15	(0)	0.28	0.13	310	27	0		06017	
0.6	0.4	140	(0)	0.06	0.08	90	7	0.1		06018	1株　350g
1.0	0.4	340	(0)	0.24	0.27	91	79	0	えんどうの若い茎葉	06019	1パック　130g

・（カッコ）内の成分値および（微量）は推定値または推計値であることを意味します。

野菜類

食品名	エネルギー	水分	たんぱく質	脂質	コレステロール	炭水化物	食物繊維	ミネラル ナトリウム	カリウム	カルシウム	マグネシウム
	kcal	g	g	g	mg	g	g	mg	mg	mg	mg
芽ばえ　生	27	92.2	(2.2)	0.4	(0)	2.6	2.2	1	130	7	13
ゆで	28	91.7	(2.1)	0.6	(0)	1.8	3.5	1	73	8	13
さやえんどう 別名 絹さや 生	38	88.6	1.8	(0.2)	0	5.8	3.0	1	200	35	24
ゆで	36	89.1	(1.8)	(0.2)	(0)	5.3	3.1	1	160	36	23
スナップえんどう 生 別名 スナックえんどう	47	86.6	(1.6)	(0.1)	(0)	8.7	2.5	1	160	32	21
グリンピース 別名 みえんどう 生	76	76.5	5.0	0.2	0	9.5	7.7	1	340	23	37
ゆで	99	72.2	(5.9)	(0.1)	0	(13.9)	8.6	3	340	32	39
冷凍	80	75.7	4.5	0.5	(0)	10.5	9.3	9	240	27	31
冷凍　ゆで	82	74.6	4.8	0.5	(0)	10.7	10.3	8	210	29	32
水煮缶詰め	82	74.9	(2.6)	(0.2)	(0)	13.8	6.9	330	37	33	18
おかひじき　生	16	92.5	1.4	0.2	(0)	0.9	2.5	56	680	150	51
ゆで	16	92.9	1.2	0.1	(0)	1.1	2.7	66	510	150	48
オクラ　生	26	90.2	1.5	(0.1)	微量	2.2	5.0	4	260	92	51
ゆで	29	89.4	(1.5)	(0.1)	微量	3.0	5.2	4	280	90	51
かぶ　葉　生	20	92.3	(2.0)	(0.1)	(0)	1.4	2.9	24	330	250	25
ゆで	20	92.2	(2.0)	(0.1)	(0)	1.1	3.7	18	180	190	14
根　皮つき　生	18	93.9	0.6	(0.1)	(0)	3.0	1.5	5	280	24	8
ゆで	18	93.8	(0.6)	(0.1)	(0)	(3.1)	1.8	6	310	28	10
皮むき　生	19	93.9	0.5	(0.1)	(0)	3.5	1.4	5	250	24	8
ゆで	20	93.7	(0.5)	(0.1)	(0)	(3.6)	1.7	4	250	28	9
塩漬　葉	27	87.9	(2.0)	(0.1)	(0)	2.8	3.6	910	290	240	32
根　皮つき	21	90.5	(0.8)	(0.1)	(0)	3.2	1.9	1100	310	48	11
皮むき	19	89.4	(0.7)	(0.1)	(0)	2.9	2.0	1700	400	33	14

可食部（食べられる部分）100gあたり

可食部（食べられる部分）100gあたり		ビタミン						食塩相当量	備考	食品番号	参考 見た目のおおまかなめやす量
鉄	亜鉛	ビタミンA（レチノール活性当量）	ビタミンD	ビタミンB1	ビタミンB2	葉酸	ビタミンC				
mg	mg	μg	μg	mg	mg	μg	mg	g			
0.8	0.5	250	(0)	0.17	0.21	120	43	0		06329	
0.9	0.3	400	(0)	0.10	0.08	51	14	0	ゆでた後水冷し、手搾りしたもの	06330	
0.9	0.6	47	(0)	0.15	0.11	73	60	0		06020	1枚　3.5g
0.8	0.6	48	(0)	0.14	0.10	56	44	0		06021	1枚　3g
0.6	0.4	34	(0)	0.13	0.09	53	43	0		06022	1個　10g
1.7	1.2	35	(0)	0.39	0.16	76	19	0		06023	1さや（6粒入り）12g 10粒（むき身）10g
2.2	1.2	36	(0)	0.29	0.14	70	16	0		06024	10粒　10g 1カップ　130g
1.6	1.0	36	(0)	0.29	0.11	77	20	0		06025	大さじ1　10g 10粒　3g
1.7	1.0	41	(0)	0.27	0.09	68	13	0		06374	
1.8	0.6	17	(0)	0.04	0.04	10	0	0.8	液汁を除いたもの	06026	1カップ　130g
1.3	0.6	280	(0)	0.06	0.13	93	21	0.1		06030	1パック　100g
0.9	0.6	260	(0)	0.04	0.10	85	15	0.2		06031	
0.5	0.6	56	(0)	0.09	0.09	110	11	0		06032	1本　12g 1パック　100g
0.5	0.5	60	(0)	0.09	0.09	110	7	0		06033	1本　10g 1パック　85g
2.1	0.3	230	(0)	0.08	0.16	110	82	0.1		06034	1株分　45g
1.5	0.2	270	(0)	0.02	0.05	66	47	0	ゆでた後水冷し、手搾りしたもの	06035	
0.3	0.1	(0)	(0)	0.03	0.03	48	19	0		06036	1個　80g
0.3	0.1	(0)	(0)	0.03	0.03	49	16	0		06037	
0.2	0.1	(0)	(0)	0.03	0.03	49	18	0		06038	1個　70g
0.2	0.1	(0)	(0)	0.03	0.03	56	16	0		06039	
2.6	0.3	100	(0)	0.07	0.19	78	44	2.3	水洗いし、手搾りしたもの	06040	
0.3	0.1	(0)	(0)	0.02	0.03	48	19	2.8	水洗いし、手搾りしたもの	06041	
0.3	0.2	(0)	(0)	0.04	0.03	58	21	4.3	水洗いし、手搾りしたもの	06042	

・(カッコ) 内の成分値および (微量) は推定値または推計値であることを意味します。

野菜類

可食部(食べられる部分)100g あたり

食品名	エネルギー	水分	たんぱく質	脂質	コレステロール	炭水化物	食物繊維	ミネラル ナトリウム	カリウム	カルシウム	マグネシウム
	kcal	g	g	g	mg	g	g	mg	mg	mg	mg
ぬかみそ漬 葉	35	83.5	3.3	0.1	(0)	3.1	4.0	1500	540	280	65
根 皮つき	27	89.5	1.5	0.1	(0)	3.9	2.0	860	500	57	29
皮むき	31	83.5	1.4	0.1	(0)	5.1	1.8	2700	740	26	68
かぼちゃ類											
日本かぼちゃ 生	41	86.7	1.1	微量	0	7.8	2.8	1	400	20	15
ゆで	50	84.0	(1.3)	(微量)	0	(9.4)	3.6	1	480	24	15
西洋かぼちゃ 別名 栗かぼちゃ 生	78	76.2	1.2	0.2	0	15.9	3.5	1	450	15	25
ゆで	80	75.7	(1.0)	(0.2)	(0)	(16.2)	4.1	1	430	14	24
冷凍	75	78.1	(1.3)	(0.2)	(0)	(14.6)	4.2	3	430	25	26
そうめんかぼちゃ 生 別名 金糸瓜(きんしうり)、いとかぼちゃ	25	92.4	(0.5)	(0.1)	(0)	4.9	1.5	1	260	27	16
からし菜 別名 葉がらし、菜がらし 生	26	90.3	2.8	0.1	(0)	1.5	3.7	60	620	140	21
塩漬	36	84.5	(3.3)	0.1	(0)	2.9	5.0	970	530	150	23
カリフラワー 生	28	90.8	2.1	(0.1)	0	3.2	2.9	8	410	24	18
ゆで	26	91.5	(1.9)	(0.1)	(0)	(2.9)	3.2	8	220	23	13
かんぴょう 乾燥	239	19.8	4.4	0.2	(0)	40.0	30.1	3	1800	250	110
ゆで	21	91.6	(0.5)	0	(0)	2.1	5.3	1	100	34	10
甘煮	146	57.6	2.0	0.2	(0)	31.4	5.5	1200	90	44	21
きく 生	25	91.5	(1.2)	0	(0)	3.3	3.4	2	280	22	12
ゆで	21	92.9	(0.8)	0	(0)	3.0	2.9	1	140	16	9
きくのり 別名 乾燥食用ぎく	283	9.5	(9.5)	0.2	(0)	46.0	29.6	14	2500	160	140
キャベツ類											
キャベツ 生	21	92.7	0.9	0.1	(0)	3.5	1.8	5	200	43	14

可食部（食べられる部分）100g あたり											
		ビタミン									
鉄	亜鉛	ビタミンA（レチノール活性当量）	ビタミンD	ビタミンB1	ビタミンB2	葉酸	ビタミンC	食塩相当量	備考	食品番号	参考 見た目のおおまかなめやす量
mg	mg	µg	µg	mg	mg	µg	mg	g			
2.2	0.4	140	(0)	0.31	0.24	81	49	3.8	水洗いし、手搾りしたもの	06043	
0.3	0.2	(0)	(0)	0.25	0.04	74	28	2.2	水洗いし、水切りしたもの	06044	小皿１皿　20g
0.3	0.2	(0)	(0)	0.45	0.05	70	20	6.9	水洗いし、水切りしたもの	06045	
0.5	0.3	60	(0)	0.07	0.06	80	16	0		06046	½個　500g
0.6	0.2	69	(0)	0.08	0.07	75	16	0		06047	
0.5	0.3	330	(0)	0.07	0.09	42	43	0		06048	¼個　300g １個　1200g （正味 1080g）
0.5	0.3	330	(0)	0.07	0.08	38	32	0		06049	¼個　270g １個　1080g
0.5	0.6	310	(0)	0.06	0.09	48	34	0		06050	１切れ　30g
0.3	0.2	4	(0)	0.05	0.01	25	11	0		06051	１個　650g
2.2	0.9	230	(0)	0.12	0.27	310	64	0.2		06052	１株　35g
1.8	1.1	250	(0)	0.08	0.28	210	80	2.5	水洗いし、手搾りしたもの	06053	小皿１皿　30g
0.6	0.6	2	(0)	0.06	0.11	94	81	0		06054	１個　600g （正味 300g）
0.7	0.4	1	(0)	0.05	0.05	88	53	0		06055	１個　300g
2.9	1.8	(0)	(0)	0	0.04	99	0	0		06056	１本（40cm）　4g
0.3	0.2	(0)	(0)	0	0	7	0	0		06057	１本　20g
0.5	0.3	(0)	0	0.01	未測定	10	0	3.1		06364	
0.7	0.3	6	(0)	0.10	0.11	73	11	0		06058	１個　12g
0.5	0.2	5	(0)	0.06	0.07	40	5	0	ゆでた後水冷し、手搾りしたもの	06059	
11.0	2.2	15	(0)	0.73	0.89	370	10	0	蒸した花びらを一定の大きさの薄い板状にまとめて乾燥したもの	06060	１枚　13g
0.3	0.2	4	(0)	0.04	0.03	78	41	0		06061	１枚　95g １個　1200g

・（カッコ）内の成分値および（微量）は推定値または推計値であることを意味します。

野菜類

食品名	エネルギー	水分	たんぱく質	脂質	コレステロール	炭水化物	食物繊維	ナトリウム	カリウム	カルシウム	マグネシウム
	可食部（食べられる部分）100gあたり							ミネラル			
	kcal	g	g	g	mg	g	g	mg	mg	mg	mg
ゆで	19	93.9	(0.6)	(0.1)	(0)	2.9	2.0	3	92	40	9
グリーンボール 生	20	93.4	(1.0)	(微量)	(0)	(3.2)	1.6	4	270	58	17
レッドキャベツ 生 別名 赤キャベツ、紫キャベツ	30	90.4	(1.3)	微量	(0)	4.7	2.8	4	310	40	13
きゅうり 生	13	95.4	0.7	微量	0	1.9	1.1	1	200	26	15
塩漬	17	92.1	(0.7)	(微量)	(0)	2.8	1.3	1000	220	26	15
しょうゆ漬	51	81.0	3.2	(0.1)	(0)	7.7	3.4	1600	79	39	21
ぬかみそ漬	28	85.6	1.5	(微量)	(0)	4.8	1.5	2100	610	22	48
ピクルス スイート型	70	80.0	(0.2)	(微量)	(0)	(17.0)	1.7	440	18	25	6
サワー型	13	93.4	(1.0)	微量	(0)	1.5	1.4	1000	11	23	24
行者（ぎょうじゃ）にんにく 生 別名 アイヌねぎ、やまびる	35	88.8	(2.4)	(0.1)	(0)	4.5	3.3	2	340	29	22
キンサイ 別名 中国セロリ 生	16	93.5	(0.9)	(0.2)	(0)	1.4	2.5	27	360	140	26
ゆで	15	93.6	(0.9)	(0.2)	(0)	1.0	2.9	27	320	140	24
クレソン 生 別名 オランダみずがらし	13	94.1	(1.5)	(0.1)	(0)	(0.5)	2.5	23	330	110	13
くわい 生	128	65.5	6.3	0.1	(0)	24.2	2.4	3	600	5	34
ゆで	129	65.0	6.2	0.1	(0)	24.4	2.8	3	550	5	32
ケール 生 別名 葉キャベツ	26	90.2	(1.6)	0.1	(0)	2.7	3.7	9	420	220	44
コールラビ 生	21	93.2	(0.6)	0	(0)	3.6	1.9	7	240	29	15
ゆで	20	93.1	(0.6)	微量	(0)	3.3	2.3	7	210	27	14
こごみ 生	25	90.7	(2.2)	0.2	(0)	0.9	5.2	1	350	26	31
ごぼう 生	58	81.7	1.1	(0.1)	(0)	10.4	5.7	18	320	46	54
ゆで	50	83.9	(0.9)	(0.2)	(0)	8.2	6.1	11	210	48	40

可食部（食べられる部分）100gあたり											
		ビタミン									
鉄	亜鉛	ビタミンA（レチノール活性当量）	ビタミンD	ビタミンB1	ビタミンB2	葉酸	ビタミンC	食塩相当量	備考	食品番号	参考 見た目のおおまかなめやす量
mg	mg	µg	µg	mg	mg	µg	mg	g			
0.2	0.1	5	(0)	0.02	0.01	48	17	0		06062	1枚 80g 1個 1000g
0.4	0.2	9	(0)	0.05	0.04	53	47	0	極早生の小型キャベツ。品種名が一般名として定着したもの	06063	1個 850g
0.5	0.3	3	(0)	0.07	0.03	58	68	0		06064	
0.3	0.2	28	(0)	0.03	0.03	25	14	0		06065	1本 100g
0.2	0.2	18	(0)	0.02	0.03	28	11	2.5	水洗いし、水切りしたもの	06066	1本 85g
1.3	0.2	48	(0)	0.03	0.02	5	8	4.1		06067	
0.3	0.2	18	(0)	0.26	0.05	22	22	5.3	水洗いし、水切りしたもの	06068	1本 85g
0.3	0.1	4	(0)	微量	0.01	2	0	1.1	酢漬けしたもの	06069	½個 10g
1.2	0.1	1	(0)	0.02	0.06	1	0	2.5	乳酸発酵したもの	06070	1本 20g
1.4	0.4	170	0	0.10	0.16	85	59	0		06071	5本 20g
0.5	0.5	150	(0)	0.05	0.11	47	15	0.1		06075	1株 35g
0.5	0.5	130	(0)	0.03	0.06	31	7	0.1		06076	
1.1	0.2	230	(0)	0.10	0.20	150	26	0.1		06077	1束 25g
0.8	2.2	(0)	(0)	0.12	0.07	140	2	0		06078	1個 25g
0.8	2.1	(0)	(0)	0.10	0.06	120	0	0		06079	
0.8	0.3	240	(0)	0.06	0.15	120	81	0		06080	
0.2	0.1	1	(0)	0.04	0.05	73	45	0		06081	1個 350g
0.2	0.1	1	(0)	0.03	0.05	71	37	0		06082	
0.6	0.7	100	(0)	0	0.12	150	27	0		06083	1本 6g
0.7	0.8	微量	(0)	0.05	0.04	68	3	0		06084	1本 180g 10cm 22g
0.7	0.7	(0)	(0)	0.03	0.02	61	1	0		06085	1本 160g 10cm 20g

・（カッコ）内の成分値および（微量）は推定値または推計値であることを意味します。

野菜類

食品名	エネルギー	水分	たんぱく質	脂質	コレステロール	炭水化物	食物繊維	ナトリウム	カリウム	カルシウム	マグネシウム
	可食部（食べられる部分）100gあたり							ミネラル			
	kcal	g	g	g	mg	g	g	mg	mg	mg	mg
小松菜　生	13	94.1	1.3	0.1	(0)	0.8	1.9	15	500	170	12
ゆで	14	94.0	(1.4)	(0.1)	(0)	0.9	2.4	14	140	150	14
コリアンダー　葉　生 別名 香菜（シャンツァイ）、パクチー	18	92.4	1.4	0.4	未測定	0.1	4.2	4	590	84	16
ザーサイ　漬物	20	77.6	(2.0)	0.1	(0)	0.5	4.6	5400	680	140	19
さんとうさい　別名 べが菜　生	12	94.7	(0.8)	(0.1)	(0)	0.9	2.2	9	360	140	14
ゆで	14	94.3	(1.1)	(0.1)	(0)	0.9	2.5	9	240	130	13
塩漬	18	90.3	(1.1)	(0.1)	(0)	1.5	3.0	910	420	190	17
しかくまめ　生	19	92.8	(2.0)	0.1	(0)	1.0	3.2	1	270	80	38
ししとうがらし　生	24	91.4	1.3	(0.1)	(0)	2.6	3.6	1	340	11	21
しそ　別名 大葉　葉　生	32	86.7	3.1	微量	(0)	1.0	7.3	1	500	230	70
実　生	32	85.7	(2.7)	0.1	(0)	0.7	8.9	1	300	100	71
十六ささげ　生	22	91.9	(1.8)	0.1	(0)	1.3	4.2	1	250	28	36
ゆで	28	90.2	(2.0)	0.1	(0)	2.5	4.5	1	270	35	32
春菊　別名 菊菜　生	20	91.8	1.9	0.1	(0)	1.3	3.2	73	460	120	26
ゆで	25	91.1	(2.2)	(0.2)	(0)	1.6	3.7	42	270	120	24
じゅんさい　水煮びん詰め	4	98.6	0.4	0	(0)	0	1.0	2	2	4	2
しょうが類											
葉しょうが　生 別名 盆しょうが、はじかみ	9	96.3	(0.4)	(0.1)	(0)	0.7	1.6	5	310	15	21
しょうが　生	28	91.4	0.7	(0.2)	(0)	4.6	2.1	6	270	12	27
酢漬　別名 紅しょうが	15	89.2	(0.3)	(0.1)	(0)	1.2	2.2	2200	25	22	6
甘酢漬　別名 ガリ	44	86.0	(0.2)	(0.3)	(0)	8.6	1.8	800	13	39	4
新しょうが　生	10	96.0	(0.2)	0.3	未測定	0.8	1.9	3	350	11	15

可食部（食べられる部分）100gあたり

鉄	亜鉛	ビタミン ビタミンA（レチノール活性当量）	ビタミンD	ビタミンB1	ビタミンB2	葉酸	ビタミンC	食塩相当量	備考	食品番号	参考 見た目のおおまかなめやす量
mg	mg	µg	µg	mg	mg	µg	mg	g			
2.8	0.2	260	(0)	0.09	0.13	110	39	0		06086	1株 40g 1束 300g
2.1	0.3	260	(0)	0.04	0.06	86	21	0	ゆでた後水冷し、手搾りしたもの	06087	1株 35g 1束 225g
1.4	0.4	150	0	0.09	0.11	69	40	0		06385	1株 11g
2.9	0.4	1	(0)	0.04	0.07	14	0	13.7		06088	1個 70g
0.7	0.3	96	(0)	0.03	0.07	130	35	0		06089	1枚 95g
0.6	0.4	130	(0)	0.02	0.05	74	22	0	ゆでた後水冷し、手搾りしたもの	06090	
0.6	0.4	140	(0)	0.04	0.12	98	44	2.3	水洗いし、手搾りしたもの	06091	小皿1皿 40g
0.7	0.3	36	(0)	0.09	0.09	29	16	0		06092	5さや 95g
0.5	0.3	44	(0)	0.07	0.07	33	57	0		06093	1本 4g 1パック 100g
1.7	1.3	880	(0)	0.13	0.34	110	26	0	青じそ	06095	10枚 7g
1.2	1.0	220	(0)	0.09	0.16	72	5	0	青じその実	06096	大さじ1 3g
0.5	0.7	96	(0)	0.08	0.07	150	25	0	緑色、淡紫色を含む。	06097	1本 20g
0.5	0.6	93	(0)	0.09	0.08	150	16	0		06098	
1.7	0.2	380	(0)	0.10	0.16	190	19	0.2		06099	1束 200g 1茎 15g
1.2	0.2	440	(0)	0.05	0.08	100	5	0.1	ゆでた後水冷し、手搾りしたもの	06100	1束 200g
0	0.2	2	(0)	0	0.02	3	0	0	液汁を除いたもの	06101	
0.4	0.4	微量	(0)	0.02	0.03	14	3	0		06102	1本 5g
0.5	0.1	微量	(0)	0.03	0.02	8	2	0	ひねしょうが	06103	1かけ 20g 薄切り1枚 2g みじん切り小さじ1 4g すりおろし小さじ1 6g
0.2	微量	0	(0)	0	0.01	1	0	5.6	液汁を除いたもの	06104	小皿1皿 10g
0.3	微量	0	(0)	0.63	0	1	0	2.0	液汁を除いたもの	06105	小皿1皿 15g
0.5	0.4	微量	未測定	0.01	0.01	10	2	0		06386	

・(カッコ)内の成分値および(微量)は推定値または推計値であることを意味します。

野菜類

可食部(食べられる部分)100gあたり

食品名	エネルギー	水分	たんぱく質	脂質	コレステロール	炭水化物	食物繊維	ミネラル ナトリウム	カリウム	カルシウム	マグネシウム
	kcal	g	g	g	mg	g	g	mg	mg	mg	mg
しろうり 別名 あさうり、つけうり 生	15	95.3	(0.6)	(微量)	(0)	2.5	1.2	1	220	35	12
塩漬	15	92.8	(0.7)	(微量)	(0)	1.9	2.2	790	220	26	13
奈良漬	216	44.0	4.6	0.2	(0)	37.2	2.6	1900	97	25	12
ずいき 生	15	94.5	(0.2)	0	(0)	2.8	1.6	1	390	80	6
ゆで	10	96.1	(0.2)	0	(0)	1.2	2.1	1	76	95	7
干しずいき 別名 いもがら 乾燥	232	9.9	(2.6)	(0.3)	(0)	41.8	25.8	6	10000	1200	120
ゆで	9	95.5	(0.2)	0	(0)	0.6	3.1	2	160	130	8
すいぜんじな 葉 生 別名 金時草、式部草	16	93.1	0.6	0.6	未測定	0	4.0	1	530	140	42
すぐき菜 別名 賀茂菜 葉 生	23	90.5	(1.7)	(0.1)	(0)	1.7	4.0	32	680	150	18
根 生	19	93.7	(0.5)	(0.1)	(0)	3.1	1.7	26	310	26	8
すぐき漬	30	87.4	(2.1)	(0.5)	(0)	1.6	5.2	870	390	130	25
ズッキーニ 生	16	94.9	(0.9)	(0.1)	(0)	(2.3)	1.3	1	320	24	25
せり 生	17	93.4	(1.9)	(0.1)	(0)	1.0	2.5	19	410	34	24
ゆで	17	93.6	(1.9)	(0.1)	(0)	0.8	2.8	8	190	38	19
セロリ 生	12	94.7	0.4	0.1	(0)	1.3	1.5	28	410	39	9
ぜんまい 生	27	90.9	(1.3)	0.1	(0)	3.2	3.8	2	340	10	17
ゆで	17	94.2	(0.8)	0.4	(0)	0.9	3.5	2	38	19	9
干しぜんまい 乾燥	277	8.5	(10.8)	0.6	(0)	39.8	34.8	25	2200	150	140
ゆで	25	91.2	(1.3)	0.1	(0)	2.0	5.2	2	19	20	9
そら豆 生	102	72.3	8.3	0.1	(0)	15.6	2.6	1	440	22	36
ゆで	103	71.3	(7.8)	(0.1)	(0)	15.7	4.0	4	390	22	38
タアサイ 別名 如月菜(きさらぎな) 生	12	94.3	(1.1)	(0.1)	(0)	0.6	1.9	29	430	120	23

可食部（食べられる部分）100g あたり									備考	食品番号	参考 見た目のおおまかなめやす量
		ビタミン						食塩相当量			
鉄	亜鉛	ビタミンA（レチノール活性当量）	ビタミンD	ビタミンB1	ビタミンB2	葉酸	ビタミンC				
mg	mg	µg	µg	mg	mg	µg	mg	g			
0.2	0.2	6	(0)	0.03	0.03	39	8	0		06106	1本　200g
0.2	0.2	6	(0)	0.03	0.03	43	10	2.0	水洗いし、手搾りしたもの	06107	
0.4	0.8	2	(0)	0.03	0.11	52	0	4.8		06108	小皿1皿　40g
0.1	1.0	9	(0)	0.01	0.02	14	5	0		06109	1本 250g
0.1	0.9	9	(0)	0	0	10	1	0	ゆでた後水冷し、手搾りしたもの	06110	
9.0	5.4	1	(0)	0.15	0.30	30	0	0		06111	
0.7	0.3	(0)	(0)	0	0.01	1	0	0	ゆでた後水冷し、手搾りしたもの	06112	
0.5	0.5	350	未測定	0.06	0.12	66	17	0		06387	
2.6	0.3	170	(0)	0.08	0.13	200	73	0.1		06113	1株　250g
0.1	0.1	(0)	(0)	0.03	0.03	50	13	0.1		06114	1個　220g
0.9	0.4	250	(0)	0.12	0.11	110	35	2.2	水洗いし、手搾りしたもの	06115	1個　250g
0.5	0.4	27	(0)	0.05	0.05	36	20	0		06116	1本　170g
1.6	0.3	160	(0)	0.04	0.13	110	20	0		06117	1束　170g
1.3	0.2	150	(0)	0.02	0.06	61	10	0	ゆでた後水冷し、手搾りしたもの	06118	
0.2	0.2	4	(0)	0.03	0.03	29	7	0.1		06119	1本　100g
0.6	0.5	44	(0)	0.02	0.09	210	24	0		06120	10本　120g
0.3	0.4	36	(0)	0.01	0.05	59	2	0	ゆでた後水冷し、水切りしたもの	06121	
7.7	4.6	59	(0)	0.10	0.41	99	0	0.1		06122	
0.4	0.3	1	(0)	0	0.01	1	0	0		06123	
2.3	1.4	20	(0)	0.30	0.20	120	23	0		06124	1さや（3粒入り）45g（正味 9g）
2.1	1.9	18	(0)	0.22	0.18	120	18	0		06125	3粒　9g
0.7	0.5	180	(0)	0.05	0.09	65	31	0.1		06126	1株　200g

・（カッコ）内の成分値および（微量）は推定値または推計値であることを意味します。

野菜類

食品名	エネルギー	水分	たんぱく質	脂質	コレステロール	炭水化物	食物繊維	ナトリウム	カリウム	カルシウム	マグネシウム
	可食部（食べられる部分）100gあたり							ミネラル			
	kcal	g	g	g	mg	g	g	mg	mg	mg	mg
ゆで	11	95.0	(0.9)	(0.1)	(0)	0.5	2.1	23	320	110	18
大根類											
かいわれ大根 生	21	93.4	(1.8)	(0.2)	(0)	2.0	1.9	5	99	54	33
葉大根 葉 生	17	92.6	(1.7)	(0.1)	(0)	(1.1)	2.6	41	340	170	25
大根 葉 生	23	90.6	1.9	微量	(0)	1.6	4.0	48	400	260	22
ゆで	24	91.3	(1.9)	(微量)	(0)	2.2	3.6	28	180	220	22
根 皮つき 生	15	94.6	0.4	微量	0	2.6	1.4	19	230	24	10
ゆで	15	94.4	(0.3)	微量	(0)	(2.7)	1.6	14	210	24	9
皮むき 生	15	94.6	0.3	(微量)	0	2.8	1.3	17	230	23	10
ゆで	15	94.8	(0.4)	(微量)	(0)	2.5	1.7	12	210	25	10
切り干し大根 乾燥	280	8.4	(7.3)	(0.3)	(0)	51.3	21.3	210	3500	500	160
ゆで	13	94.6	(0.7)	(微量)	(0)	0.7	3.7	4	62	60	14
漬物 いぶりがっこ	76	73.8	(0.8)	0.3	未測定	13.9	7.1	1400	350	42	31
ぬかみそ漬	29	87.1	(1.0)	0.1	(0)	5.2	1.8	1500	480	44	40
たくあん漬 塩押し大根漬	43	85.0	(0.5)	0.3	(0)	8.5	2.3	1300	56	16	5
干し大根漬 別名 本たくあん	23	88.8	(1.4)	0.1	(0)	2.3	3.7	970	500	76	80
守口漬	194	46.2	5.3	0.2	(0)	41.0	3.3	1400	100	26	9
べったら漬	53	83.1	(0.3)	0.2	(0)	11.5	1.6	1100	190	15	6
みそ漬	52	79.0	2.1	0.3	0	9.0	2.1	2800	80	18	12
福神漬	137	58.6	2.7	0.1	(0)	29.4	3.9	2000	100	36	13
たいさい類											
つまみ菜 生	19	92.3	(1.7)	0.1	(0)	1.7	2.3	22	450	210	30

鉄	亜鉛	ビタミンA (レチノール活性当量)	ビタミンD	ビタミンB1	ビタミンB2	葉酸	ビタミンC	食塩相当量	備考	食品番号	参考 見た目のおおまかなめやす量
可食部（食べられる部分）100g あたり		ビタミン									
mg	mg	µg	µg	mg	mg	µg	mg	g			
0.6	0.4	200	(0)	0.02	0.03	42	14	0.1	ゆでた後水冷し、手搾りしたもの	06127	1株　190g
0.5	0.3	160	(0)	0.08	0.13	96	47	0		06128	1パック（大）80g 1パック（小）50g
1.4	0.4	190	(0)	0.07	0.15	130	49	0.1	若葉を食用とする専用品種	06129	
3.1	0.3	330	(0)	0.09	0.16	140	53	0.1		06130	1本分　150g
2.2	0.2	370	(0)	0.01	0.06	54	21	0.1	ゆでた後水冷し、手搾りしたもの	06131	
0.2	0.2	(0)	(0)	0.02	0.01	34	12	0		06132	5cm　200g 1本　1200g
0.2	0.2	(0)	(0)	0.02	0.01	38	9	0		06133	
0.2	0.1	(0)	(0)	0.02	0.01	33	11	0		06134	5cm　180g 1本　1200g おろし大根1カップ　200g
0.2	0.1	(0)	(0)	0.02	0.01	33	9	0		06135	
3.1	2.1	0	(0)	0.35	0.20	210	28	0.5		06136	1カップ　30g
0.4	0.2	0	(0)	0.01	微量	7	0	0	水もどし後、ゆでた後湯切りしたもの	06334	乾10gをゆでると56g
0.4	0.3	0	未測定	0.08	0.02	10	0	3.5	洗った大根を燻製にして、食塩および米ぬか等で漬けたもの。秋田県の伝統食品	06388	
0.3	0.1	(0)	(0)	0.33	0.04	98	15	3.8	水洗いし、水切りしたもの	06137	5mm厚さ1切れ　15g
0.2	0.1	(0)	(0)	0.01	0.01	10	40	3.3	塩漬け後、本漬けにしたもの。ビタミンC：酸化防止用として添加	06138	5mm厚さ1切れ　10g
1.0	0.8	(0)	(0)	0.21	0.03	47	12	2.5	ある程度干してから漬けたもの	06139	5mm厚さ1切れ　6g
0.7	0.8	(0)	(0)	0.05	0.17	45	0	3.6	守口大根の粕漬け	06140	1cm輪切り1枚　3g
0.2	0.1	(0)	(0)	微量	0.11	0	49	2.8	麹漬の一種。ビタミンC：酸化防止用として添加	06141	1cm輪切り1枚　10g
0.3	0.2	0	0	3.70	0.01	9	0	7.2	干してみそに漬けたもの	06142	1cm輪切り1枚　12g
1.3	0.1	8	(0)	0.02	0.10	3	0	5.1	原材料：大根、なす、なた豆、れんこん、しょうが等。調味液を除いたもの	06143	大さじ1　12g
3.3	0.4	160	(0)	0.06	0.14	65	47	0.1		06144	1袋　130g

・（カッコ）内の成分値および（微量）は推定値または推計値であることを意味します。

野菜類

可食部（食べられる部分）100gあたり

食品名	エネルギー	水分	たんぱく質	脂質	コレステロール	炭水化物	食物繊維	ミネラル ナトリウム	カリウム	カルシウム	マグネシウム
	kcal	g	g	g	mg	g	g	mg	mg	mg	mg
たいさい 別名 杓子菜（しゃくしな） 生	15	93.7	(0.8)	(微量)	(0)	2.1	1.6	38	340	79	22
塩漬	19	90.9	(1.4)	(微量)	(0)	2.1	2.5	700	330	78	22
高菜 生	21	92.7	(1.5)	0.2	(0)	2.0	2.5	43	300	87	16
高菜漬	30	87.2	(1.5)	0.6	(0)	2.1	4.0	1600	110	51	13
竹の子 生	27	90.8	2.5	(0.1)	(0)	2.5	2.8	微量	520	16	13
ゆで	31	89.9	(2.4)	(0.1)	0	3.2	3.3	1	470	17	11
水煮缶詰め	22	92.8	(1.9)	(0.1)	(0)	(2.2)	2.3	3	77	19	4
メンマ 別名 しなちく	15	93.9	(0.7)	(0.4)	(0)	0.6	3.5	360	6	18	3
玉ねぎ類											
玉ねぎ 生	33	90.1	0.7	微量	1	6.9	1.5	2	150	17	9
水さらし	24	93.0	(0.4)	(微量)	(0)	4.9	1.5	4	88	18	7
ゆで	30	91.5	(0.5)	(微量)	(0)	5.9	1.7	3	110	18	7
赤玉ねぎ 生 別名 レッドオニオン、紫玉ねぎ	34	89.6	(0.6)	(微量)	(0)	(7.2)	1.7	2	150	19	9
葉玉ねぎ 生	33	89.5	(1.2)	0.4	(0)	(5.1)	3.0	3	290	67	14
たらの芽 生	27	90.2	4.2	0.2	(0)	0.1	4.2	1	460	16	33
ゆで	27	90.8	4.0	0.2	(0)	0.5	3.6	1	260	19	28
チコリー 生 別名 アンディーブ	17	94.7	(0.8)	微量	(0)	3.0	1.1	3	170	24	9
ちぢみゆきな 生	35	88.1	(3.2)	0.6	(0)	2.2	3.9	18	570	180	30
ゆで	34	89.1	(3.3)	0.7	(0)	1.4	4.3	15	320	130	21
青梗菜（ちんげんさい） 生	9	96.0	0.7	(0.1)	(0)	0.7	1.2	32	260	100	16
ゆで	11	95.3	(1.0)	(0.1)	(0)	0.7	1.5	28	250	120	17

可食部(食べられる部分)100gあたり											
		ビタミン									
鉄	亜鉛	ビタミンA(レチノール活性当量)	ビタミンD	ビタミンB1	ビタミンB2	葉酸	ビタミンC	食塩相当量	備考	食品番号	参考 見た目のおおまかなめやす量
mg	mg	μg	μg	mg	mg	μg	mg	g			
1.1	0.7	130	(0)	0.07	0.07	120	45	0.1		06145	1株 450g
1.3	1.0	180	(0)	0.03	0.07	120	41	1.8	水洗いし、手搾りしたもの	06146	小皿1皿 40g
1.7	0.3	190	(0)	0.06	0.10	180	69	0.1		06147	
1.5	0.2	200	(0)	0.01	0.03	23	微量	4.0		06148	小皿1皿 40g
0.4	1.3	1	(0)	0.05	0.11	63	10	0		06149	1本 1000g (正味500g)
0.4	1.2	1	0	0.04	0.09	63	8	0		06150	1本 500g
0.3	0.4	(0)	(0)	0.01	0.04	36	0	0	液汁を除いたもの	06151	1個(中) 50g
0.2	微量	(0)	(0)	0	0	1	0	0.9	塩蔵しなちくを塩ぬきしたもの	06152	1食分 20g
0.3	0.2	0	0	0.04	0.01	15	7	0		06153	1個 200g 1個(大) 250g 1個(小) 120g
0.2	0.1	微量	(0)	0.03	0.01	11	5	0		06154	1個 190g 1個(大) 235g 1個(小) 110g みじん切り大さじ1 10g
0.2	0.1	微量	(0)	0.03	0.01	11	5	0		06155	
0.3	0.2	(0)	(0)	0.03	0.02	23	7	0		06156	1個 200g
0.6	0.3	120	(0)	0.06	0.11	120	32	0		06337	
0.9	0.8	48	(0)	0.15	0.20	160	7	0		06157	1個 10g
0.9	0.7	50	(0)	0.07	0.11	83	3	0	ゆでた後水冷し、手搾りしたもの	06158	
0.2	0.2	1	(0)	0.06	0.02	41	2	0		06159	1個 120g
3.0	0.9	350	(0)	0.09	0.21	180	69	0		06376	
1.4	0.7	500	(0)	0.06	0.12	120	39	0	ゆでた後水冷し、手搾りしたもの	06377	
1.1	0.3	170	(0)	0.03	0.07	66	24	0.1		06160	1株 100g
0.7	0.2	220	(0)	0.03	0.05	53	15	0.1	ゆでた後水冷し、手搾りしたもの	06161	1株 85g

・（カッコ）内の成分値および（微量）は推定値または推計値であることを意味します。

野菜類

食品名	エネルギー	水分	たんぱく質	脂質	コレステロール	炭水化物	食物繊維	ナトリウム	カリウム	カルシウム	マグネシウム
	可食部（食べられる部分）100gあたり							ミネラル			
	kcal	g	g	g	mg	g	g	mg	mg	mg	mg
つくし 生	31	86.9	3.5	0.1	(0)	0	8.1	6	640	50	33
ゆで	28	88.9	3.4	0.1	(0)	0	6.7	4	340	58	26
つる菜 生	15	93.8	1.8	0.1	(0)	0.5	2.3	5	300	48	35
つるにんじん 根 生	55	77.7	1.0	0.7	未測定	2.7	17.1	2	190	61	33
つるむらさき 生	11	95.1	(0.5)	0.2	(0)	0.6	2.2	9	210	150	67
ゆで	12	94.5	(0.7)	0.2	(0)	0.3	3.1	7	150	180	41
つわぶき 生	19	93.3	0.4	0	(0)	3.1	2.5	100	410	38	15
ゆで	14	95.0	0.3	0	(0)	2.1	2.3	42	160	31	8
とうがらし 葉・果実 生 別名 葉とうがらし	32	86.7	(2.5)	(微量)	(0)	2.5	5.7	3	650	490	79
果実 生	72	75.0	(2.9)	(1.3)	(0)	(7.7)	10.3	6	760	20	42
乾燥 別名 赤とうがらし、鷹の爪	270	8.8	(10.8)	(4.4)	(0)	23.5	46.4	17	2800	74	190
とうがん 生	15	95.2	(0.3)	(0.1)	(0)	2.7	1.3	1	200	19	7
ゆで	15	95.3	(0.4)	(0.1)	(0)	2.4	1.5	1	200	22	7
とうもろこし類											
スイートコーン 生	89	77.1	2.7	1.3	0	14.8	3.0	微量	290	3	37
ゆで	95	75.4	(2.6)	(1.3)	(0)	16.6	3.1	微量	290	5	38
電子レンジ調理	104	73.5	(3.1)	(1.7)	(0)	17.1	3.4	0	330	3	42
粒 冷凍	91	75.5	2.4	1.1	(0)	15.5	4.8	1	230	3	23
ゆで	92	76.5	2.4	1.2	(0)	14.6	6.2	1	200	3	22
クリーム缶詰め	82	78.2	(1.5)	(0.5)	(0)	17.0	1.8	260	150	2	18
水煮缶詰め	78	78.4	(2.2)	(0.5)	(0)	14.7	3.3	210	130	2	13

可食部（食べられる部分）100g あたり

鉄	亜鉛	ビタミンA（レチノール活性当量）	ビタミンD	ビタミンB1	ビタミンB2	葉酸	ビタミンC	食塩相当量	備考	食品番号	参考 見た目のおおまかなめやす量
mg	mg	µg	µg	mg	mg	µg	mg	g			
2.1	1.1	88	(0)	0.07	0.14	110	33	0		06162	10本　20g
1.1	1.0	96	(0)	微量	0.10	74	15	0	ゆでた後水冷し、手搾りしたもの	06163	
3.0	0.5	230	(0)	0.08	0.30	90	22	0		06164	1つかみ　30g
5.9	0.5	1	0	0.06	0.05	16	6	0		06390	
0.5	0.4	250	(0)	0.03	0.07	78	41	0		06165	1袋　220g
0.4	0.4	280	(0)	0.02	0.05	51	18	0	ゆでた後水冷し、手搾りしたもの	06166	
0.2	0.1	5	(0)	0.01	0.04	16	4	0.3		06167	1本　30g
0.1	0.1	7	(0)	0.01	0.03	7	0	0.1	ゆでた後水冷し、水切りしたもの	06168	
2.2	0.4	430	(0)	0.08	0.28	87	92	0	重量比：葉6、実4	06169	
2.0	0.5	640	(0)	0.14	0.36	41	120	0		06171	10本　25g
6.8	1.5	1500	(0)	0.50	1.40	30	1	0		06172	1本　0.5g
0.2	0.1	(0)	(0)	0.01	0.01	26	39	0		06173	½個　1000g
0.3	0.1	(0)	(0)	0.01	0.01	25	27	0		06174	
0.8	1.0	4	(0)	0.15	0.10	95	8	0		06175	1本　300g（正味150g）
0.8	1.0	4	(0)	0.12	0.10	86	6	0		06176	1本　150g
0.9	1.1	5	(0)	0.16	0.11	97	6	0		06339	
0.3	0.5	6	(0)	0.10	0.07	57	4	0		06178	
0.2	0.4	6	(0)	0.08	0.06	48	2	0		06378	
0.4	0.4	4	(0)	0.02	0.05	19	3	0.7		06179	大さじ1　16g 1カップ　220g 1缶　435g
0.4	0.6	5	(0)	0.03	0.05	18	2	0.5	液汁を除いたもの	06180	大さじ1　12g 1カップ　150g 1缶　265g

・（カッコ）内の成分値および（微量）は推定値または推計値であることを意味します。

野菜類

可食部（食べられる部分）100gあたり

食品名	エネルギー	水分	たんぱく質	脂質	コレステロール	炭水化物	食物繊維	ミネラル ナトリウム	カリウム	カルシウム	マグネシウム
	kcal	g	g	g	mg	g	g	mg	mg	mg	mg
ヤングコーン　生	29	90.9	(1.7)	(0.2)	(0)	(4.1)	2.7	0	230	19	25
トマト類											
トマト　生	20	94.0	0.5	0.1	0	3.5	1.0	3	210	7	9
ミニトマト　生 別名 プチトマト、チェリートマト	30	91.0	(0.8)	(0.1)	(0)	5.6	1.4	4	290	12	13
黄色トマト　生	18	94.7	(0.8)	0.4	未測定	2.2	1.3	2	310	6	10
ドライトマト	291	9.5	9.3	1.1	(0)	47.8	21.7	120	3200	110	180
缶詰め　ホール　食塩無添加 別名 トマト水煮缶詰め	21	93.3	(0.9)	(0.1)	(0)	(3.6)	1.3	4	240	9	13
ジュース　食塩添加	15	94.1	(0.7)	(0.1)	(0)	(2.9)	0.7	120	260	6	9
食塩無添加	18	94.1	(0.7)	0.1	(0)	3.3	0.7	8	260	6	9
ミックスジュース 一般名 野菜ジュース 食塩添加	18	94.2	(0.5)	0	(0)	3.7	0.7	82	200	11	13
食塩無添加	18	94.2	(0.5)	0	(0)	3.7	0.7	12	200	11	13
トレビス　生 別名 レッドチコリ	17	94.1	(0.9)	0.1	(0)	2.3	2.0	11	290	21	11
とんぶり　ゆで	89	76.7	6.1	2.6	(0)	6.7	7.1	5	190	15	74
長崎白菜 別名 とうな、ちりめん白菜 生	12	93.9	(1.0)	(微量)	(0)	0.8	2.2	21	300	140	27
ゆで	18	93.2	(1.7)	(微量)	(0)	1.6	2.4	12	120	120	24
なす類											
なす　生	18	93.2	0.7	微量	1	2.6	2.2	微量	220	18	17
ゆで	17	94.0	(0.7)	(微量)	微量	(2.3)	2.1	1	180	20	16
天ぷら	165	71.9	(1.1)	13.1	1	9.7	1.9	21	200	31	14
米なす　生	20	93.0	(0.9)	(微量)	(0)	(2.6)	2.4	1	220	10	14

可食部（食べられる部分）100g あたり											
		ビタミン									
鉄	亜鉛	ビタミンA（レチノール活性当量）	ビタミンD	ビタミンB1	ビタミンB2	葉酸	ビタミンC	食塩相当量	備考	食品番号	参考 見た目のおおまかなめやす量
mg	mg	µg	µg	mg	mg	µg	mg	g			
0.4	0.8	3	(0)	0.09	0.11	110	9	0		06181	1本 10g
0.2	0.1	45	(0)	0.05	0.02	22	15	0		06182	1個 200g
0.4	0.2	80	(0)	0.07	0.05	35	32	0		06183	1個 10g 1個（大） 20g 1個（中） 15g
0.3	0.2	9	未測定	0.08	0.03	29	28	0		06391	
4.2	1.9	220	(0)	0.68	0.30	120	15	0.3	ミニトマト等を乾燥させたもの。食塩等を加えたものもある	06370	
0.4	0.1	47	(0)	0.06	0.03	21	10	0	液汁を除いたもの	06184	1缶 400g 1カップ 200g
0.3	0.1	26	(0)	0.04	0.04	17	6	0.3	果汁100%	06185	1カップ 210g
0.3	0.1	26	(0)	0.04	0.04	17	6	0	果汁100%	06340	
0.3	0.1	32	(0)	0.03	0.03	10	3	0.2	トマトジュースを主原料とし、にんじん、セロリなどの搾汁を加えたもの	06186	1カップ 210g
0.3	0.1	32	(0)	0.03	0.03	10	3	0	トマトジュースを主原料とし、にんじん、セロリなどの搾汁を加えたもの	06341	
0.3	0.2	1	(0)	0.04	0.04	41	6	0		06187	½玉 120g
2.8	1.4	67	(0)	0.11	0.17	100	1	0	ほうきぎ（ほうきぐさ）の種子	06188	大さじ1 10g
2.3	0.3	160	(0)	0.05	0.13	150	88	0.1		06189	
1.6	0.2	220	(0)	0.02	0.07	69	23	0	ゆでた後水冷し、手搾りしたもの	06190	
0.3	0.2	8	(0)	0.05	0.05	32	4	0		06191	1本 80g
0.3	0.2	8	(0)	0.04	0.04	22	1	0		06192	1本 70g
0.2	0.2	9	未測定	0.05	0.07	28	2	0.1		06343	
0.4	0.2	4	(0)	0.04	0.04	19	6	0		06193	1個 250g

・（カッコ）内の成分値および（微量）は推定値または推計値であることを意味します。

野菜類

可食部（食べられる部分）100gあたり

食品名			エネルギー	水分	たんぱく質	脂質	コレステロール	炭水化物	食物繊維	ミネラル ナトリウム	カリウム	カルシウム	マグネシウム
			kcal	g	g	g	mg	g	g	mg	mg	mg	mg
	素揚げ		177	74.8	(0.8)	(16.5)	(0)	5.1	1.8	1	220	10	14
漬物	塩漬		22	90.4	(0.9)	(微量)	(0)	3.1	2.7	880	260	18	18
	ぬかみそ漬		27	88.7	1.7	0.1	(0)	3.4	2.7	990	430	21	33
	こうじ漬		87	69.1	5.5	0.1	(0)	14.0	4.2	2600	210	65	22
	からし漬		127	61.2	2.6	0.2	(0)	26.5	4.2	1900	72	71	36
	しば漬		27	86.4	1.4	0.2	(0)	2.6	4.4	1600	50	30	16
なずな	生		35	86.8	4.3	0.1	(0)	1.6	5.4	3	440	290	34
菜の花	生		34	88.4	(3.6)	(0.1)	(0)	2.5	4.2	16	390	160	29
	ゆで		28	90.2	(3.8)	(0.1)	(0)	0.9	4.3	7	170	140	19
にがうり 別名 ゴーヤー	生		15	94.4	0.7	(0.1)	(0)	1.6	2.6	1	260	14	14
にら類													
にら	生		18	92.6	1.3	(0.1)	微量	1.7	2.7	1	510	48	18
	ゆで		27	89.8	(1.9)	(0.2)	微量	(2.3)	4.3	1	400	51	20
花にら	生		27	91.4	(1.4)	(0.1)	(0)	3.7	2.8	1	250	22	15
黄にら	生		18	94.0	(1.5)	(微量)	(0)	1.9	2.0	微量	180	15	11
にんじん類													
葉にんじん 別名 にんじん菜	葉	生	16	93.5	1.1	0.2	(0)	1.0	2.7	31	510	92	27
にんじん	皮つき	生	35	89.1	0.5	0.1	(0)	6.8	2.8	28	300	28	10
		ゆで	29	90.2	(0.4)	(0.1)	(0)	(5.2)	3.0	23	270	32	12
	皮むき	生	30	89.7	0.6	(0.1)	(0)	5.7	2.4	34	270	26	9
		ゆで	28	90.0	(0.5)	(0.1)	(0)	5.0	2.8	27	240	29	9
		素揚げ	87	80.6	(0.7)	3.3	0	12.9	1.1	39	380	36	13
	冷凍		30	90.2	0.7	0.1	(0)	4.5	4.1	57	200	30	9
	冷凍	ゆで	24	91.7	0.6	0.1	(0)	3.3	3.5	40	130	31	8

可食部（食べられる部分）100g あたり		ビタミン						食塩相当量	備考	食品番号	参考 見た目のおおまかなめやす量
鉄	亜鉛	ビタミンA（レチノール活性当量）	ビタミンD	ビタミンB1	ビタミンB2	葉酸	ビタミンC				
mg	mg	µg	µg	mg	mg	µg	mg	g			
0.4	0.2	2	(0)	0.05	0.04	12	2	0		06194	
0.6	0.2	4	(0)	0.03	0.04	32	7	2.2	水洗いし、水切りしたもの	06195	1本　50g
0.5	0.2	2	(0)	0.10	0.04	43	8	2.5	水洗いし、水切りしたもの	06196	1本　50g
1.4	0.4	微量	(0)	0.03	0.05	9	0	6.6		06197	
1.5	0.4	6	(0)	0.06	0.04	18	87	4.8		06198	1個　7g
1.7	0.2	48	(0)	0	0.02	9	0	4.1		06199	1切れ　4g
2.4	0.7	430	(0)	0.15	0.27	180	110	0		06200	1つかみ　9g
2.9	0.7	180	(0)	0.16	0.28	340	130	0	和種。菜の花の花らい、茎	06201	1茎　20g 1束　200g
1.7	0.4	200	(0)	0.07	0.14	190	44	0	ゆでた後水冷し、手搾りしたもの	06202	
0.4	0.2	17	(0)	0.05	0.07	72	76	0		06205	1本　250g
0.7	0.3	290	(0)	0.06	0.13	100	19	0		06207	1束　100g 1本　5g
0.7	0.3	370	(0)	0.04	0.12	77	11	0	ゆでた後水冷し、手搾りしたもの	06208	1束　95g
0.5	0.3	91	(0)	0.07	0.08	120	23	0		06209	5本　20g
0.7	0.2	5	(0)	0.05	0.08	76	15	0		06210	1束　50g
0.9	0.3	140	(0)	0.06	0.12	73	22	0.1	若いにんじんの葉	06211	
0.2	0.2	720	(0)	0.07	0.06	21	6	0.1		06212	1本　150g 5cm　90g
0.3	0.3	710	(0)	0.06	0.05	17	4	0.1		06213	
0.2	0.2	690	(0)	0.07	0.06	23	6	0.1		06214	
0.2	0.2	730	(0)	0.06	0.05	19	4	0.1		06215	
0.3	0.3	330	(0)	0.10	0.07	28	6	0.1		06346	
0.3	0.2	920	(0)	0.04	0.02	21	4	0.1		06216	
0.3	0.2	1000	(0)	0.03	0.02	18	1	0.1		06380	

・（カッコ）内の成分値および（微量）は推定値または推計値であることを意味します。

野菜類

可食部（食べられる部分）100g あたり

食品名	エネルギー kcal	水分 g	たんぱく質 g	脂質 g	コレステロール mg	炭水化物 g	食物繊維 g	ミネラル ナトリウム mg	カリウム mg	カルシウム mg	マグネシウム mg
グラッセ	53	83.8	(0.5)	1.1	5	9.1	2.6	390	240	26	10
ジュース	29	92.0	(0.4)	(微量)	(0)	6.7	0.2	19	280	10	7
金時にんじん 別名 京にんじん 皮むき 生	40	87.1	(1.3)	0.1	(0)	6.8	3.6	12	520	34	10
皮むき ゆで	40	87.1	(1.4)	0.1	(0)	6.3	4.1	9	480	38	9
ミニキャロット 生	26	90.9	(0.5)	(0.1)	(0)	(4.6)	2.7	15	340	30	8
にんにく類											
にんにく 生	129	63.9	4.0	0.5	(0)	24.1	6.2	8	510	14	24
茎にんにく 別名 にんにくの芽 生	44	86.7	(1.4)	(0.1)	(0)	7.5	3.8	9	160	45	15
ゆで	43	86.9	(1.2)	(0.1)	(0)	7.5	3.8	6	160	40	15
ねぎ類											
長ねぎ 生 別名 根深ねぎ	35	89.6	1.0	微量	2	6.4	2.5	微量	200	36	13
ゆで	28	91.4	(0.8)	(微量)	未測定	4.8	2.5	0	150	28	10
葉ねぎ 生 別名 青ねぎ	29	90.5	1.3	0.1	(0)	4.0	3.2	1	260	80	19
小ねぎ 生 一般名 万能ねぎ	26	91.3	(1.4)	(0.1)	(0)	3.7	2.5	1	320	100	17
野沢菜 生	14	94.0	(0.8)	(0.1)	(0)	1.7	2.0	24	390	130	19
塩漬	17	91.8	(1.0)	(0.1)	(0)	1.8	2.5	610	300	130	21
調味漬	22	89.5	1.7	0	(0)	2.3	3.1	960	360	94	21
のびる 生	63	80.2	3.2	(0.1)	(0)	8.7	6.9	2	590	100	21

可食部（食べられる部分）100gあたり											
		ビタミン									
鉄	亜鉛	ビタミンA（レチノール活性当量）	ビタミンD	ビタミンB1	ビタミンB2	葉酸	ビタミンC	食塩相当量	備考	食品番号	参考 見た目のおおまかなめやす量
mg	mg	µg	µg	mg	mg	µg	mg	g			
0.2	0.1	880	0	0.03	0.03	17	2	1.0		06348	
0.2	0.1	370	(0)	0.03	0.04	13	1	0		06217	1カップ　210g
0.4	0.9	380	(0)	0.07	0.05	100	8	0		06220	
0.4	1.0	400	(0)	0.06	0.06	100	8	0		06221	
0.3	0.2	500	(0)	0.04	0.03	32	4	0		06222	1本　15g
0.8	0.8	0	(0)	0.19	0.07	93	12	0		06223	1かけ　6g 1玉　50g みじん切り小さじ1　4g すりおろし小さじ1　6g
0.5	0.3	60	(0)	0.11	0.10	120	45	0		06224	1束　80g
0.5	0.3	56	(0)	0.10	0.07	120	39	0	ゆでた後水冷し、水切りしたもの	06225	
0.3	0.3	7	(0)	0.05	0.04	72	14	0		06226	1本　165g 10cm　10g みじん切り大さじ1　8g
0.3	0.3	6	(0)	0.04	0.03	53	10	0		06350	1本　100g 10cm　25g みじん切り大さじ1　9g
1.0	0.3	120	(0)	0.06	0.11	100	32	0		06227	1本　25g 1束　150g
1.0	0.3	190	(0)	0.08	0.14	120	44	0		06228	1本　5g 1束　100g 小口切り大さじ1　5g みじん切り小さじ1　2g
0.6	0.3	100	(0)	0.06	0.10	110	41	0.1		06229	1株　350g
0.4	0.3	130	(0)	0.05	0.11	64	27	1.5	水洗いし、手搾りしたもの	06230	
0.7	0.3	200	(0)	0.03	0.11	35	26	2.4		06231	小皿1皿　40g
2.6	1.0	67	(0)	0.08	0.22	110	60	0		06232	10本　30g

・（カッコ）内の成分値および（微量）は推定値または推計値であることを意味します。

野菜類

可食部（食べられる部分）100gあたり

食品名		エネルギー	水分	たんぱく質	脂質	コレステロール	炭水化物	食物繊維	ミネラル			
									ナトリウム	カリウム	カルシウム	マグネシウム
		kcal	g	g	g	mg	g	g	mg	mg	mg	mg
白菜	生	13	95.2	0.6	微量	(0)	2.0	1.3	6	220	43	10
	ゆで	13	95.4	(0.7)	(微量)	(0)	(1.9)	1.4	5	160	43	9
	塩漬	17	92.1	(1.1)	(微量)	(0)	1.8	1.8	820	240	39	12
	キムチ	27	88.4	2.3	0.1	(0)	2.7	2.2	1100	290	50	11
パクチョイ	生	15	94.0	1.6	(0.1)	(0)	1.0	1.8	12	450	100	27
バジル	生	21	91.5	(1.2)	(0.5)	(0)	0.9	4.0	1	420	240	69
パセリ	生	34	84.7	3.2	(0.5)	(0)	0.9	6.8	9	1000	290	42
二十日大根 別名 ラディッシュ	生	13	95.3	0.7	(0.1)	(0)	(1.9)	1.2	8	220	21	11
はなっこりー	生	34	89.5	3.6	0.5	未測定	2.2	3.1	5	380	51	22
はやとうり 別名 せんなりうり	生	20	94.0	(0.4)	(0.1)	(0)	4.0	1.2	微量	170	12	10
	塩漬	17	91.0	(0.4)	微量	(0)	3.0	1.6	1400	110	8	10
ビーツ 別名 ビート	生	38	87.6	(1.0)	(0.1)	(0)	(6.9)	2.7	30	460	12	18
	ゆで	42	86.9	(1.0)	(0.1)	(0)	7.8	2.9	38	420	15	22
ピーマン類												
青ピーマン	生	20	93.4	0.7	0.1	0	3.0	2.3	1	190	11	11
赤ピーマン 別名 パプリカ、クィーンベル	生	28	91.1	(0.8)	(0.2)	(0)	(5.3)	1.6	微量	210	7	10
オレンジピーマン 別名 パプリカ	生	19	94.2	0.7	0.1	未測定	3.1	1.8	0	230	5	10
黄ピーマン 別名 パプリカ、イエローベル	生	28	92.0	(0.6)	(0.1)	(0)	5.7	1.3	微量	200	8	10

可食部（食べられる部分）100gあたり		ビタミン						食塩相当量	備考	食品番号	参考 見た目のおおまかなめやす量
鉄	亜鉛	ビタミンA（レチノール活性当量）	ビタミンD	ビタミンB1	ビタミンB2	葉酸	ビタミンC				
mg	mg	µg	µg	mg	mg	µg	mg	g			
0.3	0.2	8	(0)	0.03	0.03	61	19	0		06233	1玉　2500g （正味 2350g） 外葉1枚　150g 中葉1枚　100g
0.3	0.2	11	(0)	0.01	0.01	42	10	0	ゆでた後水冷し、手搾りしたもの	06234	
0.4	0.2	1	(0)	0.04	0.03	59	29	2.1	液汁を除いたもの	06235	¼株分　300g
0.5	0.2	15	(0)	0.04	0.06	22	15	2.9		06236	1枚分　30g
0.8	0.3	150	(0)	0.07	0.12	140	45	0		06237	1株　500g
1.5	0.6	520	(0)	0.08	0.19	69	16	0		06238	1枝　5g 葉1枚　1g
7.5	1.0	620	(0)	0.12	0.24	220	120	0		06239	1枝　15g 1房　1g みじん切り小さじ1　1g
0.3	0.1	(0)	(0)	0.02	0.02	53	19	0		06240	1個　10g
0.5	0.5	97	未測定	0.09	0.15	220	90	0		06392	
0.3	0.1	(0)	(0)	0.02	0.03	44	11	0	白色種	06241	1個　200g
0.2	0.1	(0)	(0)	0.02	0.04	25	9	3.6	水洗いし、水切りしたもの	06242	1個　180g
0.4	0.3	(0)	(0)	0.05	0.05	110	5	0.1		06243	1個　300g
0.4	0.3	(0)	(0)	0.04	0.04	110	3	0.1		06244	
0.4	0.2	33	(0)	0.03	0.03	26	76	0		06245	1個　30g 1個（大）　50g
0.4	0.2	88	(0)	0.06	0.14	68	170	0		06247	1個　150g
0.3	0.2	53	未測定	0.04	0.03	53	150	0		06393	
0.3	0.2	17	(0)	0.04	0.03	54	150	0		06249	1個　150g

・(カッコ)内の成分値および(微量)は推定値または推計値であることを意味します。

野菜類

食品名	エネルギー	水分	たんぱく質	脂質	コレステロール	炭水化物	食物繊維	ナトリウム	カリウム	カルシウム	マグネシウム
	可食部(食べられる部分)100gあたり							ミネラル			
	kcal	g	g	g	mg	g	g	mg	mg	mg	mg
トマピー 生 別名 ミニパプリカ	33	90.9	(0.8)	0.2	(0)	6.1	1.6	微量	210	8	8
日野菜 生	17	92.5	(0.8)	微量	(0)	1.9	3.0	10	480	130	21
甘酢漬	70	76.4	(1.1)	0.5	(0)	12.9	4.7	1100	550	130	22
広島菜 生	19	92.7	(1.1)	(0.1)	(0)	2.3	2.4	28	550	200	32
塩漬	15	92.7	(0.9)	(0.2)	(0)	1.2	2.4	840	120	74	13
ふき類											
ふき 生	11	95.8	0.3	0	(0)	1.7	1.3	35	330	40	6
ゆで	7	97.4	0.3	0	(0)	0.8	1.1	22	230	34	5
ふきのとう 生	38	85.5	2.5	0.1	(0)	3.6	6.4	4	740	61	49
ゆで	31	89.2	2.5	0.1	(0)	2.8	4.2	3	440	46	33
ふじまめ 生	32	89.2	2.5	(0.1)	(0)	3.0	4.4	微量	300	43	33
ふだん草 生	17	92.2	2.0	(0.1)	(0)	0.4	3.3	71	1200	75	74
ゆで	26	90.4	2.8	(0.1)	(0)	1.6	3.8	61	760	130	79
ブロッコリー 花序 生	37	86.2	3.8	0.3	0	2.3	5.1	7	460	50	29
ゆで	30	89.9	(2.6)	(0.2)	0	2.3	4.3	5	210	41	17
電子レンジ調理	56	85.3	(4.0)	0.7	未測定	8.4	未測定	8	500	54	32
焼き	83	78.5	(6.9)	1.2	未測定	11.3	未測定	13	820	90	53
芽ばえ 生 別名 ブロッコリースプラウト	18	94.3	(1.3)	(0.3)	(0)	1.6	1.8	4	100	57	32
へちま 生	17	94.9	(0.5)	(0.1)	(0)	3.1	1.0	1	150	12	12
ゆで	19	94.2	(1.1)	(0.1)	(0)	2.7	1.5	1	140	24	13
ほうれん草 生	18	92.4	1.7	0.2	0	0.3	2.8	16	690	49	69
ゆで	23	91.5	2.1	(0.3)	0	1.2	3.6	10	490	69	40
冷凍	22	92.2	2.4	0.2	0	0.6	3.3	120	210	100	51

可食部（食べられる部分）100g あたり		ビタミン						食塩相当量	備考	食品番号	参考 見た目のおおまかなめやす量
鉄	亜鉛	ビタミンA（レチノール活性当量）	ビタミンD	ビタミンB1	ビタミンB2	葉酸	ビタミンC				
mg	mg	µg	µg	mg	mg	µg	mg	g			
0.4	0.3	160	(0)	0.05	0.09	45	200	0		06251	1個 120g
0.8	0.2	98	(0)	0.05	0.13	92	52	0		06252	1株 250g
0.9	0.3	170	(0)	0.04	0.08	69	39	2.8		06253	
0.8	0.3	160	(0)	0.06	0.15	120	49	0.1		06254	
0.8	0.3	170	(0)	0.02	0.07	15	15	2.1	液汁を除いたもの	06255	
0.1	0.2	4	(0)	微量	0.02	12	2	0.1		06256	1本 80g
0.1	0.2	5	(0)	微量	0.01	9	0	0.1	ゆでた後水冷し、水切りしたもの	06257	1本 50g
1.3	0.8	33	(0)	0.10	0.17	160	14	0		06258	1個 6g
0.7	0.5	22	(0)	0.06	0.08	83	3	0		06259	
0.8	0.4	20	(0)	0.08	0.10	120	13	0		06260	1さや 20g
3.6	0.3	310	(0)	0.07	0.23	120	19	0.2		06261	1株 150g
2.1	0.4	320	(0)	0.03	0.11	92	7	0.2	ゆでた後水冷し、手搾りしたもの	06262	
1.3	0.8	75	0	0.17	0.23	220	140	0		06263	1株 250g 1房 15g
0.9	0.4	69	0	0.06	0.09	120	55	0		06264	1株 160g 1房 15g
1.4	0.9	83	未測定	0.18	0.25	160	140	0		06395	
2.3	1.5	140	未測定	0.27	0.40	450	150	0		06396	
0.7	0.4	120	(0)	0.08	0.11	74	64	0		06354	
0.3	0.2	4	(0)	0.03	0.04	92	5	0		06265	1本 200g
0.7	0.2	3	(0)	0.03	0.06	91	3	0		06266	
2.0	0.7	350	(0)	0.11	0.20	210	35	0		06267	1株 20g 1束（大） 300g
0.9	0.7	450	(0)	0.05	0.11	110	19	0	ゆでた後水冷し、手搾りしたもの	06268	1株 18g
1.2	0.5	440	(0)	0.06	0.13	120	19	0.3		06269	1パック 200g

・（カッコ）内の成分値および（微量）は推定値または推計値であることを意味します。

野菜類

可食部（食べられる部分）100gあたり

食品名	エネルギー	水分	たんぱく質	脂質	コレステロール	炭水化物	食物繊維	ミネラル ナトリウム	カリウム	カルシウム	マグネシウム
	kcal	g	g	g	mg	g	g	mg	mg	mg	mg
冷凍　ゆで	26	90.6	2.8	0.4	0	0.2	4.8	47	90	170	55
ホースラディッシュ　生 別名 わさび大根、西洋わさび	69	77.3	(2.5)	(0.3)	(0)	10.2	8.2	1	510	110	65
まこも　生	19	93.5	(0.9)	0.1	(0)	2.6	2.3	3	240	2	8
みずかけ菜　生 別名 とうな	25	91.1	(2.5)	(0.1)	(0)	2.4	2.8	7	400	110	23
塩漬	34	85.6	(4.2)	微量	(0)	2.4	4.0	1000	440	110	26
みず菜 別名 京菜、せんすじきょう菜 生	23	91.4	(1.9)	0.1	(0)	2.1	3.0	36	480	210	31
ゆで	21	91.8	(1.7)	0.1	(0)	1.4	3.6	28	370	200	25
塩漬	26	88.2	(1.7)	0.1	(0)	2.7	3.5	900	450	200	30
みつば類											
切りみつば　生	16	93.8	(0.9)	0.1	(0)	1.6	2.5	8	640	25	17
ゆで	12	95.2	(0.8)	0.1	(0)	0.7	2.7	4	290	24	13
根みつば　生	19	92.7	(1.8)	0.1	(0)	1.3	2.9	5	500	52	21
ゆで	19	92.9	(2.1)	0.1	(0)	0.8	3.3	4	270	64	18
糸みつば 別名 青みつば 生	12	94.6	(0.8)	0.1	(0)	0.7	2.3	3	500	47	21
ゆで	14	93.7	(1.0)	0	(0)	1.1	3.0	3	360	56	18
みぶ菜　生 別名 京菜	14	93.9	(0.9)	(0.1)	(0)	1.4	1.8	32	490	110	30
みょうが類											
みょうが　生	11	95.6	(0.7)	0.1	(0)	0.7	2.1	1	210	25	30
みょうがたけ　生	6	97.1	(0.3)	0.1	(0)	0.5	1.1	微量	350	11	7
むかご　生	87	75.1	(1.8)	0.1	(0)	17.5	4.2	3	570	5	19

可食部（食べられる部分）100gあたり

鉄	亜鉛	ビタミン ビタミンA（レチノール活性当量）	ビタミンD	ビタミンB1	ビタミンB2	葉酸	ビタミンC	食塩相当量	備考	食品番号	参考 見た目のおおまかなめやす量
mg	mg	µg	µg	mg	mg	µg	mg	g			
1.3	0.5	720	(0)	未測定	0.06	57	5	0.1	ゆでた後水冷し、手搾りしたもの	06372	
1.0	2.3	1	(0)	0.10	0.10	99	73	0		06270	大さじ１　15g
0.2	0.2	1	(0)	0.04	0.03	43	6	0		06271	１本　180g
1.0	0.3	190	(0)	0.11	0.23	240	88	0		06272	１株　50g １袋　150g
1.0	0.5	240	(0)	0.12	0.34	180	70	2.5	水洗いし、手搾りしたもの	06273	１株分　35g
2.1	0.5	110	(0)	0.08	0.15	140	55	0.1		06072	１株　50g １袋　150g
2.0	0.2	140	(0)	0.04	0.08	90	19	0.1	ゆでた後水冷し、手搾りしたもの	06073	１株　40g １袋（３株入り）　130g
1.3	0.3	92	(0)	0.07	0.15	130	47	2.3	水洗いし、手搾りしたもの	06074	
0.3	0.1	61	(0)	0.03	0.09	44	8	0	軟白栽培品	06274	
0.2	0.1	65	(0)	0.02	0.04	14	1	0	ゆでた後水冷し、手搾りしたもの	06275	
1.8	0.2	140	(0)	0.05	0.13	66	22	0	軟白栽培品	06276	１束　200g １株　20g
1.2	0.2	170	(0)	0.03	0.05	43	12	0	ゆでた後水冷し、手搾りしたもの	06277	１束　130g １株　13g
0.9	0.1	270	(0)	0.04	0.14	64	13	0		06278	１袋　60g ３本　5g
0.6	0.1	340	(0)	0.02	0.08	23	4	0	ゆでた後水冷し、手搾りしたもの	06279	１袋　55g ３本　5g スポンジ１個分　18g
0.5	0.2	150	(0)	0.04	0.07	110	38	0.1		06360	
0.5	0.4	3	(0)	0.05	0.05	25	2	0		06280	１個　20g
0.3	0.3	1	(0)	0.02	0.02	13	1	0		06281	１本　15g
0.6	0.4	2	(0)	0.11	0.02	20	9	0		06282	１カップ　140g

・（カッコ）内の成分値および（微量）は推定値または推計値であることを意味します。

野菜類

可食部（食べられる部分）100gあたり

食品名	エネルギー	水分	たんぱく質	脂質	コレステロール	炭水化物	食物繊維	ミネラル ナトリウム	ミネラル カリウム	ミネラル カルシウム	ミネラル マグネシウム
	kcal	g	g	g	mg	g	g	mg	mg	mg	mg
芽キャベツ 別名 姫キャベツ 生	52	83.2	(3.9)	(0.1)	(0)	6.2	5.5	5	610	37	25
ゆで	51	83.8	(3.6)	(0.1)	(0)	6.3	5.2	5	480	36	22
芽たで 生	39	87.0	3	0.5	(0)	2.5	6.3	9	140	49	70
もやし類											
アルファルファもやし 生 別名 糸もやし	11	96.0	1.6	(0.1)	(0)	(0.3)	1.4	7	43	14	13
大豆もやし 生	29	92.0	2.9	1.2	微量	0.6	2.3	3	160	23	23
ゆで	27	93.0	(2.2)	(1.3)	微量	(0.5)	2.2	1	50	24	19
ブラックマッペもやし 生	17	94.7	1.4	微量	0	2.1	1.5	8	65	16	12
ゆで	13	95.8	(0.8)	微量	(0)	1.6	1.6	2	12	24	10
緑豆もやし 一般名 もやし 生	15	95.4	1.2	(0.1)	(0)	1.8	1.3	2	69	10	8
ゆで	12	95.9	(1.1)	0	(0)	(1.1)	1.5	2	24	11	7
モロヘイヤ 生	36	86.1	(3.6)	(0.4)	(0)	1.8	5.9	1	530	260	46
ゆで	24	91.3	(2.2)	(0.3)	(0)	1.4	3.5	微量	160	170	26
やぶまめ 生	219	45.8	15.5	6.5	未測定	19.7	9.8	3	1100	44	110
山ごぼう みそ漬	66	72.8	4.1	0.1	(0)	8.6	7.0	2800	200	23	24
ゆり根 生	119	66.5	(2.4)	0.1	(0)	24.3	5.4	1	740	10	25
ゆで	117	66.5	(2.1)	0.1	(0)	24.0	6.0	1	690	10	24
ようさい 別名 空心菜（くうしんさい）、えんさい 生	17	93.0	(1.7)	0.1	(0)	(0.9)	3.1	26	380	74	28
ゆで	18	92.4	(1.7)	0.1	(0)	(1.0)	3.4	16	270	90	20
よめ菜 生	40	84.6	(2.7)	0.2	(0)	2.9	7.8	2	800	110	42
よもぎ 生	43	83.6	(4.2)	0.3	(0)	1.9	7.8	10	890	180	29
ゆで	37	85.9	(3.9)	0.1	(0)	1.3	7.8	3	250	140	24

可食部（食べられる部分）100gあたり									備考	食品番号	参考 見た目のおおまかなめやす量
		ビタミン						食塩相当量			
鉄	亜鉛	ビタミンA（レチノール活性当量）	ビタミンD	ビタミンB1	ビタミンB2	葉酸	ビタミンC				
mg	mg	µg	µg	mg	mg	µg	mg	g			
1.0	0.6	59	(0)	0.19	0.23	240	160	0		06283	1個　15g
1.0	0.5	57	(0)	0.13	0.16	220	110	0		06284	
2.3	0.9	410	(0)	0.15	0.21	77	67	0	紅たで	06285	1つまみ　3g
0.5	0.4	5	(0)	0.07	0.09	56	5	0		06286	1パック　100g
0.5	0.4	(0)	(0)	0.09	0.07	85	5	0		06287	1袋　200g
0.4	0.3	(0)	(0)	0.04	0.04	39	1	0	ゆでた後水冷し、水切りしたもの	06288	1袋　190g
0.4	0.3	0	0	0.04	0.06	42	10	0		06289	1袋　200g
0.4	0.3	(0)	(0)	0.02	0.02	36	2	0	ゆでた後水冷し、水切りしたもの	06290	1袋　200g
0.2	0.3	微量	(0)	0.04	0.05	41	8	0	一般に「もやし」として流通しているものの多くは、緑豆もやし。	06291	1袋　200g
0.3	0.2	微量	(0)	0.03	0.04	33	2	0	ゆでた後水冷し、水切りしたもの	06292	1袋　190g
1.0	0.6	840	(0)	0.18	0.42	250	65	0		06293	1袋　100g
0.6	0.4	550	(0)	0.06	0.13	67	11	0	ゆでた後水冷し、手搾りしたもの	06294	
4.6	0.9	未測定	未測定	未測定	未測定	未測定	未測定	0		06401	
1.3	0.3	(0)	(0)	0.02	0.10	14	0	7.1	水洗いし、水切りしたもの	06295	1本　20g
1.0	0.7	(0)	(0)	0.08	0.07	77	9	0		06296	1個　70g
0.9	0.7	(0)	(0)	0.07	0.07	92	8	0		06297	
1.5	0.5	360	(0)	0.10	0.20	120	19	0.1		06298	1束　150g
1.0	0.3	320	(0)	0.06	0.10	55	6	0	ゆでた後水冷し、手搾りしたもの	06299	
3.7	0.7	560	(0)	0.23	0.32	170	42	0	若葉	06300	1つかみ　20g
4.3	0.6	440	(0)	0.19	0.34	190	35	0		06301	1つかみ　20g
3.0	0.4	500	(0)	0.08	0.09	51	2	0	ゆでた後水冷し、手搾りしたもの	06302	

・（カッコ）内の成分値および（微量）は推定値または推計値であることを意味します。

野菜類

食品名	エネルギー	水分	たんぱく質	脂質	コレステロール	炭水化物	食物繊維	ナトリウム	カリウム	カルシウム	マグネシウム
	可食部（食べられる部分）100gあたり							ミネラル			
	kcal	g	g	g	mg	g	g	mg	mg	mg	mg
落花生 別名 なんきんまめ、ピーナッツ 生	306	50.1	(11.2)	(23.9)	(0)	9.5	4.0	1	450	15	100
ゆで	298	51.3	(11.1)	(23.2)	(0)	9.2	4.2	2	290	24	86
らっきょう類											
らっきょう 生	83	68.3	0.9	(0.1)	(0)	9.2	20.7	2	230	14	14
甘酢漬	117	67.5	(0.3)	(0.2)	(0)	26.5	2.9	750	9	11	1
エシャロット 生 別名 エシャらっきょう	59	79.1	(1.4)	(0.1)	(0)	7.3	11.4	2	290	20	14
リーキ 別名 西洋ねぎ、ポロねぎ 生	30	90.8	(1.2)	(0.1)	(0)	4.9	2.5	2	230	31	11
ゆで	28	91.3	(1.0)	(0.1)	(0)	4.6	2.6	2	180	26	9
ルッコラ 生 別名 ロケットサラダ、エルカ	17	92.7	1.9	0.1	(0)	0.8	2.6	14	480	170	46
ルバーブ 生	23	92.1	0.7	(0.1)	0	3.5	2.5	1	400	74	19
ゆで	14	94.1	0.5	(0.1)	(0)	(1.4)	2.9	1	200	64	14
レタス類											
レタス 土耕栽培 生	11	95.9	0.5	微量	(0)	1.7	1.1	2	200	19	8
水耕栽培 生	13	95.3	(0.6)	(0.1)	(0)	(2.0)	1.1	2	260	34	10
サラダ菜 生	10	94.9	0.8	0.1	(0)	0.7	1.8	6	410	56	14
リーフレタス 生	16	94.0	(1.0)	(0.1)	(0)	1.8	1.9	6	490	58	15
サニーレタス 生	15	94.1	(0.7)	(0.1)	(0)	1.7	2.0	4	410	66	15
サンチュ 生	14	94.5	(1.0)	(0.2)	(0)	1.0	2.0	3	470	62	19
コスレタス 生 別名 ロメインレタス	16	94.5	(0.8)	0.1	(0)	2.0	1.9	16	250	29	12
れんこん 生	66	81.5	1.3	微量	0	14.1	2.0	24	440	20	16

可食部（食べられる部分）100gあたり		ビタミン									
鉄	亜鉛	ビタミンA（レチノール活性当量）	ビタミンD	ビタミンB1	ビタミンB2	葉酸	ビタミンC	食塩相当量	備考	食品番号	参考 見た目のおおまかなめやす量
mg	mg	µg	µg	mg	mg	µg	mg	g			
0.9	1.2	微量	(0)	0.54	0.09	150	20	0	未熟豆	06303	10さや　40g
0.9	1.1	微量	(0)	0.30	0.13	150	19	0		06304	
0.5	0.5	(0)	(0)	0.07	0.05	29	23	0		06305	1個　8g
1.8	0.1	(0)	未測定	微量	微量	微量	0	1.9	液汁を除いたもの	06306	2個　10g
0.8	0.5	2	(0)	0.03	0.05	55	21	0	土寄せ軟白若採りのらっきょう	06307	1個　15g
0.7	0.3	4	(0)	0.06	0.08	76	11	0		06308	1本　350g
0.6	0.3	3	(0)	0.05	0.07	68	9	0		06309	
1.6	0.8	300	(0)	0.06	0.17	170	66	0		06319	1束　50g
0.2	0.1	3	(0)	0.04	0.05	31	5	0		06310	1本　150g
0.2	0.1	4	(0)	0.01	0.03	22	4	0		06311	
0.3	0.2	20	(0)	0.05	0.03	73	5	0		06312	外葉1枚　40g 中葉1枚　25g 1玉　400g
0.3	0.1	59	(0)	0.03	0.03	44	5	0		06361	
2.4	0.2	180	(0)	0.06	0.13	71	14	0		06313	1株　80g 1枚　8g
1.0	0.5	200	(0)	0.10	0.10	110	21	0		06314	1枚（大）　40g
1.8	0.4	170	(0)	0.10	0.10	120	17	0		06315	1枚　30g
0.5	0.2	320	(0)	0.06	0.10	91	13	0		06362	1枚　6g
0.5	0.3	43	(0)	0.06	0.06	120	8	0		06316	1株　150g
0.5	0.3	微量	(0)	0.10	0.01	14	48	0.1		06317	1節　200g 1節（小）　100g

・（カッコ）内の成分値および（微量）は推定値または推計値であることを意味します。

野菜類

食品名		エネルギー	水分	たんぱく質	脂質	コレステロール	炭水化物	食物繊維	ナトリウム	カリウム	カルシウム	マグネシウム
		kcal	g	g	g	mg	g	g	mg	mg	mg	mg
	ゆで	66	81.9	(0.9)	(微量)	(0)	14.3	2.3	15	240	20	13
	甘酢れんこん	66	80.8	0.5	0.2	(0)	13.8	2.3	550	14	6	1
わけぎ	生	30	90.3	(1.1)	0	(0)	5.1	2.8	1	230	59	23
	ゆで	29	90.4	(1.3)	0	(0)	4.4	3.1	1	190	51	23
わさび	生	89	74.2	5.6	0.2	(0)	14.0	4.4	24	500	100	46
	わさび漬	140	61.4	7.1	0.5	(0)	25.3	2.7	1000	140	40	16
わらび	生	19	92.7	1.8	0.1	(0)	1.0	3.6	微量	370	12	25
	ゆで	13	95.2	(1.1)	0.1	(0)	0.4	3.0	微量	10	11	10
	干しわらび　乾燥	216	10.4	(14.5)	0.7	(0)	8.9	58.0	6	3200	200	330
その他												
ミックスベジタブル	冷凍	67	80.5	3.0	0.7	0	9.2	5.9	22	220	19	21
	冷凍　ゆで	65	80.9	3.1	0.8	0	8.1	6.5	16	180	19	20
野菜ミックスジュース	通常タイプ	21	93.9	0.8	0.1	未測定	3.7	0.9	17	230	10	9
	濃縮タイプ	36	90.0	1.0	0.3	未測定	6.8	1.0	39	310	43	18

可食部（食べられる部分）100gあたり／ミネラル：ナトリウム、カリウム、カルシウム、マグネシウム

可食部（食べられる部分）100gあたり									備考	食品番号	参考 見た目のおおまかなめやす量
		ビタミン									
鉄	亜鉛	ビタミンA（レチノール活性当量）	ビタミンD	ビタミンB1	ビタミンB2	葉酸	ビタミンC	食塩相当量			
mg	mg	µg	µg	mg	mg	µg	mg	g			
0.4	0.3	微量	(0)	0.06	0	8	18	0		06318	1節　160g 1節（小）　80g
0.1	微量	0	(0)	0	0	1	7	1.4		06371	
0.4	0.2	220	(0)	0.06	0.10	120	37	0		06320	1本　20g
0.4	0.2	150	(0)	0.05	0.08	110	21	0		06321	
0.8	0.7	1	(0)	0.06	0.15	50	75	0.1		06322	おろし大さじ1　15g
0.9	1.1	2	(0)	0.08	0.17	45	1	2.5		06323	大さじ1　18g
0.7	0.6	18	(0)	0.02	1.09	130	11	0		06324	10本　60g
0.6	0.5	13	(0)	微量	0.05	33	0	0	ゆでた後水冷し、水切りしたもの	06325	
11.0	6.2	110	(0)	0.12	0.46	140	0	0		06326	
0.7	0.5	320	0	0.14	0.07	50	9	0.1	配合割合：グリンピース冷凍29、スイートコーン冷凍37、にんじん冷凍34	06382	
0.7	0.5	350	0	0.12	0.05	44	5	0	配合割合：グリンピース冷凍ゆで28、スイートコーン冷凍ゆで39、にんじん冷凍ゆで33	06383	
0.2	0.1	77	未測定	0.03	0.02	11	2	0	主原料のトマトの搾汁に、ほかの野菜の搾汁を加えたもの	06399	
0.3	0.1	400	未測定	0.05	0.04	26	37	0.1	さまざまな野菜の搾汁にレモン果汁を加えたもの	06400	

・(カッコ)内の成分値および(微量)は推定値または推計値であることを意味します。

果実類

食品名		エネルギー	水分	たんぱく質	脂質	コレステロール	炭水化物	食物繊維	ミネラル			
									ナトリウム	カリウム	カルシウム	マグネシウム
		kcal	g	g	g	mg	g	g	mg	mg	mg	mg
あけび	果肉　生	89	77.1	0.5	0.1	0	20.9	1.1	微量	95	11	14
	果皮　生	32	90.4	0.3	0.3	0	5.5	3.1	2	240	18	9
アサイー	冷凍(無糖)	62	87.7	0.9	5.3	未測定	0.2	4.7	11	150	45	20
アセロラ	酸味種　生	36	89.9	0.7	微量	0	7.2	1.9	7	130	11	10
	甘味種　生	36	89.9	0.7	0.1	0	7.1	1.9	7	130	11	10
	10% 果汁入り飲料	42	89.4	0.1	0	0	10.3	0.2	1	13	1	1
アボカド	生	176	71.3	1.6	15.5	微量	4.8	5.6	7	590	8	34
あんず	別名 アプリコット 生	37	89.8	(0.8)	(0.2)	(0)	6.9	1.6	2	200	9	8
	乾燥	296	16.8	(6.7)	(0.1)	(0)	60.0	9.8	15	1300	70	45
	缶詰め	79	79.8	(0.4)	(0.3)	(0)	18.3	0.8	4	190	18	7
	ジャム　高糖度	252	34.5	(0.2)	(0.1)	(0)	(63.4)	0.7	10	75	8	4
	低糖度	202	48.8	(0.3)	(0.1)	(0)	49.4	1.2	18	80	11	4
いちご	生	31	90.0	0.7	0.1	0	(5.9)	1.4	微量	170	17	13
	ジャム　高糖度	250	36.0	(0.3)	(0.1)	(0)	(62.4)	1.3	6	67	9	7
	低糖度	194	50.7	(0.4)	(0.1)	(0)	47.5	1.1	12	79	12	8
	乾燥	329	15.4	(0.4)	(0.2)	(0)	80.1	3.0	260	15	140	5
いちじく	生	57	84.6	0.4	(0.1)	(0)	12.5	1.9	2	170	26	14
	乾燥	272	18.0	(2.0)	(0.8)	(0)	(62.1)	10.7	93	840	190	67
	缶詰め	78	79.7	(0.3)	(0.1)	(0)	18.4	1.2	8	110	30	8
梅	生	33	90.4	0.4	(0.4)	0	5.8	2.5	2	240	12	8
	梅漬け　塩漬	27	72.3	(0.4)	(0.3)	(0)	4.4	2.7	7600	150	47	32
	調味漬	45	80.2	1.5	(0.4)	(0)	7.2	3.4	2700	100	87	26
	梅干し　塩漬	29	72.2	(0.5)	(0.5)	0	0.9	3.3	7200	220	33	17
	調味漬	90	68.7	1.5	(0.4)	(0)	18.8	2.5	3000	130	25	15
	梅びしお	196	42.4	0.7	(0.4)	(0)	46.9	1.3	3100	190	27	11

可食部(食べられる部分)100g あたり

可食部（食べられる部分）100g あたり											
		ビタミン									
鉄	亜鉛	ビタミンA（レチノール活性当量）	ビタミンD	ビタミンB1	ビタミンB2	葉酸	ビタミンC	食塩相当量	備考	食品番号	参考 見た目のおおまかなめやす量
mg	mg	µg	µg	mg	mg	µg	mg	g			
0.3	0.1	(0)	(0)	0.07	0.03	30	65	0		07001	1個分　30g
0.1	0.1	(0)	(0)	0.03	0.06	16	9	0		07002	1個分　100g
0.5	0.3	34	未測定	0.03	0.06	13	1	0		07181	
0.5	0.5	31	(0)	0.03	0.04	45	1700	0		07003	10粒　30g
0.5	0.5	31	(0)	0.03	0.04	45	800	0		07159	
0.1	0.1	3	(0)	微量	微量	5	120	0		07004	1カップ　210g
0.6	0.7	7	(0)	0.09	0.20	83	12	0		07006	1個　200g（正味140g）
0.3	0.1	120	(0)	0.02	0.02	2	3	0		07007	1個　60g
2.3	0.9	410	(0)	0	0.03	10	微量	0		07008	1個　8g
0.2	0.1	46	(0)	0.01	0.01	2	微量	0	液汁を含んだもの（液汁40%）	07009	1切れ　20g
0.2	0.1	39	(0)	0.01	微量	1	微量	0		07010	大さじ1　21g
0.3	0.1	58	(0)	0.01	0.01	2	微量	0		07011	大さじ1　21g
0.3	0.2	1	(0)	0.03	0.02	90	62	0		07012	1個　15g 1パック　300g
0.2	0.1	(0)	(0)	0.01	0.01	23	9	0		07013	大さじ1　21g 小さじ1　7g
0.4	0.1	(0)	(0)	0.01	0.01	27	10	0		07014	大さじ1　21g
0.4	0.1	2	(0)	0	0	4	0	0.7	ドライフルーツ	07160	5個　20g
0.3	0.2	1	(0)	0.03	0.03	22	2	0		07015	1個　80g（正味70g）
1.7	0.6	4	(0)	0.10	0.06	10	0	0.2		07016	1個　25g
0.1	0.1	0	(0)	0.02	0.02	10	0	0	液汁を含んだもの（液汁40%）	07017	1切れ　35g
0.6	0.1	20	(0)	0.03	0.05	8	6	0	未熟果（青梅）	07019	1個　20g
2.9	0.1	1	(0)	0.02	0.04	1	0	19.3	完熟前の梅を使用したもの。しわがなく、カリカリ梅などともいう	07020	小1個　4g（正味3g） 中1個　20g（正味16g）
1.2	0.1	2	(0)	0.03	0.03	2	0	6.9		07021	1個　20g（正味16g）
1.1	0.1	1	0	0.02	0.01	微量	0	18.2	梅漬けを干したもの	07022	1個　20g（正味16g）
2.4	0.1	微量	(0)	0.01	0.01	0	0	7.6		07023	1個　20g（正味16g）
7.0	微量	(0)	(0)	0.03	0.03	0	0	7.9	梅干しの果肉を裏ごしし、砂糖を加えて加熱、練り上げたもの	07024	大さじ1　17g

・（カッコ）内の成分値および（微量）は推定値または推計値であることを意味します。

果実類

食品名	エネルギー (kcal)	水分 (g)	たんぱく質 (g)	脂質 (g)	コレステロール (mg)	炭水化物 (g)	食物繊維 (g)	ナトリウム (mg)	カリウム (mg)	カルシウム (mg)	マグネシウム (mg)
	可食部（食べられる部分）100g あたり							ミネラル			
20% 果汁入り飲料	49	87.6	微量	微量	(0)	12.2	0.1	35	30	1	2
オリーブ 塩漬 グリーン	148	75.6	(0.7)	(14.6)	(0)	1.9	3.3	1400	47	79	13
ブラック 別名 ライプオリーブ	121	81.6	(0.6)	12.0	微量	1.5	2.5	640	10	68	11
スタッフド	141	75.4	(0.6)	14.3	(0)	0.7	3.7	2000	28	83	13
柿 甘柿 生	63	83.1	0.3	0.1	0	14.5	1.6	1	170	9	6
渋ぬき柿 生	59	82.2	(0.3)	(微量)	(0)	13.6	2.8	1	200	7	6
干し柿	274	24.0	(1.0)	(0.8)	(0)	58.7	14.0	4	670	27	26
かりん 生	58	80.7	0.4	0.1	(0)	9.4	8.9	2	270	12	12
かんきつ類											
いよかん 果肉 生	50	86.7	(0.5)	0.1	(0)	11.1	1.1	2	190	17	14
温州（うんしゅう）みかん 一般名 みかん 薄皮つき 早生 生	49	87.2	(0.3)	(微量)	(0)	11.5	0.7	1	130	17	11
普通 生	49	86.9	0.4	微量	0	11.3	1.0	1	150	21	11
果肉 早生 生	47	87.8	(0.3)	(微量)	(0)	11.2	0.4	1	130	11	10
普通 生	49	87.4	(0.4)	(微量)	(0)	11.4	0.4	1	150	15	10
ストレートジュース	45	88.5	0.3	(微量)	(0)	10.9	0	1	130	8	8
濃縮還元ジュース	42	89.3	0.3	(微量)	(0)	10.2	0	1	110	6	9
果粒入りジュース	53	86.7	(0.1)	(0)	(0)	13.1	微量	4	33	5	3
50% 果汁入り飲料	59	84.9	(0.1)	(微量)	(0)	14.7	0.1	1	63	4	4
20% 果汁入り飲料	50	87.4	(0.1)	(微量)	(0)	12.4	0	1	21	2	2
缶詰め 果肉	63	83.8	0.5	(微量)	(0)	14.9	0.5	4	75	8	7
液汁	63	84.1	0.3	(微量)	(0)	15.4	0	4	75	5	6
ネーブル 果肉 生	48	86.8	0.5	(0.1)	0	10.3	1.0	1	180	24	9

可食部（食べられる部分）100gあたり											
		ビタミン						食塩相当量	備考	食品番号	参考 見た目のおおまかなめやす量
鉄	亜鉛	ビタミンA（レチノール活性当量）	ビタミンD	ビタミンB1	ビタミンB2	葉酸	ビタミンC				
mg	mg	µg	µg	mg	mg	µg	mg	g			
0.2	微量	0	(0)	0	0	0	0	0.1		07025	1カップ　210g
0.3	0.2	38	(0)	0.01	0.02	3	12	3.6	緑果の塩漬。液汁を除いたもの	07037	10個　30g
0.8	0.2	0	(0)	0.05	0.06	2	微量	1.6	熟果（黒色）の塩漬。液汁を除いたもの	07038	10個　35g
0.3	0.1	44	(0)	0.01	0.01	1	11	5.1	緑果にピメントを詰めた塩漬。液汁を除いたもの	07039	2個　10g
0.2	0.1	35	(0)	0.03	0.02	18	70	0		07049	1個　200g（正味180g）
0.1	微量	25	(0)	0.02	0.02	20	55	0		07050	1個　200g
0.6	0.2	120	(0)	0.02	0	35	2	0	つるし柿を含む	07051	1個　20g（正味18g）
0.3	0.2	11	(0)	0.01	0.03	12	25	0		07053	1個　400g
0.2	0.1	13	(0)	0.06	0.03	19	35	0	かんきつ類の果肉の名称は砂じょう	07018	1個　200g（正味120g）
0.1	0.1	87	(0)	0.07	0.04	24	35	0	一般に「みかん」として流通しているものの多くは、温州みかん。薄皮に包まれた房の名称はじょうのう。薄皮の名称はじょうのう膜	07026	1個　100g
0.2	0.1	84	(0)	0.10	0.03	22	32	0		07027	1個　100g（正味80g）
0.1	0.1	92	(0)	0.07	0.03	24	35	0	かんきつ類の果肉の名称は砂じょう	07028	
0.1	0.1	92	(0)	0.09	0.03	22	33	0		07029	1個　100g（正味75g）
0.2	微量	35	(0)	0.06	0.01	15	29	0		07030	1カップ　210g
0.1	微量	51	(0)	0.06	0.04	20	30	0		07031	1カップ　210g
0.1	微量	18	(0)	0.02	0.01	0	12	0	果粒（砂じょう）20％を含む	07032	1カップ　210g
0.1	微量	23	(0)	0.03	0.01	8	18	0		07033	1カップ　210g
0.1	微量	10	(0)	0.01	0.01	2	7	0		07034	1カップ　210g
0.4	0.1	34	(0)	0.05	0.02	12	15	0	かんきつ類の果肉の名称は砂じょう	07035	5粒　25g
0.3	0.1	0	(0)	0.04	0.02	12	15	0		07036	大さじ1　15g
0.2	0.1	11	(0)	0.07	0.04	34	60	0	かんきつ類の果肉の名称は砂じょう	07040	1個　300g

・（カッコ）内の成分値および（微量）は推定値または推計値であることを意味します。

果実類

食品名	エネルギー (kcal)	水分 (g)	たんぱく質 (g)	脂質 (g)	コレステロール (mg)	炭水化物 (g)	食物繊維 (g)	ナトリウム (mg)	カリウム (mg)	カルシウム (mg)	マグネシウム (mg)
バレンシアオレンジ 果肉 生	42	88.7	(0.7)	(0.1)	0	9.4	0.8	1	140	21	11
ストレートジュース	45	87.8	0.5	微量	微量	9.9	0.3	1	180	9	10
濃縮還元ジュース	46	88.1	(0.3)	(0.1)	0	11.0	0.2	1	190	9	10
50% 果汁入り飲料	46	88.4	(0.2)	(0.1)	(0)	11.0	0.1	2	99	5	6
30% 果汁入り飲料	41	89.7	(0.1)	微量	(0)	10.1	微量	6	57	3	3
マーマレード 高糖度	233	36.4	(0.1)	0.1	(0)	(60.2)	0.7	11	27	16	3
低糖度	190	51.7	(0.2)	0.1	(0)	46.5	1.3	9	49	19	5
かぼす 果汁 生	36	90.7	0.4	0.1	(0)	8.4	0.1	1	140	7	8
河内晩柑（かわちばんかん） 果肉 生	38	90.0	(0.4)	0.2	(0)	8.5	0.6	1	160	10	10
清見（きよみ） 果肉 生	45	88.4	(0.4)	0.2	(0)	10.1	0.6	1	170	11	11
きんかん 全果 生	67	80.8	0.5	0.3	0	13.3	4.6	2	180	80	19
グレープフルーツ 白肉種 果肉 生	40	89.0	0.5	(0.1)	0	8.3	0.6	1	140	15	9
紅肉種 果肉 生	40	89.0	(0.7)	0.1	0	8.1	0.6	1	140	15	9
ストレートジュース	44	88.7	0.6	(0.1)	(0)	10.2	0.1	1	180	9	9
濃縮還元ジュース	38	90.1	0.7	(0.1)	(0)	8.6	0.2	1	160	9	9
50% 果汁入り飲料	45	88.4	0.3	微量	(0)	11.0	0.1	4	90	7	6
20% 果汁入り飲料	39	90.1	0.1	微量	(0)	9.7	0	2	34	3	2
シークヮーサー 果汁 生	35	90.9	0.8	0.1	(0)	7.6	0.3	2	180	17	15
10% 果汁入り飲料	48	88.1	0.1	微量	(0)	11.8	0	2	13	5	1
不知火（しらぬひ） 果肉 生 別名 デコポン	56	85.8	(0.5)	0.2	(0)	12.6	0.6	微量	170	9	9
すだち 果皮 生	55	80.7	1.8	0.3	(0)	6.3	10.1	1	290	150	26
果汁 生	29	92.5	0.5	0.1	(0)	6.5	0.1	1	140	16	15

※ 可食部（食べられる部分）100gあたり。ナトリウム・カリウム・カルシウム・マグネシウムはミネラル。

可食部（食べられる部分）100gあたり											
		ビタミン									
鉄	亜鉛	ビタミンA（レチノール活性当量）	ビタミンD	ビタミンB1	ビタミンB2	葉酸	ビタミンC	食塩相当量	備考	食品番号	参考 見た目のおおまかなめやす量
mg	mg	µg	µg	mg	mg	µg	mg	g			
0.3	0.2	10	(0)	0.10	0.03	32	40	0	かんきつ類の果肉の名称は砂じょう	07041	1個 200g（正味 120g） 絞り汁1個分 80g
0.1	微量	3	(0)	0.07	0.01	25	22	0		07042	1カップ 210g
0.1	0.1	4	(0)	0.07	0.02	27	42	0		07043	1カップ 210g
0.1	微量	1	(0)	0.04	0.01	12	16	0		07044	1カップ 210g
微量	微量	(0)	(0)	0.02	0.01	8	10	0		07045	1カップ 210g
0.1	微量	2	(0)	0.01	0	2	5	0		07046	大さじ1 21g 小さじ1 7g
0.2	微量	5	(0)	0.01	0	3	4	0		07047	大さじ1 21g
0.1	微量	1	(0)	0.02	0.02	13	42	0		07052	1個分 20g
0.1	0.1	4	(0)	0.06	0.02	13	36	0	かんきつ類の果肉の名称は砂じょう	07162	
0.1	0.1	45	(0)	0.10	0.02	24	42	0	かんきつ類の果肉の名称は砂じょう	07163	
0.3	0.1	11	(0)	0.10	0.06	20	49	0	かんきつ類の果肉の名称は砂じょう	07056	1個 12g
微量	0.1	(0)	(0)	0.07	0.03	15	36	0	かんきつ類の果肉の名称は砂じょう	07062	1個 300g（正味 210g） 絞り汁1個分 120g
微量	0.1	34	(0)	0.07	0.03	15	36	0	かんきつ類の果肉の名称は砂じょう	07164	
0.1	微量	(0)	(0)	0.04	0.01	11	38	0		07063	1カップ 210g
0.1	微量	10	(0)	0.06	0.02	10	53	0		07064	1カップ 210g
0.1	微量	(0)	(0)	0.02	微量	5	19	0		07065	1カップ 210g
0.1	微量	(0)	(0)	0	0	2	8	0		07066	1カップ 210g
0.1	0.1	7	(0)	0.08	0.03	7	11	0		07075	1個分 16g
0.1	微量	1	(0)	0	0	0	2	0		07076	1カップ 210g
0.1	0.1	30	(0)	0.09	0.03	17	48	0	デコポンは全国糖酸度統一基準を満たすもの。かんきつ類の果肉の名称は砂じょう	07165	1個 150g
0.4	0.4	44	(0)	0.04	0.09	35	110	0		07078	1個分 8g
0.2	0.2	0	(0)	0.03	0.02	13	40	0		07079	1個分 6g

・（カッコ）内の成分値および（微量）は推定値または推計値であることを意味します。

果実類

食品名	エネルギー	水分	たんぱく質	脂質	コレステロール	炭水化物	食物繊維	ナトリウム	カリウム	カルシウム	マグネシウム
可食部（食べられる部分）100gあたり								ミネラル			
	kcal	g	g	g	mg	g	g	mg	mg	mg	mg
せとか　果肉　生	50	86.9	(0.5)	0.2	(0)	11.3	0.7	1	170	11	10
セミノール　果肉　生	53	86.0	1.1	0.1	(0)	11.6	0.8	2	200	24	16
だいだい　果汁　生	35	91.2	0.3	0.2	(0)	8.0	0	1	190	10	10
夏みかん　果肉　生	42	88.6	0.5	0.1	0	9.2	1.2	1	190	16	10
缶詰め	80	79.7	0.5	0.1	(0)	18.9	0.5	4	92	11	8
はっさく　果肉　生	47	87.2	(0.5)	0.1	(0)	10.3	1.5	1	180	13	10
はるみ　果肉　生	52	86.5	(0.5)	0.2	(0)	11.7	0.8	0	170	9	10
日向夏（ひゅうがなつ） 別名 ニューサマーオレンジ、小夏みかん　薄皮・わたつき　生	46	87.2	(0.3)	0.1	(0)	9.9	2.1	1	130	23	8
果肉　生	35	90.7	(0.3)	0.1	(0)	7.9	0.7	1	110	5	6
文旦（ぶんたん） 別名 ざぼん、ぼんたん　果肉　生	41	89.0	(0.4)	0.1	(0)	9.2	0.9	1	180	13	7
ざぼん漬	338	14.0	(0.1)	0.1	(0)	82.9	2.7	13	8	22	6
ポンカン　果肉　生	42	88.8	(0.5)	0.1	(0)	9.3	1.0	1	160	16	9
ゆず　果皮　生	50	83.7	0.9	0.1	(0)	8.0	6.9	5	140	41	15
果汁　生	30	92.0	(0.4)	0.1	(0)	6.7	0.4	1	210	20	11
ライム　果汁　生	39	89.8	(0.3)	0.1	(0)	9.2	0.2	1	160	16	9
レモン　全果　生	43	85.3	0.9	0.2	0	5.0	4.9	4	130	67	11
果汁　生	24	90.5	0.3	(0.1)	0	1.5	微量	2	100	7	8
キウイフルーツ　緑肉種　生	51	84.7	0.8	0.2	0	9.5	2.6	1	300	26	14
黄肉種　生　別名 ゴールデンキウイ	63	83.2	1.1	(0.2)	(0)	13.6	1.4	2	300	17	12
きはだ　実　乾燥	378	13.1	7.3	9.8	未測定	65.1	未測定	17	2100	230	88
キワノ　生　別名 ツノニガウリ	41	89.2	1.5	0.9	0	5.4	2.6	2	170	10	34

可食部（食べられる部分）100g あたり											
		ビタミン									
鉄	亜鉛	ビタミンA（レチノール活性当量）	ビタミンD	ビタミンB1	ビタミンB2	葉酸	ビタミンC	食塩相当量	備考	食品番号	参考 見た目のおおまかなめやす量
mg	mg	µg	µg	mg	mg	µg	mg	g			
0.1	0.1	77	(0)	0.08	0.03	29	57	0	かんきつ類の果肉の名称は砂じょう	07166	
0.2	0.1	89	(0)	0.01	0.04	27	41	0	かんきつ類の果肉の名称は砂じょう	07085	1個　150g
0.1	微量	2	(0)	0.03	0.02	13	35	0		07083	1個分　50g
0.2	0.1	7	(0)	0.08	0.03	25	38	0	なつかん、甘夏みかんを含む。かんきつ類の果肉の名称は砂じょう	07093	1個　300g
0.1	0.1	1	(0)	0.04	微量	12	14	0	なつかん、甘夏みかんを含む。液汁を含んだもの（液汁 45%）	07094	1房　10g
0.1	0.1	9	(0)	0.06	0.03	16	40	0	かんきつ類の果肉の名称は砂じょう	07105	1個　300g（正味 195g）
0.1	0.1	57	(0)	0.11	0.02	19	40	0	かんきつ類の果肉の名称は砂じょう	07167	
0.2	0.1	1	(0)	0.05	0.03	16	26	0	薄皮はじょうのう膜。果皮の下の白いわたはアルベド	07112	1個　200g
0.1	微量	1	(0)	0.06	0.03	13	21	0	かんきつ類の果肉の名称は砂じょう	07113	
0.1	0.1	1	(0)	0.03	0.04	16	45	0	一般によく流通している晩白柚（ばんぺいゆ）は、ぶんたんの一品種	07126	1個　1000g
0.3	微量	微量	(0)	0	0.02	2	微量	0		07127	1枚　50g
0.1	微量	52	(0)	0.08	0.04	13	40	0	かんきつ類の果肉の名称は砂じょう	07129	1個　150g
0.3	0.1	20	(0)	0.07	0.10	21	160	0		07142	1個分　40g
0.1	0.1	1	(0)	0.05	0.02	11	40	0		07143	1個分　25g
0.2	0.1	(0)	(0)	0.03	0.02	17	33	0		07145	1個分　40g
0.2	0.1	2	(0)	0.07	0.07	31	100	0		07155	1個　100g（正味 95g）
0.1	0.1	1	(0)	0.04	0.02	19	50	0		07156	絞り汁 1 個分 30g
0.3	0.1	4	(0)	0.01	0.02	37	71	0		07054	1個　80g（正味 70g）
0.2	0.1	3	(0)	0.02	0.02	32	140	0		07168	
1.7	0.6	5	未測定	0.17	0.18	12	0	0	生のまま食したり、乾燥して料理に用いたりするアイヌ民族の伝統食材	07183	
0.4	0.4	3	(0)	0.03	0.01	2	2	0		07055	1個　350g

・（カッコ）内の成分値および（微量）は推定値または推計値であることを意味します。

果実類

食品名		エネルギー	水分	たんぱく質	脂質	コレステロール	炭水化物	食物繊維	ナトリウム	カリウム	カルシウム	マグネシウム
		kcal	g	g	g	mg	g	g	mg	mg	mg	mg
グァバ	赤肉種　生	33	88.9	(0.3)	0.1	(0)	5.1	5.1	3	240	8	8
	白肉種　生	33	88.9	(0.3)	0.1	(0)	5.1	5.1	3	240	8	8
	20% 果汁入り飲料(ネクター)	49	87.4	0.1	0.1	(0)	11.5	0.8	4	49	3	2
	10% 果汁入り飲料	50	87.4	0.1	0.1	(0)	12.1	0.2	7	28	3	20
くこ 別名 ゴジベリー	実　乾燥	387	4.8	(6.6)	4.1	未測定	81.0	未測定	510	1400	47	77
ぐみ	生	72	81.0	1.3	0.2	(0)	15.2	2.0	2	130	10	4
ココナッツ	ココナッツウォーター	22	94.3	(0.2)	0.1	(0)	5.0	0	11	230	11	6
	ココナッツミルク	157	78.8	(1.8)	14.9	0	3.8	0.2	12	230	5	28
	ナタデココ	80	79.7	0	微量	(0)	19.7	0.5	2	0	1	1
さくらんぼ 別名 桜桃、スイートチェリー	国産　生	64	83.1	(0.8)	(0.1)	(0)	14.2	1.2	1	210	13	6
	米国産 生	64	81.1	(1.0)	(0.1)	(0)	(13.7)	1.4	1	260	15	12
	缶詰め	70	81.5	0.6	(0.1)	(0)	15.8	1.0	3	100	10	5
ざくろ	生	63	83.9	0.2	微量	(0)	15.5	0	1	250	8	6
すいか	赤肉種　生	41	89.6	0.3	(0.1)	0	9.5	0.3	1	120	4	11
	黄肉種　生	41	89.6	(0.3)	0.1	0	9.5	0.3	1	120	4	11
すぐり類												
カシス 別名 くろすぐり	冷凍	62	79.4	1.1	1.1	未測定	6.4	6.4	微量	270	40	19
グズベリー 別名 西洋すぐり	生	51	85.2	1.0	0.1	0	(10.9)	2.5	1	200	14	10
スターフルーツ 別名 ごれんし	生	30	91.4	(0.5)	(0.1)	0	5.9	1.8	1	140	5	9

可食部（食べられる部分）100g あたり

可食部（食べられる部分）100gあたり		ビタミン										
鉄	亜鉛	ビタミンA（レチノール活性当量）	ビタミンD	ビタミンB1	ビタミンB2	葉酸	ビタミンC	食塩相当量	備考	食品番号	参考 見た目のおおまかなめやす量
mg	mg	µg	µg	mg	mg	µg	mg	g			
0.1	0.1	50	(0)	0.03	0.04	41	220	0		07057	1個　80g
0.1	0.1	(0)	(0)	0.03	0.04	41	220	0		07169	
0.2	微量	2	(0)	0	0.01	9	19	0		07058	1カップ　210g
0.1	微量	1	(0)	0	0	3	9	0		07059	1カップ　210g
4.0	1.2	250	0	0.28	0.40	99	9	1.3		07185	
0.2	0.1	32	(0)	0.01	0.04	15	5	0		07061	10個　30g
0.1	0.1	0	(0)	0.01	0.01	1	2	0		07157	1カップ　200g
0.8	0.3	0	(0)	0.01	0	4	0	0	缶詰め	07158	1カップ　200g
0	0	0	(0)	0	0	0	0	0	シラップ漬。液汁を除いたもの	07170	
0.3	0.1	8	(0)	0.03	0.03	38	10	0		07070	1粒　7g（正味6g）
0.3	0.1	2	(0)	0.03	0.03	42	9	0	アメリカンチェリー	07071	1粒　10g（正味9g）
0.4	0.5	3	(0)	0.01	0.01	12	7	0	液汁を除いたもの	07072	1個　6g
0.1	0.2	(0)	(0)	0.01	0.01	6	10	0		07073	1個　200g
0.2	0.1	69	(0)	0.03	0.02	3	10	0		07077	⅙玉　400g（正味240g） 1玉　3kg（正味1800g）
0.2	0.1	1	(0)	0.03	0.02	3	10	0		07171	
0.5	0.2	9	未測定	0.03	0.03	未測定	未測定	0		07182	
1.3	0.1	10	(0)	0.02	0.02	47	22	0		07060	10粒　30g
0.2	0.2	6	(0)	0.03	0.02	11	12	0		07069	1個　80g

・(カッコ)内の成分値および(微量)は推定値または推計値であることを意味します。

果実類

食品名	エネルギー	水分	たんぱく質	脂質	コレステロール	炭水化物	食物繊維	ミネラル ナトリウム	カリウム	カルシウム	マグネシウム
	kcal	g	g	g	mg	g	g	mg	mg	mg	mg
すもも類											
すもも 生 別名 プラム	46	88.6	0.4	1.0	0	8.0	1.6	1	150	5	5
プルーン 別名 ヨーロッパすもも 生	49	86.2	(0.5)	(0.1)	0	(10.7)	1.9	1	220	6	7
乾燥	211	33.3	(1.6)	(0.1)	0	(41.7)	7.1	1	730	57	40
チェリモヤ 生	82	78.1	(0.8)	(0.2)	0	18.2	2.2	8	230	9	12
ドラゴンフルーツ 生 別名 ピタヤ	52	85.7	1.4	0.3	0	9.9	1.9	微量	350	6	41
ドリアン 生	140	66.4	2.3	2.8	0	25.5	2.1	微量	510	5	27
なし類											
なし 生	38	88.0	0.2	(0.1)	0	8.1	0.9	微量	140	2	5
洋なし 生	48	84.9	(0.2)	(0.1)	(0)	(9.2)	1.9	微量	140	5	4
なつめ 乾燥	294	21.0	3.9	2.0	0	58.9	12.5	3	810	65	39
なつめやし 乾燥 別名 デーツ	281	24.8	(1.2)	(微量)	(0)	65.4	7.0	微量	550	71	60
パインアップル 生 別名 パイナップル	54	85.2	0.4	(0.1)	0	12.2	1.2	微量	150	11	14
パインアップル 焼き	74	78.2	(0.7)	0.1	(0)	16.5	1.7	微量	190	16	18
ストレートジュース	46	88.2	0.3	(0.1)	(0)	11.0	0	1	210	22	10
濃縮還元ジュース	45	88.3	0.1	(0.1)	(0)	11.1	0	1	190	9	10
50% 果汁入り飲料	50	87.3	0.3	(0.1)	(0)	12.1	0	1	95	6	4
10% 果汁入り飲料	50	87.6	微量	微量	(0)	12.4	0	1	18	2	2
缶詰め	76	78.9	(0.3)	(0.1)	(0)	(19.4)	0.5	1	120	7	9
砂糖漬	349	12.0	(0.4)	(0.1)	(0)	(87.6)	1.3	58	23	31	5
ハスカップ 生	55	85.5	0.7	0.6	0	10.7	2.1	微量	190	38	11

可食部（食べられる部分）100gあたり											
		ビタミン						食塩相当量	備考	食品番号	参考 見た目のおおまかなめやす量
鉄	亜鉛	ビタミンA（レチノール活性当量）	ビタミンD	ビタミンB1	ビタミンB2	葉酸	ビタミンC				
mg	mg	µg	µg	mg	mg	µg	mg	g			
0.2	0.1	7	(0)	0.02	0.02	37	4	0	ソルダム、大石早生など	07080	1個　70g（正味 65g）
0.2	0.1	40	(0)	0.03	0.03	35	4	0		07081	1個　20g
1.1	0.4	100	(0)	0.07	0.07	3	0	0		07082	1粒（種なし）　7g
0.2	0.1	微量	(0)	0.09	0.09	90	34	0		07086	1個　500g
0.3	0.3	(0)	(0)	0.08	0.06	44	7	0		07111	1個　400g
0.3	0.3	3	(0)	0.33	0.20	150	31	0		07087	1個　2500g
0	0.1	(0)	(0)	0.02	微量	6	3	0		07088	1個　300g（正味 255g）
0.1	0.1	(0)	(0)	0.02	0.01	4	3	0		07091	1個　200g（正味 170g）
1.5	0.8	1	(0)	0.10	0.21	140	1	0		07095	1個　4g
0.8	0.4	13	(0)	0.07	0.04	19	0	0		07096	1個　4g
0.2	0.1	3	(0)	0.09	0.02	12	35	0		07097	⅛個　100g 1玉　1500g（正味 825g）
0.3	0.1	4	(0)	0.11	0.02	14	41	0		07177	
0.4	0.1	1	(0)	0.04	0.01	9	6	0		07098	1カップ　210g
0.3	0.1	1	(0)	0.05	0.02	7	5	0		07099	1カップ　210g
0.1	微量	微量	(0)	0.03	0.01	0	3	0		07100	1カップ　210g
0.2	微量	0	(0)	0	0	1	0	0		07101	1カップ　210g
0.3	0.1	1	(0)	0.07	0.01	7	7	0	液汁を含んだもの（液汁 37%）	07102	1枚　35g
2.5	0.1	1	(0)	0	0.02	2	0	0.1		07103	1枚　50g
0.6	0.1	11	(0)	0.02	0.03	7	44	0	果実全体	07104	10粒　8g

・（カッコ）内の成分値および（微量）は推定値または推計値であることを意味します。

果実類

果実類		可食部（食べられる部分）100gあたり										
		エネルギー	水分	たんぱく質	脂質	コレステロール	炭水化物	食物繊維	ミネラル			
									ナトリウム	カリウム	カルシウム	マグネシウム
食品名		kcal	g	g	g	mg	g	g	mg	mg	mg	mg
パッションフルーツ	果汁　生	67	82.0	0.8	0.4	(0)	13.4	0	5	280	4	15
バナナ	生	93	75.4	0.7	(0.1)	0	21.1	1.1	微量	360	6	32
	乾燥	314	14.3	(2.4)	(0.2)	(0)	70.5	7.0	1	1300	26	92
パパイア	完熟　生	33	89.2	(0.2)	(0.2)	(0)	(7.1)	2.2	6	210	20	26
	未熟　生	35	88.7	(0.6)	(0.1)	(0)	(7.4)	2.2	5	190	36	19
びわ	生	41	88.6	(0.2)	(0.1)	(0)	9.1	1.6	1	160	13	14
ぶどう	皮なし　生	58	83.5	0.2	微量	0	(14.4)	0.5	1	130	6	6
	皮つき　生	69	81.7	0.4	微量	(0)	17.0	0.9	0	220	8	7
	干しぶどう 別名 レーズン	324	14.5	(2.0)	(0.1)	(0)	75.9	4.1	12	740	65	31
	ストレートジュース	54	84.8	(0.3)	(0.1)	(0)	(13.9)	0.1	1	30	3	14
	濃縮還元ジュース	46	87.2	(0.3)	(0.1)	(0)	(11.7)	0.1	2	24	5	9
	70% 果汁入り飲料	52	86.8	(0.2)	(微量)	(0)	12.8	0.1	15	17	4	6
	10% 果汁入り飲料	52	86.9	微量	(微量)	(0)	13.1	微量	6	3	3	1
	ジャム	189	51.4	(0.3)	(微量)	(0)	(47.2)	1.5	18	130	16	10
ブルーベリー	生	48	86.4	(0.3)	(0.1)	0	9.8	3.3	1	70	8	5
	ジャム	174	55.1	(0.4)	(0.2)	0	(41.3)	4.3	1	75	8	5
	乾燥	280	21.9	(1.5)	(1.5)	(0)	56.4	17.6	4	400	43	28
まくわうり	黄肉種　生	34	90.8	(0.6)	0.1	(0)	(7.4)	1.0	1	280	6	12
マルメロ	生	48	84.2	0.3	(0.1)	0	(9.4)	5.1	1	160	11	7
マンゴー	生	68	82.0	(0.5)	(0.1)	(0)	15.7	1.3	1	170	15	12
	ドライマンゴー	339	9.3	2.3	0.3	(0)	76.6	6.4	1	1100	37	57
マンゴスチン	生	71	81.5	0.6	0.2	0	16.1	1.4	1	100	6	18
メロン	温室メロン　生	40	87.8	(0.7)	(0.1)	(0)	(9.3)	0.5	7	340	8	13

可食部(食べられる部分)100gあたり											
		ビタミン									
鉄	亜鉛	ビタミンA(レチノール活性当量)	ビタミンD	ビタミンB1	ビタミンB2	葉酸	ビタミンC	食塩相当量	備考	食品番号	参考 見た目のおおまかなめやす量
mg	mg	µg	µg	mg	mg	µg	mg	g			
0.6	0.4	89	(0)	0.01	0.09	86	16	0		07106	1個分 15g
0.3	0.2	5	(0)	0.05	0.04	26	16	0		07107	1本 200g (正味120g)
1.1	0.6	70	(0)	0.07	0.12	34	微量	0		07108	1本分20g
0.2	0.1	40	(0)	0.02	0.04	44	50	0		07109	1玉 400g (正味260g)
0.3	0.1	10	(0)	0.03	0.04	38	45	0		07110	
0.1	0.2	68	(0)	0.02	0.03	9	5	0		07114	1個 50g (正味35g)
0.1	0.1	2	(0)	0.04	0.01	4	2	0	デラウェア、ネオマスカット、ピオーネ、巨峰を含む	07116	1粒(大) 20g (正味 16g) 1粒(小) 2g (正味 1.5g)
0.2	微量	3	(0)	0.05	0.01	19	3	0		07178	
2.3	0.3	1	(0)	0.12	0.03	9	微量	0		07117	大さじ1 12g 10粒 5g
0.1	0.1	(0)	(0)	0.02	0.01	1	微量	0		07118	1カップ 210g
0.3	微量	(0)	(0)	0.02	微量	1	微量	0		07119	1カップ 210g
0.1	微量	(0)	(0)	微量	0	微量	0	0		07120	1カップ 210g
0.1	微量	(0)	(0)	0	0	微量	0	0		07121	1カップ 210g
3.3	0.1	(0)	(0)	0.02	0.01	2	0	0		07123	大さじ1 21g
0.2	0.1	5	(0)	0.03	0.03	12	9	0		07124	10粒 10g
0.3	0.1	2	(0)	0.03	0.02	3	3	0		07125	大さじ1 21g 小さじ1 7g
1.2	0.4	7	(0)	0.12	0.10	13	微量	0	ドライフルーツ	07172	
0.2	0.1	15	(0)	0.03	0.03	50	30	0		07130	1個 500g
0.1	0.2	4	(0)	0.02	0.02	12	18	0		07131	1個 350g
0.2	0.1	51	(0)	0.04	0.06	84	20	0		07132	アップルマンゴー1個 400g(正味260g) ペリカンマンゴー1個 200g(正味130g)
0.5	0.6	500	(0)	0.27	0.21	260	69	0		07179	1枚 10g
0.1	0.2	(0)	(0)	0.11	0.03	20	3	0		07133	1個 100g
0.3	0.2	3	(0)	0.06	0.02	32	18	0	アールス系(緑肉種。アールスナイト、アールスメロン等)	07134	1個 1000g (正味500g)

7 果実類

・(カッコ)内の成分値および(微量)は推定値または推計値であることを意味します。

果実類

食品名	エネルギー	水分	たんぱく質	脂質	コレステロール	炭水化物	食物繊維	ナトリウム	カリウム	カルシウム	マグネシウム
	kcal	g	g	g	mg	g	g	mg	mg	mg	mg
露地メロン 緑肉種 生	45	87.9	0.6	(0.1)	0	10.3	0.5	6	350	6	12
赤肉種 生	45	87.9	(0.6)	0.1	0	10.3	0.5	6	350	6	12
もも類											
もも 白肉種 生	38	88.7	0.4	(0.1)	0	8.0	1.3	1	180	4	7
黄肉種 生	48	85.4	0.4	微量	未測定	8.6	1.9	0	210	3	6
30%果汁入り飲料(ネクター)	46	88.0	0.2	(0)	(0)	(11.7)	0.4	3	35	2	2
缶詰め 白肉種 果肉	82	78.5	(0.3)	(0.1)	(0)	19.4	1.4	4	80	3	4
黄肉種 果肉	83	78.5	(0.4)	0.1	(0)	19.3	1.4	4	80	3	4
液汁	81	79.5	0.3	0.1	(0)	19.5	0.3	4	80	2	4
ネクタリン 生	39	87.8	(0.4)	(0.2)	(0)	(7.7)	1.7	1	210	5	10
やまもも 生	47	87.8	0.5	0.2	0	10.2	1.1	4	120	4	7
ライチー 生 別名 れいし	61	82.1	(0.6)	(0.1)	0	(14.9)	0.9	微量	170	2	13
ラズベリー 生 別名 レッドラズベリー、西洋きいちご	36	88.2	1.1	0.1	0	(5.6)	4.7	1	150	22	21
りんご 皮むき 生	53	84.1	0.1	微量	(0)	12.2	1.4	微量	120	3	3
皮つき 生	56	83.1	(0.1)	(0.1)	(0)	12.7	1.9	微量	120	4	5
焼き	86	77.2	(0.2)	0.4	(0)	18.8	2.5	1	170	5	7
ストレートジュース	43	87.7	0.2	(微量)	(0)	10.7	微量	3	77	2	3
濃縮還元ジュース	47	88.1	0.1	(0.1)	(0)	11.5	微量	6	110	3	4
50% 果汁入り飲料	46	88.3	0.1	(微量)	(0)	11.5	0	2	55	2	2
30% 果汁入り飲料	46	88.5	微量	(0)	(0)	11.4	0	8	24	2	1
缶詰め	81	79.4	(0.2)	(微量)	(0)	19.9	0.4	2	30	4	2
ジャム	203	46.9	(0.2)	(微量)	(0)	(51.0)	0.8	7	33	6	2

可食部(食べられる部分)100g あたり / ミネラル: ナトリウム、カリウム、カルシウム、マグネシウム

可食部（食べられる部分）100g あたり									備考	食品番号	参考 見た目のおおまかなめやす量
		ビタミン						食塩相当量			
鉄	亜鉛	ビタミンA（レチノール活性当量）	ビタミンD	ビタミンB1	ビタミンB2	葉酸	ビタミンC				
mg	mg	µg	µg	mg	mg	µg	mg	g			
0.2	0.2	12	(0)	0.05	0.02	24	25	0	アンデス	07135	1個　800g
0.2	0.2	300	(0)	0.05	0.02	24	25	0	夕張メロン等	07174	
0.1	0.1	微量	(0)	0.01	0.01	5	8	0	浅間白桃、あかつき等	07136	1個　250g（正味 215g）
0.1	0.1	17	未測定	0.02	0.02	8	6	0	黄金桃、ゴールデンピーチ、黄貴妃	07184	
0.2	微量	0	(0)	微量	0.01	2	2	0		07137	1カップ　210g
0.2	0.2	(0)	(0)	0.01	0.02	4	2	0		07138	1切れ（½個）50g
0.2	0.2	17	(0)	0.01	0.02	4	2	0		07175	
0.2	0.1	0	(0)	0.01	0.01	3	2	0		07139	大さじ1　15g
0.2	0.1	20	(0)	0.02	0.03	12	10	0		07140	1個　150g
0.4	0.1	2	(0)	0.04	0.03	26	4	0		07141	1個　10g
0.2	0.2	(0)	(0)	0.02	0.06	100	36	0		07144	1個　20g
0.7	0.4	2	(0)	0.02	0.04	38	22	0		07146	10粒　25g
0.1	微量	1	(0)	0.02	微量	2	4	0	つがる、サンジョナ、ふじ等	07148	1個　210g
0.1	0.1	2	(0)	0.02	0.01	3	6	0		07176	1個　250g
0.1	0.1	3	(0)	0.03	0.01	4	7	0		07180	
0.4	微量	(0)	(0)	0.01	0.01	3	3	0		07149	1カップ　210g
0.1	微量	(0)	(0)	微量	微量	2	1	0		07150	1カップ　210g
0.1	微量	0	(0)	0	0	1	微量	0		07151	1カップ　210g
微量	微量	0	(0)	0	0	0	微量	0		07152	1カップ　210g
0.2	0.1	1	(0)	0.01	0.01	3	微量	0	液汁を含んだもの（液汁 50%）	07153	1切れ　40g
0	微量	微量	(0)	0.01	0	1	微量	0		07154	大さじ1　21g 小さじ1　7g

・(カッコ)内の成分値および(微量)は推定値または推計値であることを意味します。

きのこ類

食品名	エネルギー	水分	たんぱく質	脂質	コレステロール	炭水化物	食物繊維	ミネラル ナトリウム	カリウム	カルシウム	マグネシウム
	可食部(食べられる部分)100gあたり										
	kcal	g	g	g	mg	g	g	mg	mg	mg	mg
えのきたけ 生	34	88.6	1.6	0.1	0	4.8	3.9	2	340	微量	15
ゆで	34	88.6	(1.6)	(0.1)	(0)	4.4	4.5	2	270	微量	11
味つけびん詰め 別名 なめたけ	76	74.1	2.4	(0.2)	(0)	14.2	4.1	1700	320	10	26
きくらげ類											
あらげきくらげ 別名 裏白きくらげ 生	14	93.6	0.5	0.1	0	0.1	5.6	7	59	10	9
乾燥	184	13.1	4.5	0.4	(0)	0.9	79.5	46	630	82	110
ゆで	38	82.3	(0.8)	(0.1)	(0)	(0.4)	16.3	10	75	35	24
きくらげ 乾燥	216	14.9	5.3	1.3	0	17.1	57.4	59	1000	310	210
ゆで	14	93.8	(0.4)	(0.1)	(0)	(0.2)	5.2	9	37	25	27
白きくらげ 乾燥	170	14.6	3.4	0.5	(0)	3.4	68.7	28	1400	240	67
ゆで	15	92.6	(0.3)	微量	(0)	(0.3)	6.4	2	79	27	8
黒あわびたけ 生	28	90.2	(2.3)	(0.2)	(0)	2.2	4.1	3	300	2	18
しいたけ 生しいたけ 菌床栽培 生	25	89.6	2.0	0.2	0	0.7	4.9	1	290	1	14
ゆで	22	91.5	(1.6)	(0.3)	(0)	(0.6)	4.4	1	200	1	11
天ぷら	201	64.1	3.4	13.7	未測定	13.1	4.4	32	230	40	13
原木栽培 生	34	88.3	1.9	0.2	(0)	3.2	5.5	1	270	2	16
ゆで	27	90.8	(1.5)	(0.3)	(0)	2.1	4.8	微量	170	1	10
干ししいたけ 乾燥	258	9.1	14.1	(1.7)	0	22.1	46.7	14	2200	12	100
ゆで	40	86.2	(2.0)	(0.2)	未測定	4.1	6.7	3	200	4	9
甘煮	116	64.7	2.4	0.4	0	21.1	6.7	1000	90	13	14
しめじ類											
はたけしめじ 生	25	92.0	2.6	0.3	(0)	1.7	2.7	4	260	1	8
ゆで	25	91.3	2.6	0.3	(0)	0.5	4.6	3	200	1	8
ぶなしめじ 生	26	91.1	1.6	0.2	0	2.5	3.0	2	370	1	11

可食部（食べられる部分）100gあたり											
		ビタミン									
鉄	亜鉛	ビタミンA（レチノール活性当量）	ビタミンD	ビタミンB1	ビタミンB2	葉酸	ビタミンC	食塩相当量	備考	食品番号	参考 見た目のおおまかなめやす量
mg	mg	μg	μg	mg	mg	μg	mg	g			
1.1	0.6	(0)	0.9	0.24	0.17	75	0	0		08001	1袋（大） 200g 1袋（小） 100g
1.0	0.6	(0)	0.8	0.19	0.13	30	0	0		08002	
0.8	0.6	(0)	0.1	0.26	0.17	39	0	4.3	液汁を除いたもの	08003	大さじ1 15g
0.1	0.1	(0)	0.1	未測定	0.05	5	0	0	安価で一般によく流通している。全体が黒色の「きくらげ」に対し、片面が白い	08054	
10.0	0.8	(0)	130.0	0.01	0.44	15	(0)	0.1		08004	1個 5g
1.7	0.1	(0)	25.0	0	0.07	1	(0)	0		08005	1個 25g
35.0	2.1	(0)	85.0	0.19	0.87	87	0	0.1		08006	5個 2g
0.7	0.2	(0)	8.8	0.01	0.06	2	0	0		08007	5個 20g
4.4	3.6	(0)	15.0	0.12	0.70	76	0	0.1		08008	10個 4g
0.2	0.3	(0)	1.2	0	0.05	1	0	0		08009	
0.5	0.7	(0)	0.3	0.21	0.22	65	0	0		08010	1パック 80g
0.4	0.9	0	0.3	0.13	0.21	49	0	0	しいたけの国内生産量の約9割は菌床栽培が占めている	08039	1個 15g
0.3	0.8	(0)	0.5	0.08	0.11	14	0	0		08040	
0.3	0.7	1	0.3	0.11	0.18	12	0	0.1		08057	
0.4	0.7	(0)	0.4	0.13	0.22	75	0	0		08042	
0.2	0.5	(0)	0.4	0.06	0.12	25	0	0		08043	
3.2	2.7	(0)	17.0	0.48	1.74	270	20	0	どんこ、香信を含む	08013	香信1個 2g どんこ1個 4g
0.5	0.3	(0)	1.4	0.05	0.26	35	未測定	0		08014	香信1個 10g どんこ1個 18g
0.7	0.9	0	0.2	0.01	0.06	11	4	2.6		08053	
0.6	0.4	(0)	0.9	0.12	0.44	20	0	0		08015	1パック 180g
0.5	0.4	(0)	1.1	0.08	0.28	6	0	0		08045	
0.5	0.5	(0)	0.5	0.15	0.17	29	0	0		08016	1パック 100g 5本 15g

・(カッコ)内の成分値および(微量)は推定値または推計値であることを意味します。

きのこ類

食品名	エネルギー	水分	たんぱく質	脂質	コレステロール	炭水化物	食物繊維	ミネラル ナトリウム	カリウム	カルシウム	マグネシウム
	kcal	g	g	g	mg	g	g	mg	mg	mg	mg
ゆで	22	91.1	(1.6)	(0.1)	(0)	(1.3)	4.2	2	280	2	9
素揚げ	168	70.5	2.4	13.9	1	4.7	6.2	2	570	1	15
天ぷら	248	55.5	2.5	16.5	1	19.2	4.8	46	230	58	10
ほんしめじ 生 別名 だいこくしめじ	21	93.6	2.5	0.4	(0)	0.9	1.9	1	310	2	8
ゆで	26	92.1	2.8	0.6	(0)	0.8	3.3	1	210	2	8
たもぎたけ 生 別名 にれたけ、たもきのこ	23	91.7	(2.2)	(0.1)	(0)	1.6	3.3	1	190	2	11
なめこ 別名 なめたけ 生	21	92.1	1.0	0.1	1	2.4	3.4	3	240	4	10
ゆで	22	92.7	(0.9)	(0.1)	(0)	3.0	2.8	3	210	4	10
カットなめこ 生	14	94.9	0.7	0.1	未測定	1.8	1.9	3	130	2	6
水煮缶詰め	13	95.5	(0.6)	(0.1)	(0)	(1.4)	2.5	8	100	3	5
ひらたけ類											
エリンギ 生	31	90.2	1.7	0.2	(0)	3.7	3.4	2	340	微量	12
ゆで	32	89.3	(2.0)	(0.3)	(0)	(3.1)	4.8	2	260	微量	10
焼き	41	85.3	(2.6)	(0.3)	(0)	(4.3)	5.4	3	500	微量	17
ひらたけ 別名 かんたけ 生	34	89.4	2.1	0.1	(0)	4.8	2.6	2	340	1	15
ゆで	33	89.1	(2.1)	(0.1)	(0)	4.1	3.7	2	260	1	10
まいたけ 生	22	92.7	1.2	0.3	(0)	1.8	3.5	0	230	微量	10
ゆで	27	91.1	(0.9)	(0.3)	(0)	3.0	4.3	0	110	微量	8
乾燥	273	9.3	(12.8)	(2.4)	(0)	29.5	40.9	3	2500	2	100
マッシュルーム 生	15	93.9	1.7	0.1	0	0.2	2.0	6	350	3	10
ゆで	20	91.5	(2.2)	(0.1)	(0)	(0.2)	3.3	6	310	4	11
水煮缶詰め	18	92.0	(1.9)	(0.1)	(0)	(0.2)	3.2	350	85	8	5
まつたけ 生	32	88.3	1.2	0.2	(0)	3.4	4.7	2	410	6	8
やなぎまつたけ 生	20	92.8	2.4	(微量)	(0)	1.1	3.0	1	360	微量	13

可食部（食べられる部分）100gあたり											
		ビタミン									
鉄	亜鉛	ビタミンA（レチノール活性当量）	ビタミンD	ビタミンB1	ビタミンB2	葉酸	ビタミンC	食塩相当量	備考	食品番号	参考 見た目のおおまかなめやす量
mg	mg	µg	µg	mg	mg	µg	mg	g			
0.4	0.6	(0)	0.9	0.12	0.10	24	0	0		08017	
1.1	0.8	(0)	0.4	0.20	0.26	30	(0)	0		08055	
0.5	0.3	2	0.2	0.09	0.18	13	未測定	0.1		08056	
0.6	0.7	(0)	0.6	0.07	0.28	24	0	0		08018	1パック　90g
0.6	0.9	(0)	1.2	0.06	0.17	11	0	0		08047	
0.8	0.6	(0)	0.8	0.17	0.33	80	0	0		08019	1パック　100g
0.7	0.5	(0)	0	0.07	0.12	60	0	0		08020	1袋　100g 5粒　8g
0.6	0.5	(0)	0	0.06	0.10	67	(0)	0		08021	
0.5	0.4	0	0	0.03	0.08	57	0	0		08058	
0.8	0.5	(0)	0.1	0.03	0.07	13	0	0	液汁を除いたもの	08022	1缶　90g
0.3	0.6	(0)	1.2	0.11	0.22	65	0	0		08025	1本　40g
0.3	0.7	(0)	2.6	0.08	0.16	20	0	0		08048	
0.4	0.9	(0)	3.1	0.18	0.31	53	0	0		08049	
0.7	1.0	(0)	0.3	0.40	0.40	92	0	0		08026	1パック　80g
0.7	1.4	(0)	0.5	0.30	0.27	71	0	0		08027	
0.2	0.7	(0)	4.9	0.09	0.19	53	0	0		08028	1パック　100g 1房　15g
0.2	0.6	(0)	5.9	0.04	0.07	24	未測定	0		08029	
2.6	6.9	(0)	20.0	1.24	1.92	220	(0)	0		08030	
0.3	0.4	(0)	0.3	0.06	0.29	28	0	0		08031	1個　8g
0.3	0.6	(0)	0.5	0.05	0.28	19	0	0		08032	
0.8	1.0	(0)	0.4	0.03	0.24	2	0	0.9	液汁を除いたもの	08033	5切れ　10g
1.3	0.8	(0)	0.6	0.10	0.10	63	0	0		08034	1本　50g
0.5	0.6	(0)	0.4	0.27	0.34	33	0	0		08036	1パック　100g

・（カッコ）内の成分値および（微量）は推定値または推計値であることを意味します。

藻類

食品名	エネルギー	水分	たんぱく質	脂質	コレステロール	炭水化物	食物繊維	ミネラル ナトリウム	カリウム	カルシウム	マグネシウム
	kcal	g	g	g	mg	g	g	mg	mg	mg	mg
あおさ　素干し	201	16.9	16.9	0.4	1	18.0	29.1	3900	3200	490	3200
青のり　素干し	249	6.5	21.4	3.3	微量	15.7	35.2	3200	2500	750	1400
あまのり　一般名 のり　干しのり	276	8.4	30.7	2.2	21	17.7	31.2	610	3100	140	340
焼きのり	297	2.3	32.0	2.2	22	19.2	36.0	530	2400	280	300
味つけのり	301	3.4	31.5	(2.1)	21	26.0	25.2	1700	2700	170	290
あらめ　蒸し干し	183	16.7	(9.9)	(0.4)	0	10.9	48.0	2300	3200	790	530
岩のり　素干し	228	8.4	(27.1)	(0.4)	30	10.7	36.4	2100	4500	86	340
海ぶどう　生　別名 くびれづた	6	97.0	0.5	微量	0	0.5	0.8	330	39	34	51
えごのり　おきうと　別名 おきゅうと	7	96.9	0.3	0.1	1	0	2.5	20	22	19	16
おごのり　塩蔵　塩ぬき	26	89.0	1.3	0.1	11	1.3	7.5	130	1	54	110
こんぶ類											
えながおにこんぶ　素干し　別名 羅臼（らうす）こんぶ	224	10.4	(8.8)	0.7	微量	33.3	24.9	2400	7300	650	490
まこんぶ　素干し　乾燥	170	9.5	5.1	1.0	0	9.7	32.1	2600	6100	780	530
水煮	28	83.9	1.0	0.2	(0)	微量	8.7	370	890	200	120
三石（みついし）こんぶ　素干し　別名 日高こんぶ	235	9.2	(6.2)	(1.5)	0	31.9	34.8	3000	3200	560	670
利尻こんぶ　素干し	211	13.2	(6.4)	(1.5)	0	27.2	31.4	2700	5300	760	540
刻みこんぶ	119	15.5	(4.3)	0.2	0	0.4	39.1	4300	8200	940	720
削りこんぶ　別名 おぼろこんぶ、とろろこんぶ	177	24.4	(5.2)	0.6	0	23.6	28.2	2100	4800	650	520
塩こんぶ	193	24.1	16.9	0.4	0	23.9	13.1	7100	1800	280	190
つくだ煮	150	49.6	4.7	0.9	0	25.5	6.8	2900	770	150	98
水前寺のり　素干し　水もどし	10	96.1	1.5	微量	微量	0	2.1	5	12	63	18

可食部（食べられる部分）100g あたり									備考	食品番号	参考 見た目のおおまかなめやす量
		ビタミン						食塩相当量			
鉄	亜鉛	ビタミンA（レチノール活性当量）	ビタミンD	ビタミンB1	ビタミンB2	葉酸	ビタミンC				
mg	mg	µg	µg	mg	mg	µg	mg	g			
5.3	1.2	220	(0)	0.07	0.48	180	25	9.9		09001	
77.0	1.6	1700	(0)	0.92	1.66	270	62	8.1		09002	大さじ１　1.2g 小さじ１　0.4g
11.0	3.7	3600	(0)	1.21	2.68	1200	160	1.5	一般に「のり」の多くは、あまのりを乾燥させたもの。干しのりはすき干ししたもの。浅草のりは、あまのりの特定の一種を指す名称	09003	１枚　3g
11.0	3.6	2300	(0)	0.69	2.33	1900	210	1.3		09004	１枚（全型）　3g
8.2	3.7	2700	(0)	0.61	2.31	1600	200	4.3		09005	小５枚　3.5g
3.5	1.1	220	(0)	0.10	0.26	110	(0)	5.8		09006	１カップ　60g
48.0	2.3	2300	(0)	0.57	2.07	1500	3	5.3	すき干ししたもの	09007	１枚　10g
0.8	微量	10	(0)	微量	0.01	4	微量	0.8		09012	6cm 長さ 10 本　10g
0.6	0.1	(0)	(0)	0	0.01	7	0	0.1	えごのりを煮溶かして冷やしかためたもの	09009	１枚　100g
4.2	0.2	65	(0)	0.02	0.18	3	0	0.3	刺し身のつまなどに用いる	09010	１カップ　35g
2.5	1.0	120	(0)	0.10	0.25	190	3	6.1		09013	
3.2	0.9	130	(0)	0.26	0.31	240	29	6.6		09017	10cm角１枚　10g 5cm角１枚　2.5g
0.7	0.3	30	(0)	0.03	0.03	16	1	0.9		09056	
5.1	1.3	230	(0)	0.40	0.60	310	10	7.6		09018	5cm角１枚　1.5g
2.4	1.0	71	(0)	0.80	0.35	170	15	6.9		09019	5cm角１枚　1.5g
8.6	1.1	5	(0)	0.15	0.33	17	0	10.9		09020	１カップ　15g
3.6	1.1	64	(0)	0.33	0.28	32	19	5.3		09021	１カップ　12g
4.2	0.7	33	(0)	0.04	0.23	19	0	18.0		09022	3cm角 10 枚　14g
1.3	0.5	5	0	0.05	0.05	15	微量	7.4	ごま入り	09023	大さじ１　10g
2.5	0.1	9	(0)	0.02	0.01	2	0	0		09024	１枚　6.5g

・（カッコ）内の成分値および（微量）は推定値または推計値であることを意味します。

藻類

食品名	可食部（食べられる部分）100gあたり										
	エネルギー	水分	たんぱく質	脂質	コレステロール	炭水化物	食物繊維	ミネラル			
								ナトリウム	カリウム	カルシウム	マグネシウム
食品名	kcal	g	g	g	mg	g	g	mg	mg	mg	mg
てんぐさ 標準和名 まくさ ところてん	2	99.1	(0.1)	0	微量	0.1	0.6	3	2	4	4
角寒天 別名 棒寒天	159	20.5	(1.0)	(0.1)	微量	1.4	74.1	130	52	660	100
寒天	3	98.5	微量	微量	0	0	1.5	2	1	10	2
粉寒天	160	16.7	0.1	(0.2)	0	0.1	79.0	170	30	120	39
とさかのり 赤とさか 塩蔵 塩ぬき	19	92.1	1.5	0.1	9	1.1	4.0	270	37	70	31
青とさか 塩蔵 塩ぬき	17	92.2	0.9	0.2	9	0.8	4.1	320	40	160	220
ひじき 干しひじき 乾燥	180	6.5	7.4	1.7	微量	6.8	51.8	1800	6400	1000	640
ゆで	11	94.5	0.5	(0.2)	0	0	3.7	52	160	96	37
ひとえぐさ つくだ煮 別名 のりのつくだ煮	148	56.5	11.2	0.5	1	22.9	4.1	2300	160	28	94
ふのり 素干し 別名 のげのり	207	14.7	(10.7)	(0.6)	24	18.2	43.1	2700	600	330	730
まつも 素干し	252	12.6	(23.5)	(2.9)	1	18.6	28.5	1300	3800	920	700
もずく類											
沖縄もずく 塩蔵 塩ぬき	7	96.7	0.2	0.1	微量	0.1	2.0	240	7	22	21
もずく 塩蔵 塩ぬき	4	97.7	0.2	(0.1)	0	0.1	1.4	90	2	22	12
わかめ カットわかめ 乾燥	186	9.2	14.0	1.7	0	9.1	39.2	9300	430	870	460
水煮	17	93.6	(1.0)	(0.4)	未測定	0.8	3.2	310	15	76	37
湯通し塩蔵わかめ 塩ぬき 生	16	93.3	1.3	0.2	0	0.9	2.9	530	10	50	16
ゆで	7	97.5	0.5	0.1	(0)	0.5	1.1	130	2	19	5
くきわかめ 湯通し塩蔵 塩ぬき	18	84.9	(0.8)	(0.1)	0	0.9	5.1	3100	88	86	70
めかぶわかめ 生 別名 めかぶ	14	94.2	0.7	0.5	0	0	3.4	170	88	77	61

可食部（食べられる部分）100gあたり		ビタミン										
鉄	亜鉛	ビタミンA（レチノール活性当量）	ビタミンD	ビタミンB1	ビタミンB2	葉酸	ビタミンC	食塩相当量	備考	食品番号	参考 見た目のおおまかなめやす量
mg	mg	µg	µg	mg	mg	µg	mg	g			
0.1	微量	(0)	(0)	0	0	0	微量	0		09026	1本　200g
4.5	1.5	(0)	(0)	0.01	0	0	0	0.3	細寒天（糸寒天）を含む	09027	1本　7g
0.2	微量	(0)	(0)	微量	0	0	0	0	角寒天をゼリー状にしたもの。角寒天 2.2 g使用	09028	
7.3	0.3	0	(0)	0	微量	1	0	0.4		09049	小さじ1　2g
1.2	0.2	1	(0)	0	0.04	0	0	0.7	刺し身のつま、酢の物などに用いる	09029	1カップ　40g
0.8	0.6	24	(0)	0	0.02	7	0	0.8	石灰処理したもの	09030	1カップ　40g
6.2	1.0	360	(0)	0.09	0.42	93	0	4.7	ステンレス釜で煮熟後乾燥したもの	09050	大さじ1　5g
0.3	0.1	28	(0)	微量	0	1	0	0.1	ステンレス釜で煮熟後乾燥した干しひじきを水もどし後、ゆでたもの	09051	
3.6	0.9	23	(0)	0.06	0.26	23	0	5.8		09033	大さじ1　20g
4.8	1.8	59	(0)	0.16	0.61	68	1	6.9		09034	
11.0	5.2	2500	(0)	0.48	1.61	720	5	3.3	すき干ししたもの	09035	
0.2	微量	18	(0)	微量	0.09	2	0	0.6		09037	1カップ　200g
0.7	0.3	15	(0)	微量	0.01	2	0	0.2		09038	1パック　80g
6.5	2.8	190	0	0.07	0.08	18	0	23.5		09044	小さじ1　2g
0.6	0.3	15	未測定	微量	0	1	0	0.8	沸騰水で短時間加熱したもの	09058	
0.5	0.2	17	(0)	0.01	0.01	6	0	1.4	湯通ししてから塩蔵にしたわかめを水に浸漬し、塩ぬきしたもの	09045	1カップ　50g
0.3	0.1	5	(0)	0.01	0	0	(0)	0.3		09057	
0.4	0.1	5	(0)	0.02	0.02	2	0	7.9		09046	1本　30g
0.3	0.2	20	(0)	0.02	0.03	36	2	0.4		09047	刻み1カップ　190g

・（カッコ）内の成分値および（微量）は推定値または推計値であることを意味します。

魚介類

食品名	可食部（食べられる部分）100gあたり										
	エネルギー	水分	たんぱく質	脂質	コレステロール	炭水化物	食物繊維	ミネラル			
								ナトリウム	カリウム	カルシウム	マグネシウム
	kcal	g	g	g	mg	g	g	mg	mg	mg	mg
魚類											
あいなめ 生 別名 あぶらめ、あぶらこ	105	76.0	(15.8)	2.9	76	3.8	(0)	150	370	55	39
あこうだい 生	86	79.8	14.6	1.8	56	2.8	(0)	75	310	15	24
あじ類											
まあじ 一般名 あじ 皮つき 生	112	75.1	16.8	3.5	68	3.3	(0)	130	360	66	34
皮なし 刺身	108	75.6	16.5	3.0	56	3.7	(0)	110	360	12	31
皮つき 水煮	136	70.3	(19.1)	4.6	81	4.6	(0)	130	350	80	36
焼き	157	65.3	(22.0)	5.1	94	5.8	(0)	180	470	100	44
フライ	270	52.3	16.6	17.0	80	12.7	未測定	160	330	100	35
開き干し 生	150	68.4	(17.2)	6.7	73	5.3	(0)	670	310	36	27
焼き	194	60.0	(20.9)	9.2	96	6.9	(0)	770	350	57	38
小型 骨付き 生	114	73.4	15.1	3.7	130	5.0	(0)	120	330	780	43
から揚げ	268	50.3	19.5	16.8	140	9.8	未測定	140	420	900	54
しまあじ 養殖 生	153	68.9	(18.2)	6.6	71	5.2	(0)	53	390	16	29
むろあじ 生	147	67.7	(19.7)	4.8	64	6.5	(0)	56	420	19	35
焼き	167	61.9	(24.7)	4.1	86	7.6	(0)	74	480	28	40
開き干し	140	67.9	(19.1)	4.7	66	5.4	(0)	830	320	43	35
くさや	223	38.6	(41.6)	2.0	110	9.6	(0)	1600	850	300	65
あなご 生	146	72.2	14.4	8.0	140	4.2	(0)	150	370	75	23
蒸し	173	68.5	(14.7)	10.4	180	5.3	(0)	120	280	64	26
あまご 養殖 生	102	76.8	(15.0)	2.8	66	4.2	(0)	49	380	27	27
あまだい 生	102	76.5	16.0	2.5	52	3.9	(0)	73	360	58	29
水煮	113	74.2	(17.6)	2.8	71	4.3	(0)	91	350	34	30
焼き	110	73.6	(19.1)	1.9	89	4.1	(0)	110	410	54	33

可食部（食べられる部分）100gあたり

鉄	亜鉛	ビタミン ビタミンA（レチノール活性当量）	ビタミンD	ビタミンB1	ビタミンB2	葉酸	ビタミンC	食塩相当量	備考	食品番号	参考 見た目のおおまかなめやす量
mg	mg	µg	µg	mg	mg	µg	mg	g			
0.4	0.5	6	9.0	0.24	0.26	8	2	0.4		10001	1尾　450g
0.3	0.4	26	1.0	0.11	0.04	3	微量	0.2		10002	1切れ　100g
0.6	1.1	7	8.9	0.13	0.13	5	微量	0.3	一般に「あじ」として流通しているものの多くは、まあじ	10003	1尾　160g（正味70g）
0.9	0.6	7	7.9	0.14	0.20	9	微量	0.3		10389	1切れ　10g
0.7	1.3	8	11.0	0.13	0.12	5	0	0.3	内臓等を除き水煮したもの	10004	
0.8	1.5	8	12.0	0.15	0.15	5	0	0.4	内臓等を除き焼いたもの	10005	
0.8	1.2	16	7.0	0.12	0.15	10	0	0.4		10390	
0.8	0.7	(微量)	3.0	0.10	0.15	6	(0)	1.7		10006	1枚（小）　100g（正味65g）
0.9	0.9	(微量)	2.6	0.12	0.14	6	(0)	2.0		10007	
1.1	1.2	33	5.1	0.19	0.17	11	1	0.3		10391	
0.9	1.5	39	4.8	0.19	0.21	12	0	0.3	内臓、うろこ等を除いて調理したもの	10392	
0.7	1.1	10	18.0	0.25	0.15	2	微量	0.1	全長1mの大型アジ	10185	1尾　2000g
1.6	1.0	4	6.0	0.18	0.32	5	微量	0.1		10011	1尾　150g
1.8	1.2	5	7.0	0.28	0.30	6	微量	0.2	内臓等を除き焼いたもの	10012	
1.4	0.8	(微量)	7.0	0.17	0.30	5	微量	2.1		10013	1枚　100g
3.2	3.2	(微量)	2.0	0.24	0.40	26	(0)	4.1		10014	1枚　100g
0.8	0.7	500	0.4	0.05	0.14	9	2	0.4		10015	1尾開き　70g
0.9	0.8	890	0.8	0.04	0.11	15	1	0.3		10016	
0.4	0.8	7	9.0	0.15	0.16	6	1	0.1		10017	
0.3	0.3	27	1.0	0.04	0.06	6	1	0.2		10018	1尾　300g
0.4	0.4	11	0.3	0.04	0.06	5	1	0.2		10019	
0.5	0.5	26	1.0	0.04	0.06	5	微量	0.3		10020	

・（カッコ）内の成分値および（微量）は推定値または推計値であることを意味します。

魚介類

可食部（食べられる部分）100g あたり

食品名	エネルギー	水分	たんぱく質	脂質	コレステロール	炭水化物	食物繊維	ミネラル			
								ナトリウム	カリウム	カルシウム	マグネシウム
	kcal	g	g	g	mg	g	g	mg	mg	mg	mg
あゆ 天然 生	93	77.7	15.0	1.9	83	3.9	(0)	70	370	270	24
焼き	149	64.0	(21.8)	3.0	140	8.7	(0)	110	510	480	35
内臓 生	180	68.6	9.5	14.2	200	3.6	(0)	90	210	43	44
焼き	161	58.6	23.0	7.5	230	(0.4)	(0)	170	520	140	76
養殖 生	138	72.0	14.6	6.6	110	5.1	(0)	55	360	250	24
焼き	202	59.3	(18.6)	9.6	170	10.3	(0)	79	430	450	31
内臓 生	485	36.6	7.4	46.8	220	8.5	(0)	75	160	55	11
焼き	500	31.5	15.2	45.6	260	7.1	(0)	100	270	130	9
うるか	157	59.6	11.4	10.3	260	4.6	(0)	5100	190	16	15
アラスカめぬけ 生 別名 あかうお	96	78.4	(14.3)	2.6	52	3.8	(0)	81	290	22	26
あんこう 生	54	85.4	(10.8)	0.1	78	2.6	(0)	130	210	8	19
きも 生	401	45.1	7.9	36.9	560	9.3	(0)	110	220	6	9
いかなご 別名 こうなご 生	111	74.2	14.1	3.9	200	4.8	(0)	190	390	500	39
煮干し	218	38.0	(35.3)	3.1	510	12.3	(0)	2800	810	740	130
つくだ煮	271	26.9	(24.1)	2.4	280	38.2	(0)	2200	670	470	80
あめ煮	268	28.1	(21.0)	1.6	270	42.6	(0)	1700	430	550	92
いさき 生	116	75.8	(14.3)	4.8	71	4.0	(0)	160	300	22	32
いしだい 生 別名 くちぐろ、しまだい	138	71.6	(16.2)	5.7	56	5.4	(0)	54	390	20	26
いとよりだい 生	85	78.8	15.6	1.0	70	3.3	(0)	85	390	46	26
すり身	90	76.9	(14.4)	0.3	38	7.5	(0)	290	17	26	12
いぼだい 生 別名 えぼだい	132	74.0	(13.6)	6.4	57	4.9	(0)	190	280	41	30
いわし類											
うるめいわし 生	124	71.7	18.4	3.6	60	4.4	(0)	95	440	85	37

可食部（食べられる部分）100g あたり

鉄 mg	亜鉛 mg	ビタミン：ビタミンA（レチノール活性当量） µg	ビタミン：ビタミンD µg	ビタミン：ビタミンB_1 mg	ビタミン：ビタミンB_2 mg	ビタミン：葉酸 µg	ビタミン：ビタミンC mg	食塩相当量 g	備考	食品番号	参考 見た目のおおまかなめやす量
0.9	0.8	35	1.0	0.13	0.15	27	2	0.2		10021	1尾　80g
5.5	1.2	120	1.5	0.23	0.24	33	2	0.3		10022	
24.0	2.0	1700	5.0	0.12	0.55	220	5	0.2		10023	
63.0	2.7	2000	4.0	0.28	1.00	250	5	0.4	魚体全体を焼いたあと、内臓を取り出したもの	10024	
0.8	0.9	55	8.0	0.15	0.14	28	2	0.1		10025	1尾　80g
2.0	1.3	480	17.0	0.20	0.18	38	2	0.2		10026	
8.0	1.3	4400	8.0	0.16	0.44	260	2	0.2		10027	1尾分　15g
19.0	1.8	6000	8.6	0.34	0.68	280	1	0.3	魚体全体を焼いたあと、内臓を取り出したもの	10028	1尾分　8g
4.0	1.4	2000	15.0	0.06	0.38	100	0	13.0	アユの内臓等の塩辛	10029	大さじ1　16g
0.2	0.4	20	3.0	0.04	0.05	2	微量	0.2		10030	
0.2	0.6	13	1.0	0.04	0.16	5	1	0.3		10031	1尾　20kg
1.2	2.2	8300	110.0	0.14	0.35	88	1	0.3	肝臓	10032	
2.5	3.9	200	21.0	0.19	0.81	29	1	0.5	小型魚全体	10033	10尾　20g
6.6	5.9	10	54.0	0.27	0.18	50	0	7.1		10034	10尾　3g
2.3	3.6	(微量)	23.0	0.02	0.27	85	(0)	5.6	砂糖、しょうゆを主体とする調味液とともに煮詰めたもの	10035	大さじ1　10g
3.4	3.4	(微量)	21.0	0.02	0.28	75	(0)	4.3	つくだ煮の砂糖の一部を水あめに代替したもの	10036	1尾　8g
0.4	0.6	41	15.0	0.06	0.12	12	微量	0.4		10037	1尾　200g
0.3	0.6	39	3.0	0.15	0.15	2	微量	0.1		10038	
0.5	0.4	28	11.0	0.04	0.08	5	2	0.2		10039	1尾　200g
0.1	0.3	2	3.0	微量	0.02	1	0	0.7		10040	大さじ1　15g
0.5	0.8	95	2.0	0.04	0.19	7	1	0.5		10041	1尾　200g
2.3	1.3	130	9.0	0.08	0.36	16	1	0.2		10042	1尾　50g

・（カッコ）内の成分値および（微量）は推定値または推計値であることを意味します。

魚介類

食品名	エネルギー	水分	たんぱく質	脂質	コレステロール	炭水化物	食物繊維	ミネラル			
								ナトリウム	カリウム	カルシウム	マグネシウム
	kcal	g	g	g	mg	g	g	mg	mg	mg	mg
丸干し	219	40.1	(38.8)	3.6	220	8.0	(0)	2300	820	570	110
かたくちいわし　生	171	68.2	15.3	9.7	70	5.7	(0)	85	300	60	32
煮干し 別名 いりこ	298	15.7	(54.1)	2.8	550	14.0	(0)	1700	1200	2200	230
田作り 別名 ごまめ	304	14.9	(55.9)	2.8	720	14.0	(0)	710	1600	2500	190
まいわし 一般名 いわし 生	156	68.9	16.4	7.3	67	6.3	(0)	81	270	74	30
水煮	182	61.7	(19.1)	6.8	68	11.1	(0)	80	280	82	32
焼き	199	57.8	(21.5)	7.3	80	11.7	(0)	100	350	98	36
フライ	384	37.8	15.9	28.0	78	17.0	未測定	150	290	78	33
生干し	217	59.6	(17.5)	13.2	68	7.0	(0)	690	340	65	34
丸干し	177	54.6	(27.9)	4.3	110	6.8	(0)	1500	470	440	100
めざし　生	206	59.0	(15.2)	11.0	100	11.4	(0)	1100	170	180	31
焼き	200	56.2	(19.7)	8.4	120	11.2	(0)	1400	220	320	50
しらす　生	67	81.8	11.6	0.8	140	3.3	(0)	380	340	210	67
釜揚げしらす	84	77.4	(13.6)	(1.1)	170	5.1	0	840	120	190	48
しらす干し　微乾燥品	113	67.5	19.8	1.1	250	6.0	0	1700	170	280	80
半乾燥品 別名 ちりめんじゃこ	187	46.0	33.1	1.8	390	9.6	(0)	2600	490	520	130
たたみいわし	348	10.7	(61.4)	4.5	710	15.5	(0)	850	790	970	190
みりん干し　かたくちいわし	330	18.5	(37.2)	5.0	110	34.1	(0)	1100	420	800	73
まいわし	314	33.5	(26.7)	12.1	76	24.6	(0)	670	290	240	54
缶詰め　水煮	168	66.3	(17.2)	8.5	80	5.7	(0)	330	250	320	44
味つけ	203	59.1	(17.0)	10.3	85	10.8	(0)	560	240	370	38
トマト煮	167	68.1	(14.6)	9.6	85	5.4	(0)	280	310	360	35

（表見出し：可食部（食べられる部分）100gあたり）

可食部（食べられる部分）100g あたり											
		ビタミン									
鉄 mg	亜鉛 mg	ビタミンA（レチノール活性当量） µg	ビタミンD µg	ビタミンB1 mg	ビタミンB2 mg	葉酸 µg	ビタミンC mg	食塩相当量 g	備考	食品番号	参考 見た目のおおまかなめやす量
4.5	2.7	(0)	8.0	0.25	0.43	44	微量	5.8		10043	1尾　10g
0.9	1.0	11	4.0	0.03	0.16	19	1	0.2		10044	1尾　15g
18.0	7.2	(微量)	18.0	0.10	0.10	74	(0)	4.3	魚体全体	10045	10尾　15g
3.0	7.9	(微量)	30.0	0.10	0.11	230	(0)	1.8	幼魚の乾燥品（調理前）	10046	10尾　3g
2.1	1.6	8	32.0	0.03	0.39	10	0	0.2	一般に「いわし」として流通しているものの多くは、まいわし	10047	1尾（中）　120g（正味 50g）
2.3	1.7	5	13.0	0.05	0.29	7	0	0.2	頭部、内臓等を除き水煮したもの	10048	
2.5	2.3	8	14.0	0.12	0.43	12	0	0.3	内臓等を除き焼いたもの	10049	
2.2	1.7	15	21.0	0.04	0.39	14	0	0.4		10395	
1.6	0.9	(0)	11.0	微量	0.22	11	微量	1.8		10051	1尾　50g
4.4	1.8	40	50.0	0.01	0.41	31	微量	3.8		10052	1尾　20g
2.6	1.2	77	11.0	0.01	0.21	34	微量	2.8	原材料：かたくちいわし、まいわし等	10053	1尾　20g
4.2	1.5	95	11.0	0.01	0.26	36	微量	3.6		10054	
0.4	1.1	110	6.7	0.02	0.07	56	5	1.0	かたくちいわし、まいわし等の稚魚	10396	
0.3	1.1	140	4.2	0.07	0.04	26	微量	2.1	かたくちいわし、まいわし等の稚魚	10445	
0.6	1.7	190	12.0	0.11	0.03	27	0	4.2	主として関東向け	10055	大さじ1　6g
0.8	3.0	240	61.0	0.22	0.06	58	微量	6.6	主として関西向け	10056	大さじ1　4g
2.6	6.6	410	50.0	0.15	0.33	300	(0)	2.2	原材料：かたくちいわし、まいわし等の稚魚	10057	1枚　3g
3.7	3.5	13	25.0	0.02	0.24	23	(0)	2.8		10058	1枚　15g
4.3	2.3	16	53.0	微量	0.50	19	(0)	1.7		10059	1枚　25g
2.6	1.4	9	6.0	0.03	0.30	7	(0)	0.8	まいわし製品。液汁を除いたもの	10060	
2.3	1.9	9	20.0	0.03	0.30	6	(0)	1.4	まいわし製品。液汁を除いたもの	10061	1缶　70g
1.9	1.7	12	20.0	0.01	0.25	14	0	0.7	まいわし製品。液汁を除いたもの	10062	1缶　150g

・（カッコ）内の成分値および（微量）は推定値または推計値であることを意味します。

魚介類

食品名	可食部（食べられる部分）100gあたり										
	エネルギー	水分	たんぱく質	脂質	コレステロール	炭水化物	食物繊維	ミネラル			
								ナトリウム	カリウム	カルシウム	マグネシウム
	kcal	g	g	g	mg	g	g	mg	mg	mg	mg
油漬 別名 オイルサーディン	351	46.2	(16.9)	29.1	86	5.3	(0)	320	280	350	36
かば焼き	234	56.1	(13.5)	14.0	70	13.6	(0)	610	270	220	31
アンチョビ	157	54.3	21.3	6.0	89	4.4	(0)	5200	140	150	39
いわな 養殖 生	101	76.1	19.0	2.8	80	(0.1)	(0)	49	380	39	29
うぐい 生	93	77.0	(16.7)	1.2	93	4.0	(0)	83	340	69	27
うなぎ 養殖 生	228	62.1	14.4	16.1	230	6.2	(0)	74	230	130	20
きも 生	102	77.2	13.0	4.1	430	(3.2)	(0)	140	200	19	15
白焼き	300	52.1	(17.4)	22.6	220	6.6	(0)	100	300	140	18
かば焼き	285	50.5	(19.3)	19.4	230	8.4	(0)	510	300	150	15
うまづらはぎ 生	75	80.2	15.1	0.2	47	3.2	(0)	210	320	50	87
味つけ開き干し	289	21.5	(48.9)	1.1	140	20.9	(0)	2400	310	190	84
えい 生 別名 かすべ	79	79.3	(9.5)	0.1	80	9.9	(0)	270	110	4	18
えそ 生	87	77.6	17.6	0.6	74	2.8	(0)	120	380	80	36
おいかわ 生 別名 はや、やまべ	124	73.8	(15.9)	4.7	91	4.5	(0)	48	240	45	23
おおさが 生 別名 こうじんめぬけ	131	74.7	(13.5)	6.6	55	4.3	(0)	71	310	16	22
おこぜ 生	81	78.8	(16.2)	0.1	75	3.7	(0)	85	360	31	26
おひょう 生 別名 おおひらめ	93	77.0	(16.5)	1.2	49	4.0	(0)	72	400	7	28
かさご 生	83	79.1	16.7	0.9	45	2.1	(0)	120	310	57	27
かじか 別名 ごり 生	98	76.4	(12.4)	3.4	220	4.3	(0)	110	260	520	31
水煮	108	73.5	(13.1)	4.1	250	4.6	(0)	90	210	630	40
つくだ煮	293	23.8	(24.4)	3.6	360	40.7	(0)	1700	460	880	59

可食部（食べられる部分）100gあたり

鉄 mg	亜鉛 mg	ビタミンA（レチノール活性当量） µg	ビタミンD µg	ビタミンB1 mg	ビタミンB2 mg	葉酸 µg	ビタミンC mg	食塩相当量 g	備考	食品番号	参考 見た目のおおまかなめやす量
1.4	2.1	25	7.0	0.08	0.32	10	0	0.8	まいわし製品。液汁を含んだもの	10063	3尾　20g
2.0	1.2	32	17.0	0.01	0.24	15	0	1.5	まいわし製品。液汁を含んだもの	10064	1缶　100g
2.6	3.7	4	1.7	0	0.31	23	0	13.1	かたくちいわし製品。液汁を除いたもの	10397	
0.3	0.8	5	5.0	0.09	0.12	5	1	0.1		10065	1尾　150g
0.7	3.4	41	19.0	0.03	0.11	8	微量	0.2		10066	1尾　30g
0.5	1.4	2400	18.0	0.37	0.48	14	2	0.2		10067	1尾　250g
4.6	2.7	4400	3.0	0.30	0.75	380	2	0.4	内臓	10068	
1.0	1.9	1500	17.0	0.55	0.45	16	微量	0.3		10069	1尾　150g
0.8	2.7	1500	19.0	0.75	0.74	13	微量	1.3		10070	1串　100g
0.4	0.5	(0)	8.0	0.01	0.13	4	微量	0.5		10071	1尾　400g
1.5	2.4	(微量)	69.0	0.02	0.05	16	(0)	6.1		10072	1枚　40g
0.9	0.5	2	3.0	0.05	0.12	3	1	0.7		10073	1切れ　80g
0.3	0.4	(0)	1.0	0.07	0.10	13	2	0.3		10074	1尾　200g
0.6	2.5	10	10.0	0.01	0.16	21	2	0.1		10075	1尾　45g
0.2	0.4	85	3.0	0.01	0.03	1	1	0.2		10076	
0.4	0.7	2	1.0	0.01	0.12	3	0	0.2		10077	1尾　300g
0.1	0.5	13	3.0	0.09	0.07	12	微量	0.2		10078	1切れ　100g
0.3	0.5	3	2.0	0.03	0.06	3	1	0.3		10079	1尾　250g
2.8	1.7	180	3.0	0.07	0.38	15	1	0.3	魚体全体	10080	1尾　5g
2.6	2.3	290	4.9	0.06	0.30	21	微量	0.2	魚体全体を水煮したもの	10081	
5.8	3.0	370	2.0	0.07	0.48	53	0	4.3		10082	10尾　20g

・（カッコ）内の成分値および（微量）は推定値または推計値であることを意味します。

魚介類

食品名	エネルギー	水分	たんぱく質	脂質	コレステロール	炭水化物	食物繊維	ミネラル ナトリウム	カリウム	カルシウム	マグネシウム
	可食部（食べられる部分）100gあたり										
	kcal	g	g	g	mg	g	g	mg	mg	mg	mg
かじき類											
くろかじき　生	93	75.6	18.6	0.1	48	4.5	(0)	70	390	5	34
まかじき　生	107	73.8	(18.7)	1.4	46	4.9	(0)	65	380	5	35
めかじき　生	139	72.2	15.2	6.6	72	4.7	(0)	71	440	3	29
焼き	202	59.9	22.4	9.8	99	6.0	(0)	110	630	5	41
かつお類											
かつお　春獲り　生　別名 初がつお	108	72.2	20.6	0.4	60	5.4	(0)	43	430	11	42
秋獲り　生　別名 もどりがつお	150	67.3	20.5	4.9	58	6.0	(0)	38	380	8	38
そうだがつお　生	126	69.9	(20.9)	2.1	75	5.7	(0)	81	350	23	33
加工品　なまり	126	66.9	(24.3)	0.4	80	6.2	(0)	110	300	11	32
なまり節	162	58.8	(30.9)	0.7	95	8.0	(0)	95	630	20	40
裸節	309	22.6	(59.6)	(2.1)	160	13.0	0	310	780	15	76
かつお節	332	15.2	64.2	1.8	180	14.8	(0)	130	940	28	70
削り節	327	17.2	64.0	1.9	190	13.4	(0)	480	810	46	91
削り節つくだ煮	233	36.1	(16.5)	2.6	57	36.0	(0)	3100	410	54	69
角煮	221	41.4	(25.2)	1.1	56	27.8	(0)	1500	290	10	40
塩辛　別名 酒盗	58	72.9	(9.7)	0.7	210	3.0	(0)	5000	130	180	37
缶詰め　別名 ツナ缶　味つけ　フレーク	139	65.8	(14.9)	2.4	53	14.5	(0)	650	280	29	30
油漬　フレーク	289	55.5	(15.3)	23.4	41	4.5	(0)	350	230	5	23
かます　生	137	72.7	15.5	6.4	58	4.3	(0)	120	320	41	34
焼き	134	70.3	(19.1)	4.1	83	5.1	(0)	150	360	59	42

可食部（食べられる部分）100gあたり		ビタミン										
鉄	亜鉛	ビタミンA（レチノール活性当量）	ビタミンD	ビタミンB1	ビタミンB2	葉酸	ビタミンC	食塩相当量	備考	食品番号	参考 見た目のおおまかなめやす量
mg	mg	μg	μg	mg	mg	μg	mg	g			
0.5	0.7	2	38.0	0.05	0.06	6	1	0.2		10083	1切れ　100g
0.6	0.6	8	12.0	0.09	0.07	5	2	0.2		10084	1切れ　100g
0.5	0.7	61	8.8	0.06	0.09	8	1	0.2		10085	1切れ　100g 刺し身1切れ　10g
0.6	0.9	85	10.0	0.07	0.11	8	0	0.3		10398	
1.9	0.8	5	4.0	0.13	0.17	6	微量	0.1		10086	1さく（背側）250g 刺し身1切れ　15g
1.9	0.9	20	9.0	0.10	0.16	4	微量	0.1		10087	1さく（背側）250g 刺し身1切れ　15g
2.6	1.2	9	22.0	0.17	0.29	14	微量	0.2		10088	1尾　2000g
3.7	0.9	(微量)	4.0	0.19	0.18	16	(0)	0.3		10089	1切れ　100g
5.0	1.2	(微量)	21.0	0.40	0.25	10	(0)	0.2		10090	1本　500g
6.5	1.9	10	6.7	0.01	0.35	14	未測定	0.8		10446	
5.5	2.8	(微量)	6.0	0.55	0.35	11	(0)	0.3		10091	1本　200g
9.0	2.5	24	4.0	0.38	0.57	15	微量	1.2		10092	1カップ　10g 1パック　3～7g
8.0	1.3	(微量)	6.0	0.13	0.10	27	(0)	7.9		10093	大さじ1　5g
6.0	0.7	(微量)	5.0	0.15	0.12	15	(0)	3.8		10094	1個　7g
5.0	12.0	90	120.0	0.10	0.25	48	(0)	12.7		10095	大さじ1　16g
2.6	0.7	(微量)	9.0	0.14	0.13	9	(0)	1.7	液汁を含んだもの	10096	1缶　180g
0.9	0.5	(微量)	4.0	0.12	0.11	7	(0)	0.9	液汁を含んだもの	10097	1缶　70g
0.3	0.5	12	11.0	0.03	0.14	8	微量	0.3		10098	1尾　160g （正味95g）
0.5	0.6	13	10.0	0.03	0.14	13	微量	0.4	内臓等を除き焼いたもの	10099	

・(カッコ) 内の成分値および (微量) は推定値または推計値であることを意味します。

魚介類

食品名	可食部(食べられる部分)100gあたり										
	エネルギー	水分	たんぱく質	脂質	コレステロール	炭水化物	食物繊維	ミネラル			
								ナトリウム	カリウム	カルシウム	マグネシウム
	kcal	g	g	g	mg	g	g	mg	mg	mg	mg
かれい類											
まがれい 一般名 かれい 生	89	77.8	17.8	1.0	71	2.2	(0)	110	330	43	28
水煮	97	75.6	(19.5)	0.9	87	2.9	(0)	100	320	56	29
焼き	104	73.9	(21.3)	1.0	100	2.4	(0)	130	370	70	32
まこがれい 生	86	79.0	15.6	1.3	66	2.9	(0)	120	320	46	24
焼き	138	66.2	23.7	2.0	110	6.3	(0)	180	490	75	39
子持ちがれい 生	123	72.7	19.9	4.8	120	(0.1)	(0)	77	290	20	27
水煮	137	69.3	22.3	5.3	140	(0.1)	(0)	83	270	40	28
干しかれい	104	74.6	20.2	2.5	87	(微量)	(0)	430	280	40	29
かわはぎ 生	77	79.9	16.3	0.3	47	2.3	(0)	110	380	13	28
かんぱち 三枚下し 生	119	73.3	(17.4)	3.5	62	4.4	(0)	65	490	15	34
背側 生	95	76.1	18.8	0.9	48	2.9	(0)	54	470	6	29
きす 生	73	80.8	16.1	0.1	88	1.7	(0)	100	340	27	29
天ぷら	234	57.5	16.0	14.0	81	10.7	0.7	110	330	90	31
きちじ 生 別名 きんきん、きんき	238	63.9	12.2	19.4	74	3.6	(0)	75	250	32	32
きびなご 生	85	78.2	(15.6)	0.8	75	3.9	(0)	150	330	100	34
調味干し	241	32.2	(39.7)	3.6	370	12.5	(0)	2600	660	1400	170
キャビア 塩蔵品	242	51.0	(22.6)	13.0	500	8.8	(0)	1600	200	8	30
キングクリップ 生	73	80.5	(15.1)	0.1	56	3.2	(0)	140	340	47	28
ぎんだら 生	210	67.4	12.1	16.7	50	3.0	(0)	74	340	15	26
水煮	253	61.2	14.6	21.6	59	0	(0)	63	280	15	25
きんめだい 生	147	72.1	14.6	7.9	60	4.5	(0)	59	330	31	73
ぐち 別名 いしもち 生	78	80.1	15.3	0.6	66	2.9	(0)	95	260	37	28
焼き	100	74.3	(19.9)	0.6	85	3.7	(0)	140	330	51	34
こい 養殖 生	157	71.0	14.8	8.9	86	4.4	(0)	49	340	9	22

可食部（食べられる部分）100g あたり

鉄 mg	亜鉛 mg	ビタミン ビタミンA（レチノール活性当量） µg	ビタミンD µg	ビタミンB1 mg	ビタミンB2 mg	葉酸 µg	ビタミンC mg	食塩相当量 g	備考	食品番号	参考 見た目のおおまかなめやす量
0.2	0.8	5	13.0	0.03	0.35	4	1	0.3	一般に「かれい」として流通しているものの多くは、まがれい	10100	1尾　200g（正味100g）
0.3	0.9	5	17.0	0.03	0.27	4	微量	0.3	内臓等を除き水煮したもの	10101	
0.3	1.0	7	18.0	0.03	0.41	6	1	0.3	内臓等を除き焼いたもの	10102	
0.4	0.8	6	6.7	0.12	0.32	8	1	0.3		10103	1切れ　100g
0.8	1.2	6	9.2	0.17	0.44	14	1	0.5	五枚におろしたもの	10399	
0.2	0.8	12	4.0	0.19	0.20	20	4	0.2	抱卵したかれい類に対する市販通称名	10104	1切れ　130g（正味120g）
0.3	1.0	11	4.7	0.25	0.22	23	3	0.2	頭部、内臓等を除き水煮したもの	10105	
0.1	0.4	2	1.0	0.25	0.10	11	1	1.1	生干しひと塩品	10106	1尾　120g
0.2	0.4	2	43.0	0.02	0.07	6	微量	0.3		10107	1尾　150g
0.6	0.7	4	4.0	0.15	0.16	10	微量	0.2		10108	1さく（背側）450g 刺し身1切れ　12g
0.4	0.4	4	1.4	0.15	0.08	4	1	0.1	三枚におろした後、腹側を除いたもの	10424	
0.1	0.4	1	0.7	0.09	0.03	11	1	0.3		10109	1尾　50g（正味23g）
0.2	0.5	3	0.6	0.09	0.06	9	1	0.3		10400	1尾開き　20g
0.3	0.4	65	4.0	0.03	0.07	2	2	0.2		10110	1尾　250g
1.1	1.9	(0)	10.0	0.02	0.25	8	3	0.4		10111	1尾　10g
5.9	0.7	(0)	24.0	0.02	0.64	36	1	6.6		10112	
2.4	2.5	60	1.0	0.01	1.31	49	4	4.1		10113	大さじ1　15g
0.3	0.5	5	微量	0.03	0.07	4	1	0.4		10114	1切れ　100g
0.3	0.3	1500	3.5	0.05	0.10	1	0	0.2		10115	1切れ　80g
0.3	0.3	1800	4.2	0.04	0.08	1	0	0.2		10401	
0.3	0.3	63	2.0	0.03	0.05	9	1	0.1		10116	1切れ　80g
0.4	0.6	5	2.9	0.04	0.28	6	微量	0.2	ぐちは、いしもち、くろぐち、にべ等の総称	10117	1尾　250g
0.6	0.8	7	3.3	0.05	0.25	9	微量	0.4	内臓等を除き焼いたもの	10118	
0.5	1.2	4	14.0	0.46	0.18	10	微量	0.1		10119	1切れ　100g

・（カッコ）内の成分値および（微量）は推定値または推計値であることを意味します。

魚介類	可食部（食べられる部分）100gあたり										
	エネルギー	水分	たんぱく質	脂質	コレステロール	炭水化物	食物繊維	ミネラル			
								ナトリウム	カリウム	カルシウム	マグネシウム
食品名	kcal	g	g	g	mg	g	g	mg	mg	mg	mg
水煮	190	66.3	(16.0)	11.8	100	5.0	(0)	47	330	13	22
内臓　生	258	62.6	9.0	22.6	260	4.6	(0)	95	240	9	19
こち類											
まごち　生 一般名 こち	94	75.4	(18.6)	0.3	57	4.2	(0)	110	450	51	33
めごち　生	73	81.1	17.3	0.4	52	(0.1)	(0)	160	280	40	30
このしろ　別名 こはだ（小型魚）生	146	70.6	15.6	7.1	68	5.0	(0)	160	370	190	27
甘酢漬	184	61.5	(15.7)	8.2	74	11.7	(0)	890	120	160	16
さけ・ます類											
からふとます　生	139	70.1	(18.0)	5.1	58	5.3	(0)	64	400	13	29
焼き	175	62.1	(23.3)	6.2	88	6.4	(0)	85	520	20	41
塩ます	146	64.6	(17.3)	6.1	62	5.5	(0)	2300	310	27	34
水煮缶詰め	145	69.7	(17.2)	6.5	89	4.3	(0)	360	300	110	36
ぎんざけ　養殖　生	188	66.0	16.8	11.4	60	4.5	(0)	48	350	12	25
焼き	236	56.7	21.0	14.1	88	6.2	(0)	61	460	16	34
さくらます　一般名 ます 生	146	69.8	(17.3)	6.2	54	5.2	(0)	53	390	15	28
焼き	208	57.4	(23.5)	9.1	77	7.9	(0)	71	520	26	38
しろさけ　一般名 さけ 別名 あきさけ　生	124	72.3	18.9	3.7	59	3.9	(0)	66	350	14	28
水煮	142	68.5	21.0	4.1	78	5.2	(0)	63	340	19	29
焼き	160	64.2	23.7	4.6	85	6.0	(0)	82	440	19	35
新巻き　生	138	67.0	(19.3)	4.4	70	5.2	(0)	1200	380	28	29
新巻き　焼き	177	59.5	(24.9)	5.5	95	6.9	(0)	830	480	44	36
塩ざけ	183	63.6	19.4	9.7	64	4.4	(0)	720	320	16	30

可食部(食べられる部分)100gあたり									備考	食品番号	参考 見た目のおおまかなめやす量
		ビタミン									
鉄	亜鉛	ビタミンA (レチノール活性当量)	ビタミンD	ビタミンB1	ビタミンB2	葉酸	ビタミンC	食塩相当量			
mg	mg	µg	µg	mg	mg	µg	mg	g			
0.6	1.8	3	12.0	0.37	0.17	9	1	0.1	頭部、尾及び内臓等を除き水煮したもの	10120	
3.1	7.0	500	9.0	0.07	0.54	110	2	0.2	胆のうを除いたもの	10121	
0.2	0.6	1	1.0	0.07	0.17	4	1	0.3		10122	1尾　300g
0.2	0.6	2	11.0	0.02	0.08	6	微量	0.4	関東で流通するめごち（ネズミゴチ）とは別種	10123	1尾　80g
1.3	0.7	(微量)	9.0	微量	0.17	8	0	0.4		10124	1尾　100g
1.8	0.9	(微量)	7.0	微量	0.17	1	(0)	2.3		10125	1枚　30g
0.4	0.6	13	22.0	0.25	0.18	16	1	0.2		10126	1切れ　100g
0.6	0.7	15	31.0	0.24	0.27	19	1	0.2		10127	
0.4	0.5	19	20.0	0.21	0.17	10	1	5.8		10128	1切れ　80g
1.5	0.9	(微量)	7.0	0.15	0.13	15	(0)	0.9	液汁を除いたもの	10129	1缶　220g
0.3	0.6	36	15.0	0.15	0.14	9	1	0.1		10130	1切れ　100g
0.4	0.8	37	21.0	0.13	0.19	10	1	0.2		10131	
0.4	0.5	63	10.0	0.11	0.14	21	1	0.1	一般に「ます」として流通しているものの多くは、さくらます	10132	1切れ　100g
0.5	0.7	55	15.0	0.12	0.23	26	1	0.2		10133	
0.5	0.5	11	32.0	0.15	0.21	20	1	0.2	一般に「さけ」として流通しているものの多くは、しろさけ	10134	1切れ　100g
0.6	0.6	13	34.0	0.15	0.23	21	微量	0.2		10135	
0.6	0.7	14	39.0	0.17	0.26	24	1	0.2		10136	
1.0	0.4	(微量)	21.0	0.18	0.20	24	1	3.0		10137	1切れ　80g
1.7	0.6	(微量)	25.0	0.22	0.24	40	1	2.1		10138	
0.3	0.4	24	23.0	0.14	0.15	11	1	1.8		10139	1切れ　100g

・（カッコ）内の成分値および（微量）は推定値または推計値であることを意味します。

魚介類

食品名	エネルギー	水分	たんぱく質	脂質	コレステロール	炭水化物	食物繊維	ナトリウム	カリウム	カルシウム	マグネシウム
	可食部（食べられる部分）100gあたり							ミネラル			
	kcal	g	g	g	mg	g	g	mg	mg	mg	mg
イクラ	252	48.4	(28.8)	11.7	480	7.9	(0)	910	210	94	95
すじこ	263	45.7	27.0	13.5	510	8.4	(0)	1900	180	62	80
めふん	74	65.4	16.9	0.5	300	(0.4)	(0)	5800	300	35	28
水煮缶詰め	156	68.2	(18.0)	7.5	66	4.4	(0)	230	290	190	34
サケ節　削り節	346	14.3	(65.7)	(3.0)	290	14.1	0	300	840	51	81
大西洋さけ 一般名 ノルウェーサーモン 別名 アトランティックサーモン 生	218	62.1	17.3	14.4	72	4.9	(0)	43	370	9	27
皮つき　水煮	236	58.6	19.8	17.4	82	(0.1)	(0)	40	330	12	27
蒸し	230	60.2	20.0	15.3	79	3.1	(0)	49	360	10	28
電子レンジ調理	223	61.2	19.0	14.8	72	3.5	(0)	47	380	8	29
焼き	270	54.6	19.8	19.1	93	4.9	(0)	55	460	17	34
天ぷら	282	52.6	18.2	19.5	65	8.5	未測定	66	410	27	26
皮なし　刺身	223	62.5	16.7	15.7	64	3.6	(0)	43	380	5	28
水煮	244	58.7	19.1	16.8	75	4.0	(0)	39	350	5	28
蒸し	228	60.3	19.4	15.1	70	3.8	(0)	49	360	13	29
電子レンジ調理	231	60.2	18.5	15.7	70	3.9	(0)	47	400	6	30
焼き	229	59.8	19.2	15.0	72	4.2	(0)	52	440	5	31
天ぷら	266	54.8	17.3	17.9	58	8.9	未測定	62	390	27	25
にじます　海面養殖 一般名 サーモントラウト 皮つき　生	201	63.0	18.7	11.7	69	5.2	(0)	64	390	13	28
皮なし　刺身	176	67.5	17.8	10.1	52	3.5	(0)	50	420	8	29
皮つき　焼き	238	55.3	(23.9)	13.3	98	5.7	(0)	68	490	22	55
にじます　淡水養殖　生	116	74.5	16.2	3.7	72	4.5	(0)	50	370	24	28

鉄	亜鉛	ビタミンA（レチノール活性当量）	ビタミンD	ビタミンB1	ビタミンB2	葉酸	ビタミンC	食塩相当量	備考	食品番号	参考 見た目のおおまかなめやす量
可食部（食べられる部分）100gあたり		ビタミン									
mg	mg	µg	µg	mg	mg	µg	mg	g			
2.0	2.1	330	44.0	0.42	0.55	100	6	2.3	さけ、あるいはますの卵を塩蔵したもの	10140	大さじ1　18g
2.7	2.2	670	47.0	0.42	0.61	160	9	4.8	さけ、あるいはますの卵巣を塩蔵したもの	10141	大さじ1　20g
6.8	1.5	250	20.0	微量	6.38	60	(0)	14.7	腎臓を塩辛にしたもの	10142	大さじ1　16g
0.4	0.8	(微量)	8.0	0.15	0.12	10	(0)	0.6	液汁を除いたもの	10143	1缶　180g
2.0	1.8	3	33.0	0.04	0.52	27	未測定	0.8		10447	
0.3	0.5	14	8.3	0.23	0.10	27	2	0.1	養殖。一般に「ノルウェーサーモン」として流通しているものの多くは、大西洋さけ。ノルウェーサーモンはアトランティックサーモンのうち特定の育ち方をしたもの	10144	1さく　200g 刺し身1切れ　12g
0.3	0.4	15	7.5	0.26	0.10	17	1	0.1		10433	
0.3	0.3	16	7.5	0.25	0.11	18	2	0.1		10434	
0.3	0.3	18	6.1	0.29	0.11	17	2	0.1		10435	
0.3	0.5	17	11.0	0.24	0.13	28	3	0.1		10145	
0.4	0.5	6	5.6	0.27	0.14	23	2	0.2		10437	
0.3	0.4	14	7.3	0.24	0.08	25	2	0.1		10438	
0.3	0.3	16	7.0	0.27	0.10	17	2	0.1		10439	
0.3	0.3	17	7.3	0.25	0.10	18	2	0.1		10440	
0.3	0.3	22	6.4	0.29	0.11	21	2	0.1		10441	
0.3	0.3	21	7.7	0.25	0.11	17	1	0.1		10442	
0.3	0.4	5	5.3	0.27	0.13	18	2	0.2		10444	
0.3	0.5	57	11.0	0.17	0.10	12	2	0.2	海面養殖のにじます	10146	1切れ　100g
0.3	0.4	27	7.0	0.21	0.12	9	3	0.1		10402	
0.3	0.6	74	12.0	0.20	0.15	15	5	0.2		10147	
0.2	0.6	17	12.0	0.21	0.10	13	2	0.1		10148	1尾　140g （正味75g）

・（カッコ）内の成分値および（微量）は推定値または推計値であることを意味します。

魚介類

食品名	エネルギー kcal	水分 g	たんぱく質 g	脂質 g	コレステロール mg	炭水化物 g	食物繊維 g	ミネラル ナトリウム mg	カリウム mg	カルシウム mg	マグネシウム mg
	可食部（食べられる部分）100gあたり										
べにざけ 生	127	71.4	(18.6)	3.7	51	4.7	(0)	57	380	10	31
焼き	163	63.4	(23.6)	4.9	76	6.1	(0)	72	490	16	39
くん製(スモークサーモン)	143	64.0	25.7	4.4	50	(0.1)	(0)	1500	250	19	20
ますのすけ 一般名 キングサーモン 生	176	66.5	(16.2)	9.7	54	6.2	(0)	38	380	18	28
焼き	238	54.9	(21.9)	13.1	79	8.1	(0)	48	520	30	33
さば類											
まさば 一般名 さば 生	211	62.1	17.8	12.8	61	6.2	(0)	110	330	6	30
水煮	253	57.4	(19.6)	17.3	80	4.8	(0)	94	280	7	29
焼き	264	54.1	(21.8)	17.1	79	5.6	(0)	120	370	10	34
フライ	316	47.2	16.7	21.9	70	13.1	未測定	130	310	14	30
ごまさば 生	131	70.7	19.9	3.7	59	4.5	(0)	66	420	12	33
水煮	139	68.8	20.9	3.8	62	5.4	(0)	56	350	13	31
焼き	174	60.8	25.5	4.7	74	7.4	(0)	88	540	19	46
さば節	330	14.6	(64.0)	2.8	300	12.1	(0)	370	1100	860	140
大西洋さば 別名 ノルウェーさば 生	295	54.5	15.3	23.4	68	5.6	(0)	99	320	7	28
水煮	310	51.4	16.3	24.0	78	7.3	(0)	96	280	9	27
焼き	326	47.0	18.2	23.8	80	9.6	(0)	120	390	12	33
加工品 塩さば	263	52.1	22.8	16.3	59	6.3	(0)	720	300	27	35
開き干し	303	50.1	16.4	22.7	65	8.3	(0)	680	300	25	25
しめさば	292	50.6	17.5	20.6	65	9.1	(0)	640	200	9	24
缶詰め 水煮	174	66.0	(17.4)	9.3	84	5.1	(0)	340	260	260	31
みそ煮	210	61.0	(13.6)	12.5	70	10.7	(0)	430	250	210	29
味つけ	208	59.6	(17.8)	11.2	95	8.9	(0)	530	260	180	35

鉄	亜鉛	ビタミンA（レチノール活性当量）	ビタミンD	ビタミンB1	ビタミンB2	葉酸	ビタミンC	食塩相当量	備考	食品番号	参考 見た目のおおまかなめやす量
可食部（食べられる部分）100gあたり		ビタミン									
mg	mg	µg	µg	mg	mg	µg	mg	g			
0.4	0.5	27	33.0	0.26	0.15	13	微量	0.1		10149	1切れ　100g
0.5	0.7	35	38.0	0.27	0.22	15	2	0.2		10150	
0.8	0.5	43	28.0	0.23	0.23	10	(0)	3.8		10151	1枚　10g
0.3	0.4	160	16.0	0.13	0.12	12	1	0.1	一般に「キングサーモン」として流通しているものの多くは、ますのすけ	10152	1切れ　100g
0.4	0.6	200	17.0	0.14	0.20	15	微量	0.1		10153	
1.2	1.1	37	5.1	0.21	0.31	11	1	0.3	一般に「さば」として流通しているものの多くは、まさば	10154	1尾　500g（正味250g）1切れ　70g
1.3	1.1	31	4.3	0.25	0.30	13	0	0.2		10155	
1.6	1.4	34	4.9	0.30	0.37	13	0	0.3		10156	
1.3	1.1	42	3.5	0.20	0.30	16	0	0.3		10403	
1.6	1.1	8	4.3	0.17	0.28	10	微量	0.2		10404	
1.8	1.2	8	4.9	0.15	0.28	12	0	0.1		10405	
2.2	1.4	11	5.7	0.21	0.36	18	0	0.2		10406	
7.2	8.4	(微量)	12.0	0.25	0.85	30	(0)	0.9		10157	1カップ　30g
0.9	0.9	44	10.0	0.14	0.35	12	1	0.3		10158	1切れ　100g
1.0	1.0	42	6.6	0.19	0.34	13	微量	0.2		10159	
1.2	1.1	63	11.0	0.22	0.38	16	微量	0.3		10160	
2.0	0.6	9	11.0	0.16	0.59	10	(0)	1.8		10161	半身1枚　140g
2.0	1.0	9	12.0	0.13	0.59	11	0	1.7		10162	1枚　400g
1.1	0.4	14	8.0	0.13	0.28	4	微量	1.6		10163	半身1枚　120g
1.6	1.7	(微量)	11.0	0.15	0.40	12	(0)	0.9	液汁を除いたもの	10164	1缶　180g
2.0	1.2	42	5.0	0.04	0.37	21	0	1.1	液汁を含んだもの	10165	1缶　220g
2.0	1.3	31	5.0	0.03	0.27	24	0	1.3	液汁を除いたもの	10166	1缶　220g

・(カッコ)内の成分値および(微量)は推定値または推計値であることを意味します。

魚介類

可食部(食べられる部分)100g あたり

食品名	エネルギー	水分	たんぱく質	脂質	コレステロール	炭水化物	食物繊維	ミネラル ナトリウム	カリウム	カルシウム	マグネシウム
	kcal	g	g	g	mg	g	g	mg	mg	mg	mg
さめ類											
よしきりざめ 生 別名 ふか	79	79.2	9.4	0.2	54	9.9	(0)	210	290	5	19
ふかひれ	344	13.0	(41.7)	0.5	250	43.4	(0)	180	3	65	94
さより 生	88	77.9	(16.2)	0.9	100	3.7	(0)	190	290	41	37
さわら 生	161	68.6	18.0	8.4	60	3.5	(0)	65	490	13	32
さわら 焼き	184	63.8	(21.1)	9.2	87	4.1	(0)	90	610	22	36
さんま 皮つき 生	287	55.6	16.3	22.7	68	4.4	(0)	140	200	28	28
さんま 皮なし 生	277	57.0	15.7	21.7	54	4.7	(0)	120	200	15	25
さんま 皮つき 焼き	281	53.2	19.3	19.8	72	6.5	(0)	130	260	37	30
さんま 開き干し	232	59.7	(17.5)	15.8	80	5.2	(0)	500	260	60	28
さんま みりん干し	382	25.1	(21.6)	20.3	98	28.1	(0)	1400	370	120	50
さんま 缶詰め 味つけ	259	53.9	(17.1)	17.2	98	9.1	(0)	540	160	280	37
さんま 缶詰め かば焼き	219	57.0	(15.7)	11.7	80	12.6	(0)	600	250	250	37
しいら 生 別名 まんびき	100	75.5	(17.7)	1.4	55	4.1	(0)	50	480	13	31
ししゃも類											
ししゃも 生干し 生	152	67.6	(17.4)	7.1	230	4.8	(0)	490	380	330	48
ししゃも 生干し 焼き	162	64.1	(20.1)	6.6	300	5.6	(0)	640	400	360	57
からふとししゃも 別名 カペリン 生干し 生	160	69.3	12.6	9.9	290	5.2	(0)	590	200	350	55
からふとししゃも 生干し 焼き	170	66.4	(14.7)	9.9	370	5.5	(0)	770	210	380	65
したびらめ 生	89	78.0	(15.9)	1.2	75	3.7	(0)	140	310	36	31
しらうお 生	70	82.6	(11.3)	1.4	220	3.0	(0)	170	250	150	39
シルバー 別名 銀ひらす 生	138	72.4	(15.4)	6.5	46	4.6	(0)	85	440	11	31
すずき 生	113	74.8	(16.4)	3.5	67	4.1	(0)	81	370	12	29

可食部（食べられる部分）100g あたり											
		ビタミン									
鉄	亜鉛	ビタミンA（レチノール活性当量）	ビタミンD	ビタミンB1	ビタミンB2	葉酸	ビタミンC	食塩相当量	備考	食品番号	参考 見た目のおおまかなめやす量
mg	mg	µg	µg	mg	mg	µg	mg	g			
0.4	0.5	9	0	0.11	0.11	4	微量	0.5		10168	1切れ　100g
1.2	3.1	(0)	1.0	微量	微量	23	(0)	0.5	さめ類の胸びれ、尾びれおよび背びれの乾燥品	10169	
0.3	1.9	(微量)	3.0	微量	0.12	10	2	0.5		10170	1尾　100g
0.8	1.0	12	7.0	0.09	0.35	8	微量	0.2		10171	1切れ　80g
0.9	1.1	16	12.0	0.09	0.34	8	微量	0.2		10172	
1.4	0.8	16	16.0	0.01	0.28	15	0	0.4		10173	1尾　150g（正味100g）
1.3	0.6	26	11.0	0	0.32	12	1	0.3		10407	
1.7	0.9	11	13.0	微量	0.30	17	0	0.3		10174	
1.1	0.7	25	14.0	微量	0.30	10	(0)	1.3		10175	1枚　120g
2.2	1.3	31	20.0	微量	0.30	14	(0)	3.6		10176	1枚　80g
1.9	1.1	25	13.0	微量	0.20	29	(0)	1.4	液汁を除いたもの	10177	1缶　150g
2.9	0.1	28	12.0	微量	0.27	12	(0)	1.5	液汁を含んだもの	10178	1缶　100g
0.7	0.5	8	5.0	0.20	0.15	3	1	0.1		10179	切り身1切れ　100g
1.6	1.8	100	0.6	0.02	0.25	37	1	1.2	国産、ひと塩品	10180	1尾　25g
1.7	2.1	76	0.6	0.04	0.29	36	1	1.6	国産、ひと塩品	10181	
1.4	2.0	120	0.4	微量	0.31	21	1	1.5	輸入、ひと塩品、魚体全体。一般に「ししゃも」として流通している	10182	1尾　15g
1.6	2.4	90	0.5	0.01	0.37	20	1	2.0	輸入、ひと塩品、魚体全体。	10183	
0.3	0.5	30	2.0	0.06	0.14	12	1	0.4		10184	1尾　180g
0.4	1.2	50	1.0	0.08	0.10	58	4	0.4		10186	10尾　20g
0.6	0.5	100	3.0	0.08	0.18	4	0	0.2		10187	1切れ　100g
0.2	0.5	180	10.0	0.02	0.20	8	3	0.2		10188	1切れ　80g

・（カッコ）内の成分値および（微量）は推定値または推計値であることを意味します。

魚介類

食品名	エネルギー	水分	たんぱく質	脂質	コレステロール	炭水化物	食物繊維	ナトリウム	カリウム	カルシウム	マグネシウム
	可食部（食べられる部分）100g あたり							ミネラル			
食品名	kcal	g	g	g	mg	g	g	mg	mg	mg	mg
たい類											
きだい　生　別名 れんこだい	100	76.9	(15.4)	2.5	67	4.0	(0)	73	390	23	30
くろだい　生	137	71.4	(16.9)	5.4	78	5.1	(0)	59	400	13	36
ちだい　生	97	76.8	16.6	1.9	74	3.3	(0)	75	390	33	32
まだい　一般名 たい　天然　生	129	72.2	17.8	4.6	65	4.1	(0)	55	440	11	31
養殖　皮つき　生	160	68.5	18.1	7.8	69	4.4	(0)	52	450	12	32
水煮	182	65.0	(19.1)	9.3	90	5.3	(0)	50	440	20	29
皮つき　焼き	186	63.8	(19.6)	9.4	91	5.7	(0)	55	500	24	32
皮なし　刺身	131	71.9	18.5	4.8	60	3.5	(0)	43	490	7	33
たかさご　生　別名 ぐるくん	93	76.7	(16.7)	1.1	50	4.0	(0)	48	510	51	36
たかべ　生	148	71.0	(15.5)	7.4	70	4.8	(0)	120	380	41	34
たちうお　生	238	61.6	14.6	17.7	72	5.1	(0)	88	290	12	29
たら類											
すけとうだら　別名 すけそうだら　生	72	81.6	14.2	0.5	76	2.6	(0)	100	350	13	24
フライ	195	61.9	16.5	11.3	89	6.5	未測定	140	340	34	27
すり身	98	75.1	(14.3)	0.1	27	9.9	(0)	120	130	7	21
すきみだら	165	38.2	(33.0)	0.2	140	7.7	(0)	7400	540	130	54
たらこ　生	131	65.2	21.0	2.9	350	5.2	(0)	1800	300	24	13
焼き	158	58.6	(24.8)	3.7	410	6.4	(0)	2100	340	27	15
からし明太子	121	66.6	(18.4)	2.3	280	6.6	(0)	2200	180	23	11
まだら　一般名 たら　生	72	80.9	14.2	0.1	58	3.5	(0)	110	350	32	24

可食部（食べられる部分）100gあたり											
		ビタミン									
鉄	亜鉛	ビタミンA（レチノール活性当量）	ビタミンD	ビタミンB1	ビタミンB2	葉酸	ビタミンC	食塩相当量	備考	食品番号	参考 見た目のおおまかなめやす量
mg	mg	µg	µg	mg	mg	µg	mg	g			
0.2	0.4	50	4.0	0.03	0.04	8	1	0.2		10189	1尾　600g
0.3	0.8	12	4.0	0.12	0.30	14	3	0.1		10190	1尾　1000g
0.6	0.4	21	2.0	0.03	0.10	3	2	0.2		10191	1尾　300g
0.2	0.4	8	5.0	0.09	0.05	5	1	0.1	一般に「たい」として流通しているものの多くは、まだい	10192	1切れ　80g
0.2	0.5	11	7.0	0.32	0.08	4	3	0.1		10193	1切れ　100g
0.2	0.5	10	4.7	0.16	0.07	3	2	0.1	頭部、内臓等を除き水煮したもの	10194	
0.2	0.5	17	5.6	0.14	0.09	3	3	0.1	内臓等を除き焼いたもの	10195	
0.2	0.4	10	4.5	0.31	0.08	4	3	0.1		10408	1切れ　12g
0.5	0.7	7	2.0	0.03	0.07	3	微量	0.1		10196	1尾　200g
0.6	1.3	16	4.0	0.06	0.18	3	1	0.3		10197	1尾　100g
0.2	0.5	52	14.0	0.01	0.07	2	1	0.2		10198	1切れ　120g（正味115g）
0.2	0.5	10	0.5	0.05	0.11	12	1	0.3		10199	
0.4	0.7	18	0.4	0.05	0.13	19	微量	0.4		10409	
0.1	0.3	5	1.0	0.03	0.05	4	0	0.3		10200	1カップ　200g
1.9	0.1	(微量)	1.0	0.13	0.18	7	0	18.8	塩干し品	10201	1本　60g
0.6	3.1	24	1.7	0.71	0.43	52	33	4.6		10202	1腹（小）50g 大さじ1　15g
0.7	3.8	34	1.6	0.77	0.53	50	21	5.3		10203	
0.7	2.7	41	1.0	0.34	0.33	43	76	5.6	ビタミンC：添加品を含む	10204	1腹（小）　50g 大さじ1　15g
0.2	0.5	10	1.0	0.10	0.10	5	微量	0.3	切り身。一般に「たら」として流通しているものの多くは、まだら	10205	1切れ　100g

・（カッコ）内の成分値および（微量）は推定値または推計値であることを意味します。

魚介類

食品名	エネルギー	水分	たんぱく質	脂質	コレステロール	炭水化物	食物繊維	ミネラル ナトリウム	ミネラル カリウム	ミネラル カルシウム	ミネラル マグネシウム
	可食部（食べられる部分）100gあたり										
	kcal	g	g	g	mg	g	g	mg	mg	mg	mg
焼き	103	72.8	(20.4)	0.2	100	5.0	(0)	140	480	48	33
白子　生	60	83.8	(7.3)	0.4	360	6.6	(0)	110	390	6	23
塩だら	61	82.1	(12.3)	微量	60	3.0	(0)	790	290	23	22
干しだら	299	18.5	(59.1)	0.6	240	14.4	(0)	1500	1600	80	89
でんぶ　別名 茶でんぶ	276	26.9	(20.6)	0.6	130	46.8	(0)	1600	120	260	31
桜でんぶ	351	5.6	9.6	0.1	73	79.4	0	930	43	300	17
ちか　生	82	78.3	(16.2)	0.4	89	3.6	(0)	250	340	35	41
どじょう　生	72	79.1	13.5	0.6	210	3.2	(0)	96	290	1100	42
水煮	76	77.9	(14.3)	0.5	220	3.4	(0)	100	330	1200	47
とびうお　別名 あご　生	89	76.9	18.0	0.5	59	3.3	(0)	64	320	13	37
煮干し	325	12.5	68.0	1.1	280	10.9	(0)	610	1200	1200	170
焼き干し	309	11.8	61.5	1.5	300	12.5	(0)	690	1100	3200	200
ナイルテラピア 生 別名 いずみだい、ちかだい	124	73.5	17.0	4.6	59	3.7	(0)	60	370	29	24
なまず　生	145	72.0	(15.5)	7.3	73	4.2	(0)	46	320	18	23
にぎす　生	84	78.5	(15.5)	0.9	120	3.6	(0)	190	320	70	27
にしん　別名 かどいわし 生	196	66.1	14.8	13.1	68	4.7	(0)	110	350	27	33
身欠きにしん	224	60.6	(17.8)	14.6	230	5.4	(0)	170	430	66	38
開き干し	239	59.8	(15.7)	17.1	85	5.5	(0)	360	350	25	33
くん製	280	43.9	(19.6)	19.9	86	5.6	(0)	3900	280	150	36
数の子　生	139	66.1	(27.1)	3.4	370	(0.2)	(0)	320	210	50	34
乾燥	358	16.5	(70.1)	8.4	1000	(0.5)	(0)	1400	46	65	150
塩蔵　水もどし	80	80.0	(16.1)	1.6	230	(0.5)	(0)	480	2	8	4
はぜ　生	78	79.4	16.1	0.1	92	3.2	(0)	93	350	42	27
つくだ煮	277	23.2	(20.5)	1.6	270	45.1	(0)	2200	480	1200	73

可食部（食べられる部分）100gあたり											
		ビタミン									
鉄	亜鉛	ビタミンA（レチノール活性当量）	ビタミンD	ビタミンB1	ビタミンB2	葉酸	ビタミンC	食塩相当量	備考	食品番号	参考 見た目のおおまかなめやす量
mg	mg	µg	µg	mg	mg	µg	mg	g			
0.4	0.9	9	0.7	0.09	0.12	7	微量	0.4		10206	
0.2	0.7	8	2.0	0.24	0.13	11	2	0.3		10207	1カップ　200g
0.3	0.4	(微量)	3.0	0.13	0.20	6	微量	2.0		10208	1切れ　100g
0.1	1.8	(微量)	6.0	0.20	0.30	22	(0)	3.8		10209	1切れ　70g
1.3	1.0	(微量)	0.5	0.04	0.08	16	(0)	4.2	砂糖、しょうゆがおもな調味料	10210	大さじ1　6g 小さじ1　2g
0.4	0.6	2	0	0.01	0.01	3	未測定	2.4	砂糖等の調味料を加え、赤色の着色料で薄紅色にしたもの	10448	
0.3	1.3	4	1.0	0	0.14	7	微量	0.6		10211	1尾　20g
5.6	2.9	15	4.0	0.09	1.09	16	1	0.2	魚体全体	10213	10尾　80g
6.4	3.1	15	5.5	0.08	1.00	11	微量	0.3	魚体全体	10214	
0.5	0.8	3	2.0	0.01	0.10	8	1	0.2		10215	1尾　300g
2.2	3.3	9	3.9	0	0.32	22	0	1.5		10421	
2.7	5.4	17	3.3	微量	0.32	40	0	1.8		10422	
0.5	0.4	3	11.0	0.04	0.20	5	1	0.2	切り身	10212	1尾　300g
0.4	0.6	71	4.0	0.33	0.10	10	0	0.1	日本なまず、アメリカなまず	10216	1尾　600g
0.4	0.4	75	微量	0.12	0.26	8	1	0.5		10217	1尾　70g
1.0	1.1	18	22.0	0.01	0.23	13	微量	0.3		10218	1尾　300g
1.5	1.3	(微量)	50.0	0.01	0.03	12	(0)	0.4		10219	1本　20g
1.9	1.0	(微量)	36.0	0.01	0.03	7	(0)	0.9		10220	1枚　200g
3.5	1.1	(微量)	48.0	0.01	0.35	16	(0)	9.9		10221	1枚　130g
1.2	2.3	15	13.0	0.15	0.22	120	微量	0.8		10222	
1.9	5.4	7	32.0	微量	0.07	23	0	3.6		10223	1本　5g
0.4	1.3	2	17.0	微量	0.01	0	0	1.2		10224	1本　40g
0.2	0.6	7	3.0	0.04	0.04	8	1	0.2		10225	1尾　50g
12.0	3.2	160	5.0	0.11	0.41	230	0	5.6		10226	大さじ1　10g

・(カッコ)内の成分値および(微量)は推定値または推計値であることを意味します。

魚介類

食品名	エネルギー	水分	たんぱく質	脂質	コレステロール	炭水化物	食物繊維	ミネラル ナトリウム	カリウム	カルシウム	マグネシウム
	可食部(食べられる部分)100gあたり										
	kcal	g	g	g	mg	g	g	mg	mg	mg	mg
甘露煮	260	29.5	(17.8)	1.1	210	44.8	(0)	1500	200	980	58
はたはた 生	101	78.8	12.8	4.4	100	2.6	(0)	180	250	60	18
生干し	154	71.1	14.8	9.2	130	3.0	(0)	510	240	17	23
はまふえふき 生 別名 たまみ	85	77.7	(17.0)	0.2	47	3.7	(0)	80	450	43	29
はも 生	132	71.0	18.9	4.3	75	4.4	(0)	66	450	79	29
ひらまさ 生	128	71.1	(18.8)	3.6	68	5.2	(0)	47	450	12	36
ひらめ 天然 生	96	76.8	(17.6)	1.6	55	2.8	(0)	46	440	22	26
養殖 皮つき 生	115	73.7	19.0	3.1	62	3.0	(0)	43	440	30	30
皮なし 刺身	100	76.0	17.5	1.9	53	3.4	(0)	41	470	8	31
ふぐ類											
とらふぐ 養殖 生	80	78.9	(15.9)	0.2	65	3.7	(0)	100	430	6	25
まふぐ 生	78	79.3	15.6	0.3	55	3.5	(0)	83	470	5	24
ふな 生	93	78.0	15.3	2.0	64	3.4	(0)	30	340	100	23
水煮	104	75.6	(17.1)	2.3	84	3.8	(0)	46	310	140	24
甘露煮	266	28.7	(13.1)	2.4	160	48.0	(0)	1300	240	1200	58
ふなずし	181	57.0	19.1	5.6	300	13.6	0	1500	64	350	20
ぶり 成魚 生	222	59.6	18.6	13.1	72	7.7	(0)	32	380	5	26
焼き	260	51.8	(22.7)	14.5	89	9.7	(0)	40	440	6	28
はまち 養殖 皮つき 生	217	61.5	17.8	13.4	77	6.2	(0)	38	340	19	29
皮なし 刺身	180	66.4	17.6	9.9	78	5.0	(0)	36	390	5	29
ほうぼう 生	110	74.9	(16.2)	3.0	55	4.6	(0)	110	380	42	34
ホキ 生	78	80.4	(14.1)	1.0	49	3.2	(0)	160	330	20	24
ほっけ 生	103	77.1	15.4	3.2	73	3.1	(0)	81	360	22	33
塩ほっけ	113	72.4	(16.1)	4.1	60	2.9	(0)	1400	350	20	30
開き干し 生	161	67.0	18.0	8.3	86	3.7	(0)	690	390	170	37

可食部（食べられる部分）100gあたり									備考	食品番号	参考 見た目のおおまかなめやす量
		ビタミン									
鉄	亜鉛	ビタミンA（レチノール活性当量）	ビタミンD	ビタミンB1	ビタミンB2	葉酸	ビタミンC	食塩相当量			
mg	mg	µg	µg	mg	mg	µg	mg	g			
4.2	2.7	22	6.0	0.05	0.11	15	0	3.8		10227	1尾　15g
0.5	0.6	20	2.0	0.02	0.14	7	0	0.5		10228	1尾　50g
0.3	0.8	22	1.0	0.05	0.05	11	3	1.3		10229	1尾　50g
0.3	0.5	8	11.0	0.15	0.07	3	微量	0.2		10230	刺し身10切れ　90g
0.2	0.6	59	5.0	0.04	0.18	21	1	0.2		10231	1尾　600g
0.4	0.7	19	5.0	0.20	0.14	8	3	0.1		10233	1切れ　100g
0.1	0.4	12	3.0	0.04	0.11	16	3	0.1		10234	1さく　150g
0.1	0.5	19	1.9	0.12	0.34	13	5	0.1		10235	1尾　800g
0.1	0.3	9	2.3	0.22	0.07	12	10	0.1		10410	1切れ　8g
0.2	0.9	3	4.0	0.06	0.21	3	微量	0.3		10236	刺し身10切れ　40g
0.2	1.5	7	6.0	0.04	0.17	3	0	0.2		10237	刺し身10切れ　40g
1.5	1.9	12	4.0	0.55	0.14	14	1	0.1		10238	1尾　200g
1.5	2.1	15	3.8	0.49	0.12	8	微量	0.1	内臓等を除き、水煮したもの	10239	
6.5	5.2	61	2.0	0.16	0.16	13	0	3.3		10240	1尾　15g
0.9	2.9	43	3.6	微量	0.07	15	0	3.9	食塩と米飯を用いて漬け込んだなれずし。滋賀県の郷土料理	10449	
1.3	0.7	50	8.0	0.23	0.36	7	2	0.1		10241	1切れ　80g
2.3	0.9	42	5.4	0.24	0.39	6	2	0.1		10242	
1.0	0.8	32	4.0	0.16	0.21	9	2	0.1	ぶりの若魚	10243	
1.1	0.5	41	4.4	0.17	0.23	9	3	0.1		10411	1切れ　12g
0.4	0.5	9	3.0	0.09	0.15	5	3	0.3		10244	1尾　300g
0.3	0.4	43	1.0	0.03	0.16	13	0	0.4		10245	1切れ　100g
0.4	1.1	25	3.0	0.09	0.17	9	1	0.2		10246	1尾　500g
0.5	0.4	20	3.0	0.10	0.27	2	微量	3.6		10247	1尾　400g
0.5	0.9	30	4.6	0.10	0.24	7	4	1.8		10248	1枚　500g

・(カッコ)内の成分値および(微量)は推定値または推計値であることを意味します。

魚介類

食品名	エネルギー	水分	たんぱく質	脂質	コレステロール	炭水化物	食物繊維	ナトリウム	カリウム	カルシウム	マグネシウム
	可食部(食べられる部分)100gあたり							ミネラル			
	kcal	g	g	g	mg	g	g	mg	mg	mg	mg
焼き	179	63.7	19.6	9.4	100	4.0	(0)	770	410	180	41
ぼら 生	119	74.7	15.5	4.3	65	4.5	(0)	87	330	17	24
からすみ	353	25.9	40.4	14.9	860	14.3	(0)	1400	170	9	23
ほんもろこ 生 別名 もろこ	103	75.1	(14.8)	3.2	210	3.7	(0)	86	320	850	39
まぐろ類											
きはだまぐろ 生	102	74.0	20.6	0.6	37	3.4	(0)	43	450	5	37
くろまぐろ 別名 まぐろ、ほんまぐろ、しび 天然 赤身 生	115	70.4	22.3	0.8	50	4.9	(0)	49	380	5	45
脂身 生	308	51.4	16.7	23.5	55	7.5	(0)	71	230	7	35
養殖 赤身 生	153	68.8	20.5	6.7	53	2.8	0	28	430	3	38
水煮	173	64.1	22.5	6.8	59	5.4	0	25	400	3	38
蒸し	187	62.0	22.9	8.1	62	5.8	0	26	410	3	39
電子レンジ調理	191	60.0	24.9	7.2	65	6.6	0	33	490	4	44
焼き	202	59.6	24.0	9.2	66	5.8	0	33	500	3	42
天ぷら	222	57.8	20.7	11.6	57	8.6	0	38	440	13	40
びんなが 生 別名 びんちょう、とんぼ	111	71.8	21.6	0.6	49	4.7	(0)	38	440	9	41
みなみまぐろ 別名 インドまぐろ 赤身 生	88	77.0	16.9	0.2	52	4.7	(0)	43	400	5	27
脂身 生	322	50.3	16.6	25.4	59	6.6	(0)	44	280	9	29
めじまぐろ 生 別名 まめじ	139	68.7	(20.4)	3.8	58	5.9	(0)	42	410	9	40

可食部（食べられる部分）100gあたり											
		ビタミン									
鉄	亜鉛	ビタミンA（レチノール活性当量）	ビタミンD	ビタミンB1	ビタミンB2	葉酸	ビタミンC	食塩相当量	備考	食品番号	参考 見た目のおおまかなめやす量
mg	mg	µg	µg	mg	mg	µg	mg	g			
0.6	1.0	39	3.5	0.14	0.26	11	2	2.0		10412	
0.7	0.5	8	10.0	0.16	0.26	4	1	0.2		10249	1尾　600g
1.5	9.3	350	33.0	0.01	0.93	62	10	3.6		10250	1腹　140g
1.3	3.4	250	5.0	0.03	0.20	37	2	0.2	魚体全体	10251	1尾　8g
2.0	0.5	2	6.0	0.15	0.09	5	0	0.1		10252	1さく　150g 刺し身1切れ　14g
1.1	0.4	83	5.0	0.10	0.05	8	2	0.1		10253	1さく　150g 刺し身1切れ　14g
1.6	0.5	270	18.0	0.04	0.07	8	4	0.2	トロ	10254	1さく　150g 刺し身1切れ　14g
0.8	0.5	840	4.0	0.16	0.05	10	2	0.1		10450	
1.0	0.6	900	4.1	0.16	0.04	12	2	0.1		10451	
0.9	0.6	990	4.3	0.17	0.04	11	2	0.1		10452	
1.1	0.6	970	4.3	0.19	0.05	9	2	0.1		10453	
0.9	0.6	1100	5.0	0.19	0.04	11	2	0.1		10454	
1.0	0.5	820	4.1	0.17	0.06	6	1	0.1		10456	
0.9	0.5	4	7.0	0.13	0.10	4	1	0.1		10255	1さく　150g 刺し身1切れ　10g
1.8	0.4	6	4.0	0.03	0.05	5	微量	0.1		10256	1さく　150g 刺し身1切れ　10g
0.6	0.4	34	5.0	0.10	0.06	4	5	0.1	トロ	10257	1さく　150g 刺し身1切れ　14g
1.8	0.5	61	12.0	0.19	0.19	6	1	0.1	くろまぐろの幼魚	10258	1さく　150g 刺し身1切れ　10g

・（カッコ）内の成分値および（微量）は推定値または推計値であることを意味します。

魚介類

食品名	可食部（食べられる部分）100gあたり										
	エネルギー	水分	たんぱく質	脂質	コレステロール	炭水化物	食物繊維	ミネラル			
								ナトリウム	カリウム	カルシウム	マグネシウム
	kcal	g	g	g	mg	g	g	mg	mg	mg	mg
めばち 別名 ばちまぐろ、めばちまぐろ 赤身 生	115	72.2	21.9	1.7	41	3.0	(0)	39	440	3	35
脂身 生	158	67.8	20.0	6.8	52	4.2	(0)	100	400	4	31
ツナ水煮缶詰め フレーク ライト	70	82.0	(13.0)	0.5	35	3.4	(0)	210	230	5	26
ホワイト	96	77.6	(14.8)	2.2	34	4.2	(0)	260	280	6	34
ツナ味つけ缶詰め フレーク	134	65.7	(15.4)	1.8	58	14.0	(0)	760	280	24	31
ツナ油漬缶詰め フレーク ライト	265	59.1	(14.4)	21.3	32	3.8	(0)	340	230	4	25
ホワイト	279	56.0	(15.3)	21.8	38	5.5	(0)	370	190	2	27
マジェランあいなめ 生 別名 メロ	243	62.8	(11.0)	19.6	59	5.6	(0)	65	300	10	18
まながつお 生	161	70.8	(13.9)	9.7	70	4.4	(0)	160	370	21	25
みなみだら 生	68	81.9	(13.6)	0.2	65	2.9	(0)	220	320	23	41
むつ 生	175	69.7	14.5	11.6	59	3.2	(0)	85	390	25	20
水煮	161	68.3	(19.3)	7.7	70	3.6	(0)	80	410	49	23
めじな 生 別名 ぐれ	113	74.7	(16.1)	3.4	56	4.5	(0)	91	380	27	30
めばる 生	100	77.2	15.6	2.8	75	3.2	(0)	75	350	80	27
メルルーサ 生 別名 ヘイク	73	81.1	14.6	0.5	45	2.5	(0)	140	320	12	38
やつめうなぎ 生	245	61.5	15.8	18.8	150	3.2	(0)	49	150	7	15
干しやつめ	449	14.3	50.3	24.3	480	7.4	(0)	130	650	16	49
やまめ 生 別名 やまべ	110	75.6	(15.1)	3.7	65	4.2	(0)	50	420	85	28

可食部（食べられる部分）100gあたり											
		ビタミン									
鉄	亜鉛	ビタミンA（レチノール活性当量）	ビタミンD	ビタミンB1	ビタミンB2	葉酸	ビタミンC	食塩相当量	備考	食品番号	参考 見た目のおおまかなめやす量
mg	mg	μg	μg	mg	mg	μg	mg	g			
0.9	0.4	17	3.6	0.09	0.05	5	1	0.1		10425	1さく　150g
0.7	0.4	37	8.1	0.07	0.05	5	1	0.3	トロ	10426	1さく　150g
0.6	0.7	10	3.0	0.01	0.04	4	0	0.5	原材料：きはだ。液汁を含んだもの	10260	1缶（小缶）　70g
1.0	0.7	(微量)	2.0	0.07	0.03	7	(0)	0.7	材料：びんなが。液汁を含んだもの	10261	1缶（小缶）　70g
4.0	1.0	(微量)	5.0	0.07	0.03	13	(0)	1.9	液汁を含んだもの	10262	1缶（小缶）　70g
0.5	0.3	8	2.0	0.01	0.03	3	0	0.9	原材料：きはだ。液汁を含んだもの	10263	1缶（小缶）　70g
1.8	0.4	(微量)	4.0	0.05	0.13	2	(0)	0.9	原材料：びんなが。液汁を含んだもの	10264	1缶（小缶）　70g
0.1	0.3	1800	17.0	0.02	0.08	5	微量	0.2		10265	1切れ　100g
0.3	0.5	90	5.0	0.22	0.13	7	1	0.4		10266	1切れ　100g
0.3	0.3	6	7.0	0.03	0.27	11	0	0.6		10267	1切れ　80g
0.5	0.4	8	4.0	0.03	0.16	6	微量	0.2		10268	1切れ　120g
0.6	0.4	11	3.6	0.04	0.16	4	微量	0.2		10269	
0.3	0.9	55	1.0	0.05	0.38	2	0	0.2		10270	1尾　400g
0.4	0.4	11	1.0	0.07	0.17	5	2	0.2		10271	1尾　200g（正味90g）
0.2	0.4	5	1.0	0.09	0.04	5	微量	0.4		10272	1切れ　100g
2.0	1.6	8200	3.0	0.25	0.85	19	2	0.1		10273	1尾　150g
32.0	5.9	1900	12.0	0.33	1.69	100	(0)	0.3	内臓を含んだもの	10274	1本　45g
0.5	0.8	15	8.0	0.15	0.16	13	3	0.1	養殖	10275	1尾　100g

・（カッコ）内の成分値および（微量）は推定値または推計値であることを意味します。

魚介類

食品名	可食部（食べられる部分）100gあたり										
	エネルギー	水分	たんぱく質	脂質	コレステロール	炭水化物	食物繊維	ミネラル			
								ナトリウム	カリウム	カルシウム	マグネシウム
	kcal	g	g	g	mg	g	g	mg	mg	mg	mg
わかさぎ 生	71	81.8	11.8	1.2	210	3.1	(0)	200	120	450	25
つくだ煮	308	19.3	(23.6)	3.6	450	45.2	(0)	1900	480	970	69
あめ煮	301	21.0	(21.6)	2.8	400	47.4	(0)	1600	410	960	66
貝類											
あかがい 生	70	80.4	10.6	0.1	46	6.6	(0)	300	290	40	55
あげまき 生	44	87.1	(5.9)	0.3	38	4.5	(0)	600	120	66	49
あさり 生	27	90.3	4.6	0.1	40	2.0	(0)	870	140	66	100
つくだ煮	218	38.0	(16.1)	1.0	61	36.2	(0)	2900	270	260	79
缶詰め 水煮	102	73.2	(15.7)	0.9	89	7.8	(0)	390	9	110	46
味つけ	124	67.2	(12.8)	0.9	77	16.3	(0)	640	35	87	44
あわび くろあわび 生	76	79.5	11.2	0.3	110	7.2	(0)	430	160	25	69
まだかあわび 生	74	80.0	(11.5)	0.1	100	6.8	(0)	330	250	21	58
めがいあわび 生	74	80.1	8.8	0.1	110	9.4	(0)	320	230	19	50
干し	257	27.9	(29.7)	0.6	390	33.0	(0)	2900	490	39	110
塩辛	93	72.5	(11.6)	2.6	190	5.9	(0)	2600	180	55	88
水煮缶詰め	85	77.2	(15.2)	0.3	140	5.3	(0)	570	130	20	58
いがい 生 別名 ムール貝	63	82.9	7.5	0.8	47	6.6	(0)	540	230	43	73
いたやがい 生	55	84.9	(7.8)	0.4	33	4.8	(0)	450	260	48	74
エスカルゴ 水煮缶詰め	75	79.9	(12.0)	0.4	240	6.0	(0)	260	5	400	37
かき 生	58	85.0	4.9	1.3	38	6.7	(0)	460	190	84	65
水煮	90	78.7	7.3	2.2	60	10.1	(0)	350	180	59	42
フライ	256	46.6	5.5	10.0	36	36.0	未測定	380	180	67	53
くん製油漬缶詰め	294	51.2	(8.8)	21.7	110	15.7	(0)	300	140	35	42
さざえ 生	83	78.0	14.2	0.1	140	6.3	(0)	240	250	22	54

可食部（食べられる部分）100g あたり											
		ビタミン									
鉄	亜鉛	ビタミンA（レチノール活性当量）	ビタミンD	ビタミンB1	ビタミンB2	葉酸	ビタミンC	食塩相当量	備考	食品番号	参考 見た目のおおまかなめやす量
mg	mg	µg	µg	mg	mg	µg	mg	g			
0.9	2.0	99	2.0	0.01	0.14	21	1	0.5		10276	1尾　10g
2.6	4.4	460	8.0	0.24	0.32	59	微量	4.8	砂糖、しょうゆ等を主体とする調味液とともに煮詰めたもの	10277	10尾　20g
2.1	5.2	420	9.0	0.28	0.35	52	0	4.1	しょうゆ、水あめ等を主体とする調味液で煮詰めたもの	10278	1尾　9g
5.0	1.5	35	(0)	0.20	0.20	20	2	0.8		10279	1枚（むき身）　15g
4.1	1.5	27	1.0	0.30	0.14	11	1	1.5		10280	殻つき1個　40g（正味26g）
3.8	1.0	4	0	0.02	0.16	11	1	2.2		10281	殻つき10個 80g（正味30g） 1個（大）　15g 1個（小）　8g
19.0	2.8	43	(0)	0.02	0.18	42	0	7.4		10282	大さじ1　10g
30.0	3.4	6	(0)	微量	0.09	10	(0)	1.0	液汁を除いたもの	10283	10個　10g
28.0	3.2	6	(0)	微量	0.06	1	(0)	1.6	液汁を除いたもの	10284	1缶　130g
2.2	未測定	1	(0)	0.15	0.09	20	1	1.1		10427	
1.8	未測定	2	(0)	0.02	0.10	22	2	0.8		10428	
0.7	未測定	1	(0)	0.16	0.09	29	1	0.8		10429	
2.0	1.6	4	(0)	0.36	0.11	87	微量	7.4		10286	1個　75g
34.0	2.2	58	(0)	0.20	0.70	130	(0)	6.6		10287	大さじ1　16g
1.8	0.6	微量	(0)	0.04	0.04	3	(0)	1.4	液汁を除いたもの	10288	1缶　120g
3.5	1.0	34	(0)	0.01	0.37	42	5	1.4		10289	殻つき1個　30g（正味12g）
2.0	6.1	6	(0)	0	0.20	14	微量	1.1	養殖	10290	殻つき1個　70g（正味25g）
3.9	1.5	(0)	0	0	0.09	1	0	0.7	液汁を除いたもの	10291	1個　8g
2.1	14.0	24	0.1	0.07	0.14	39	3	1.2	養殖	10292	1個（むき身）　15g
2.9	18.0	43	0.1	0.07	0.15	31	3	0.9	養殖	10293	
1.8	12.0	19	0.1	0.07	0.16	33	2	1.0	養殖	10430	
4.5	25.0	2	(0)	0.05	0.09	25	(0)	0.8	液汁を含んだもの	10294	1缶　105g
0.8	2.2	31	(0)	0.04	0.09	16	1	0.6		10295	殻つき1個　200g（正味30g）

・（カッコ）内の成分値および（微量）は推定値または推計値であることを意味します。

魚介類

食品名	エネルギー	水分	たんぱく質	脂質	コレステロール	炭水化物	食物繊維	ミネラル ナトリウム	カリウム	カルシウム	マグネシウム
	kcal	g	g	g	mg	g	g	mg	mg	mg	mg
焼き	91	75.6	(15.6)	0.1	170	6.9	(0)	280	220	29	67
さるぼう 味つけ缶詰め 別名 もがい、赤貝（さるぼう）味つけ缶詰め	131	66.1	(12.3)	1.3	110	17.4	(0)	870	55	60	41
しじみ 生	54	86.0	5.8	0.6	62	6.4	(0)	180	83	240	10
水煮	95	76.0	12.3	1.2	130	8.7	(0)	100	66	250	11
たいらがい 貝柱 生 別名 たいらぎ	94	75.2	(15.8)	0.1	23	7.6	(0)	260	260	16	36
たにし 生	73	78.8	(9.4)	0.3	72	7.9	(0)	23	70	1300	77
つぶ 生 別名 ばい	82	78.2	13.6	0.1	110	6.6	(0)	380	160	60	92
とこぶし 生	78	78.9	(11.6)	0.1	150	7.7	(0)	260	250	24	55
とりがい 斧足 生	81	78.6	10.1	0.1	22	9.9	(0)	100	150	19	43
ばい 生 別名 つぶ	81	78.5	(11.8)	0.3	110	7.9	(0)	220	320	44	84
ばかがい 生 別名 あおやぎ	56	84.6	8.5	0.2	120	5.1	(0)	300	220	42	51
はまぐり類											
はまぐり 生	35	88.8	4.5	0.3	25	3.7	(0)	780	160	130	81
水煮	79	78.6	(10.9)	0.6	79	7.6	(0)	490	180	130	69
焼き	70	79.8	(9.7)	0.4	65	7.0	(0)	770	230	140	87
つくだ煮	211	40.1	(19.7)	1.2	100	30.2	(0)	2800	320	120	95
ちょうせんはまぐり 生	41	88.1	4.6	0.5	27	4.4	(0)	510	170	160	69
ほたてがい 生	66	82.3	10.0	0.4	33	5.5	(0)	320	310	22	59

可食部（食べられる部分）100g あたり									備考	食品番号	参考 見た目のおおまかなめやす量
		ビタミン									
鉄	亜鉛	ビタミンA（レチノール活性当量）	ビタミンD	ビタミンB1	ビタミンB2	葉酸	ビタミンC	食塩相当量			
mg	mg	µg	µg	mg	mg	µg	mg	g			
0.9	2.5	44	(0)	0.04	0.10	22	1	0.7		10296	
11.0	4.1	8	(0)	0.01	0.07	11	(0)	2.2	液汁を除いたもの	10318	1缶　150g
8.3	2.3	33	0.2	0.02	0.44	26	2	0.4		10297	殻つき10個 50g（正味12g） 1個（小）　5g
15.0	4.0	76	0.6	0.02	0.57	37	1	0.3		10413	
0.6	4.3	微量	(0)	0.01	0.09	25	2	0.7		10298	1個　30g
19.0	6.2	95	(0)	0.11	0.32	28	微量	0.1		10299	殻つき10個　50g （正味35g）
1.3	1.2	2	(0)	微量	0.12	15	微量	1.0	えぞぼら、ひめえぞぼら、えぞばい等	10300	殻つき10個　60g （正味18g）
1.8	1.4	5	(0)	0.15	0.14	24	1	0.7		10301	殻つき1個　50g （正味20g）
2.9	1.6	微量	(0)	0.16	0.06	18	1	0.3	斧足は足の部分	10303	1枚（むき身）　10g
0.7	1.3	1	(0)	0.03	0.14	14	2	0.6	ちぢみえぞぼら、おおえっちゅうばい等	10304	殻つき1個　30g （正味14g）
1.1	1.8	5	(0)	0.14	0.06	18	1	0.8		10305	殻つき1個　30g （正味11g）
2.1	1.7	9	(0)	0.08	0.16	20	1	2.0		10306	殻つき1個　25g （正味10g）
3.9	2.5	16	(0)	0.15	0.27	23	1	1.2		10307	
3.3	2.4	16	(0)	0.13	0.29	27	2	2.0	液汁を含んだもの	10308	
7.2	4.2	微量	(0)	0.02	0.10	49	(0)	7.1		10309	1個　4g
5.1	1.2	6	(0)	0.13	0.12	21	1	1.3		10310	殻つき1個　50g （正味20g）
2.2	2.7	23	(0)	0.05	0.29	87	3	0.8		10311	殻つき1個 200g（正味100g）

・(カッコ) 内の成分値および (微量) は推定値または推計値であることを意味します。

魚介類

食品名	エネルギー	水分	たんぱく質	脂質	コレステロール	炭水化物	食物繊維	ナトリウム	カリウム	カルシウム	マグネシウム
	可食部(食べられる部分)100gあたり							ミネラル			
	kcal	g	g	g	mg	g	g	mg	mg	mg	mg
水煮	89	76.8	(13.0)	0.8	52	7.6	(0)	250	330	24	57
貝柱 生	82	78.4	12.3	0.1	35	7.9	(0)	120	380	7	41
焼き	123	67.8	18.0	0.1	52	12.4	(0)	150	480	13	56
煮干し	301	17.1	(49.9)	0.5	150	24.3	(0)	2500	810	34	120
水煮缶詰め	87	76.4	(14.8)	0.2	62	6.6	(0)	390	250	50	37
ほっきがい 生	66	82.1	(8.1)	0.3	51	7.6	(0)	250	260	62	75
みるがい 水管 生	77	78.9	(13.3)	0.1	36	5.6	(0)	330	420	55	75
えび・かに類											
えび類											
あまえび 生	85	78.2	15.2	0.7	130	4.2	(0)	300	310	50	42
いせえび 生	86	76.6	17.4	0.1	93	3.7	(0)	350	400	37	39
くるまえび 生	90	76.1	18.2	0.3	170	3.7	(0)	170	430	41	46
ゆで	116	69.3	(23.8)	0.2	240	4.7	(0)	200	500	61	57
焼き	97	74.4	(19.9)	0.2	200	3.9	(0)	180	400	55	49
さくらえび 生	78	78.9	12.0	1.2	200	4.9	未測定	270	310	630	69
ゆで	82	75.6	(13.2)	0.7	230	5.8	未測定	830	250	690	92
素干し	286	19.4	(46.9)	2.1	700	20.0	未測定	1200	1200	2000	310
煮干し	252	23.2	(42.8)	1.1	700	17.8	未測定	3400	680	1500	260
大正えび 生	89	76.3	(17.9)	0.1	160	4.1	(0)	200	360	34	45
しばえび 生	78	79.3	15.7	0.2	170	3.3	(0)	250	260	56	30
バナメイエビ 生	82	78.6	16.5	0.3	160	3.3	(0)	140	270	68	37
天ぷら	194	62.0	17.1	9.6	160	9.2	0.9	140	250	96	36
ブラックタイガー 生	77	79.9	(15.2)	0.1	150	3.7	(0)	150	230	67	36
えび加工品 干しえび	213	24.2	(40.0)	1.2	510	10.4	未測定	1500	740	7100	520
つくだ煮	239	31.8	(21.3)	1.3	230	35.6	未測定	1900	350	1800	110

可食部（食べられる部分）100gあたり		ビタミン										
鉄	亜鉛	ビタミンA（レチノール活性当量）	ビタミンD	ビタミンB1	ビタミンB2	葉酸	ビタミンC	食塩相当量	備考	食品番号	参考 見た目のおおまかなめやす量
mg	mg	µg	µg	mg	mg	µg	mg	g			
2.8	3.1	34	(0)	0.04	0.29	83	2	0.6		10312	1個　30g
0.2	1.5	1	0	0.01	0.06	61	2	0.3		10313	1個　30g 刺し身1切れ（1/3個）10g
0.3	2.2	1	0	0.01	0.08	41	1	0.4		10414	
1.2	6.1	微量	(0)	0.12	0.30	22	(0)	6.4		10314	1個　8g
0.7	2.7	微量	(0)	微量	0.05	7	(0)	1.0	液汁を除いたもの	10315	1缶　70g
4.4	1.8	7	(0)	0.01	0.16	45	2	0.6		10316	殻つき1個　150g（正味53g）
3.3	1.0	微量	(0)	微量	0.14	13	1	0.8		10317	1個　30g
0.1	1.0	3	(0)	0.02	0.03	25	微量	0.8		10319	1尾（むき身）　7g 1尾（有頭）　20g
0.1	1.8	0	(0)	0.01	0.03	15	1	0.9		10320	1尾　200g
0.7	1.4	4	(0)	0.11	0.06	23	微量	0.4	養殖	10321	1尾　35g
1.0	1.8	5	(0)	0.09	0.05	17	微量	0.5		10322	
1.4	1.6	4	(0)	0.11	0.05	15	1	0.5		10323	
0.3	1.3	2	0.1	0.10	0.08	94	1	0.7	殻つき	10431	
0.5	1.4	7	(0)	0.10	0.08	41	0	2.1	殻つき	10324	大さじ1　10g
3.2	4.9	(微量)	(0)	0.17	0.15	230	0	3.0	殻つき	10325	大さじ1　2g
3.0	4.1	(微量)	(0)	0.16	0.11	82	0	8.6	殻つき	10326	大さじ1　2g
0.1	1.4	6	(0)	0.03	0.04	45	1	0.5		10327	1尾　40g
1.0	1.0	4	(0)	0.02	0.06	57	2	0.6		10328	1尾　10g
1.4	1.2	0	0	0.03	0.04	38	1	0.3	養殖	10415	無頭殻つき1尾15g（正味13g）
0.5	1.3	1	0	0.04	0.06	34	微量	0.3	頭部、殻、内臓等除いたもの	10416	
0.2	1.4	1	(0)	0.07	0.03	15	微量	0.4	養殖。無頭、殻つき	10329	無頭殻つき1尾20g（正味17g）
15.0	3.9	14	(0)	0.10	0.19	46	0	3.8	原材料：さるえび	10330	大さじ1　6g
3.9	3.1	(微量)	(0)	0.14	0.11	35	(0)	4.8		10331	大さじ1　7g

・(カッコ) 内の成分値および (微量) は推定値または推計値であることを意味します。

魚介類

食品名	エネルギー	水分	たんぱく質	脂質	コレステロール	炭水化物	食物繊維	ナトリウム	カリウム	カルシウム	マグネシウム
	可食部(食べられる部分)100gあたり							ミネラル			
	kcal	g	g	g	mg	g	g	mg	mg	mg	mg
かに類											
がざみ 生 一般名 わたりがに	61	83.1	(10.8)	0.1	79	4.1	(0)	360	300	110	60
毛がに 生	67	81.9	12.1	0.3	47	4.1	(0)	220	340	61	38
ゆで	78	79.2	(13.8)	0.3	53	5.1	(0)	240	280	66	39
ずわいがに 別名 松葉がに、越前がに 生	59	84.0	10.6	0.2	44	3.6	(0)	310	310	90	42
ゆで	65	82.5	(11.2)	0.3	61	4.1	(0)	240	240	120	55
水煮缶詰め	69	81.1	(12.2)	0.2	70	4.5	(0)	670	21	68	29
たらばがに 生	56	84.7	10.1	0.5	34	2.9	(0)	340	280	51	41
ゆで	77	80.0	14.3	0.8	53	3.2	(0)	310	230	48	51
水煮缶詰め	85	77.0	(15.4)	0.1	60	5.5	(0)	580	90	52	34
かに加工品 がん漬	58	54.7	(6.3)	0.2	36	7.7	未測定	7500	250	4000	530
いか・たこ類											
いか類											
あかいか 生	81	79.3	13.4	0.8	280	5.1	(0)	200	330	12	46
けんさきいか 生	77	80.0	(12.7)	0.4	350	5.5	(0)	210	330	12	46
こういか 生 別名 すみいか	64	83.4	10.6	0.6	210	4.1	(0)	280	220	17	48
するめいか 一般名 いか 生	76	80.2	(13.4)	0.3	250	4.7	(0)	210	300	11	46
水煮	98	74.6	(16.4)	0.4	310	7.1	(0)	230	310	14	52
焼き	108	71.8	(17.7)	0.4	350	8.5	(0)	330	360	14	57
胴 皮つき 生	78	79.8	13.8	0.4	210	4.7	(0)	200	330	10	48
皮なし 生	80	79.1	13.8	0.3	180	5.4	(0)	200	340	10	48

可食部（食べられる部分）100gあたり

鉄	亜鉛	ビタミン ビタミンA（レチノール活性当量）	ビタミンD	ビタミンB_1	ビタミンB_2	葉酸	ビタミンC	食塩相当量	備考	食品番号	参考 見た目のおおまかなめやす量
mg	mg	µg	µg	mg	mg	µg	mg	g			
0.3	3.7	1	(0)	0.02	0.15	22	微量	0.9	和名は「がざみ」だが、わたりがにと呼ばれるほうが多い	10332	1ぱい　200g
0.5	3.3	(微量)	(0)	0.07	0.23	13	微量	0.6		10333	1ぱい　500g
0.6	3.8	(微量)	(0)	0.07	0.23	10	微量	0.6	殻つきでゆでたもの	10334	
0.5	2.6	(微量)	(0)	0.24	0.60	15	微量	0.8		10335	1ぱい　500g
0.7	3.1	(微量)	(0)	0.21	0.57	9	微量	0.6	殻つきでゆでたもの	10336	足1本　40g（正味20g） 1肩　300g
0.5	4.7	(0)	(0)	0	0.03	1	0	1.7	液汁を除いたもの	10337	1缶　55g
0.3	3.2	1	(0)	0.05	0.07	21	1	0.9		10338	足1本　150g
0.2	4.2	1	(0)	0.07	0.06	15	微量	0.8	殻つきでゆでたもの	10339	
0.2	6.3	(微量)	(0)	0.02	0.10	4	(0)	1.5	液汁を除いたもの	10340	1缶　125g
1.7	2.4	微量	(0)	0.10	0.50	7	(0)	19.1	しおまねきの塩辛	10341	大さじ1　15g
0.1	1.2	4	(0)	0.01	0.02	2	1	0.5		10342	1ぱい　500g
0.1	1.3	7	(0)	0.01	0.02	4	2	0.5		10343	1ぱい　300g
0.1	1.5	5	(0)	0.03	0.05	3	1	0.7		10344	1ぱい　500g
0.1	1.5	13	0.3	0.07	0.05	5	1	0.5	胴 55.9%、足・耳 44.1%。一般に「いか」として流通しているものの多くは、するめいか	10345	1ぱい　200g（正味150g）
0.1	1.8	16	0	0.05	0.06	5	1	0.6	内臓等を除き水煮したもの	10346	
0.2	1.9	22	0	0.09	0.07	7	1	0.8	内臓等を除き焼いたもの	10347	
0.1	1.4	12	0.3	0.06	0.04	6	2	0.5		10417	1ぱい　100g
0.1	1.5	11	0.2	0.06	0.04	2	2	0.5		10418	

・（カッコ）内の成分値および（微量）は推定値または推計値であることを意味します。

魚介類

食品名	エネルギー	水分	たんぱく質	脂質	コレステロール	炭水化物	食物繊維	ナトリウム	カリウム	カルシウム	マグネシウム
								ミネラル			
	kcal	g	g	g	mg	g	g	mg	mg	mg	mg
天ぷら	175	64.9	13.1	9.8	150	8.2	0.8	180	280	26	40
耳・足 生	75	80.8	13.0	0.6	290	4.4	(0)	230	270	13	45
ほたるいか 生	74	83.0	7.8	2.3	240	5.4	(0)	270	290	14	39
ゆで	91	78.1	(11.7)	1.5	380	7.8	(0)	240	240	22	32
くん製	305	23.0	(28.6)	3.4	930	39.9	(0)	1500	240	55	56
つくだ煮	245	39.8	(17.9)	3.8	390	34.9	(0)	1200	96	26	31
やりいか 生	79	79.7	13.1	0.5	320	5.3	(0)	170	300	10	42
いか加工品 するめ	304	20.2	(50.2)	1.7	980	22.0	(0)	890	1100	43	170
さきいか	268	26.4	(34.2)	0.8	370	31.0	(0)	2700	230	23	82
くん製	202	43.5	(26.4)	0.7	280	22.3	(0)	2400	240	9	34
切りいかあめ煮	310	22.8	(16.5)	3.1	360	53.9	(0)	1100	210	65	81
いかあられ	289	26.7	(14.5)	1.0	190	55.4	(0)	700	230	18	41
塩辛	114	67.3	(11.0)	2.7	230	11.4	(0)	2700	170	16	48
味つけ缶詰め	127	66.9	(15.5)	0.7	420	14.6	(0)	700	110	16	38
たこ類											
いいだこ 生	64	83.2	(10.6)	0.4	150	4.5	(0)	250	200	20	43
まだこ 一般名 たこ 生	70	81.1	11.7	0.2	150	5.3	(0)	280	290	16	55
ゆで	91	76.2	(15.4)	0.2	150	6.9	(0)	230	240	19	52
みずだこ 生	61	83.5	9.4	0.4	100	5.0	(0)	430	270	19	60
その他魚介											
あみ つくだ煮	230	35.0	(13.0)	1.1	120	41.9	未測定	2700	350	490	100
塩辛	62	63.7	(8.8)	0.6	140	5.4	未測定	7800	280	460	82
うに 生うに	109	73.8	11.7	2.5	290	9.8	(0)	220	340	12	27
粒うに	172	51.8	(12.6)	3.5	280	22.5	(0)	3300	280	46	63
練りうに	166	53.1	(9.9)	2.1	250	26.8	(0)	2800	230	38	41

可食部（食べられる部分）100g あたり

可食部（食べられる部分）100gあたり		ビタミン										
鉄	亜鉛	ビタミンA（レチノール活性当量）	ビタミンD	ビタミンB1	ビタミンB2	葉酸	ビタミンC	食塩相当量	備考	食品番号	参考 見た目のおおまかなめやす量
mg	mg	μg	μg	mg	mg	μg	mg	g			
0.1	1.3	11	0.2	0.07	0.07	3	1	0.4		10419	
0.1	1.6	15	0.4	0.09	0.06	4	1	0.6		10420	
0.8	1.3	1500	(0)	0.19	0.27	34	5	0.7	内臓等を含んだもの	10348	1ぱい 6g
1.1	1.9	1900	(0)	0.20	0.30	29	微量	0.6	内臓等を含んだもの	10349	1ぱい 6g
10.0	5.2	150	(0)	0.40	0.50	25	0	3.8		10350	
2.7	3.3	690	(0)	0.09	0.21	10	0	3.0		10351	
0.1	1.2	8	(0)	0.04	0.03	5	2	0.4		10352	1ぱい 250g
0.8	5.4	22	(0)	0.10	0.10	11	0	2.3		10353	1枚 110g
1.6	2.8	3	(0)	0.06	0.09	1	0	6.9		10354	ひとつかみ 15g
0.7	2.1	(微量)	(0)	0.10	0.15	2	(0)	6.1		10355	ひとつかみ 20g
0.8	2.2	(微量)	(0)	0.06	0.10	12	(0)	2.8		10356	大さじ1 6g
0.4	1.3	(微量)	(0)	0.07	0.10	6	(0)	1.8		10357	10切れ 40g
1.1	1.7	200	(0)	微量	0.10	13	微量	6.9	赤作り	10358	大さじ1 17g
0.6	2.5	7	(0)	0.02	0.07	4	0	1.8	液汁を除いたもの	10359	1缶 155g
2.2	3.1	36	(0)	0.01	0.08	37	1	0.6	内臓等を含んだもの	10360	1ぱい 40g
0.6	1.6	5	(0)	0.03	0.09	4	微量	0.7	一般に「たこ」として流通しているものの多くは、まだこ	10361	
0.2	1.8	5	(0)	0.03	0.05	2	微量	0.6	内臓等を除きゆでたもの	10362	足1本 50g 刺し身1切れ 8g 足8本 350g 1ぱい 500g
0.1	1.6	4	0.1	0.04	0.05	6	1	1.1		10432	
7.1	1.7	170	(0)	0.13	0.21	35	0	6.9		10363	大さじ1 7g
0.5	0.8	65	(0)	0.07	0.07	22	0	19.8		10364	大さじ1 16g
0.9	2.0	58	(0)	0.10	0.44	360	3	0.6	生殖巣のみ	10365	むき身1個 5g
1.1	1.9	83	(0)	0.14	0.65	98	0	8.4	生うにに食塩等を加えてびん詰めにし、熟成させたもの	10366	大さじ1 15g
1.8	1.3	25	(0)	微量	0.30	87	0	7.1	生うにに食塩、調味料等を加えて練りつぶし、びん詰めにしたもの	10367	大さじ1 15g

・(カッコ) 内の成分値および (微量) は推定値または推計値であることを意味します。

魚介類

食品名		エネルギー	水分	たんぱく質	脂質	コレステロール	炭水化物	食物繊維	ナトリウム	カリウム	カルシウム	マグネシウム
		可食部(食べられる部分)100gあたり							ミネラル			
		kcal	g	g	g	mg	g	g	mg	mg	mg	mg
おきあみ	生	84	78.5	10.2	2.1	60	6.1	未測定	420	320	360	85
	ゆで	78	79.8	(9.4)	2.1	62	5.4	未測定	620	200	350	110
くらげ	塩蔵 塩ぬき	21	94.2	5.2	微量	31	(微量)	(0)	110	1	2	4
しゃこ	ゆで	89	77.2	15.3	0.8	150	5.0	(0)	310	230	88	40
なまこ	生	22	92.2	3.6	0.1	1	1.7	(0)	680	54	72	160
	このわた	54	80.2	11.4	0.7	3	(0.5)	(0)	1800	330	41	95
ほや	生	27	88.8	5.0	0.5	33	(0.7)	(0)	1300	570	32	41
	塩辛	69	79.7	11.6	0.6	34	4.3	(0)	1400	79	14	25
水産練り製品												
かに風味かまぼこ 別名 かにかま		89	75.6	(11.3)	0.4	17	10.2	(0)	850	76	120	19
黒はんぺん		119	70.4	9.5	2.0	35	15.2	0.9	560	110	110	17
昆布巻きかまぼこ		83	76.4	8.9	0.3	17	11.2	未測定	950	430	70	39
す巻きかまぼこ		89	75.8	(11.2)	0.6	19	9.7	(0)	870	85	25	13
蒸しかまぼこ 一般名 かまぼこ		93	74.4	11.2	0.5	15	11.0	(0)	1000	110	25	14
焼きぬきかまぼこ		102	72.8	(15.1)	0.8	27	8.7	(0)	930	100	25	16
焼きちくわ		119	69.9	(11.3)	1.7	25	14.6	(0)	830	95	15	15
だて巻		190	58.8	14.6	6.3	180	18.8	(0)	350	110	25	11
つみれ		104	75.4	12.0	2.6	40	8.2	(0)	570	180	60	17
なると		80	77.8	7.6	0.3	17	11.7	(0)	800	160	15	11
はんぺん		93	75.7	9.9	0.9	15	11.5	(0)	590	160	15	13
さつま揚げ 別名 あげはん		135	67.5	12.5	3.0	20	14.6	(0)	730	60	60	14
魚肉ハム 別名 フィッシュハム		155	66.0	(12.0)	6.1	28	13.1	(0)	900	110	45	15
魚肉ソーセージ 別名 フィッシュソーセージ		158	66.1	10.3	6.5	30	14.5	(0)	810	70	100	11

可食部（食べられる部分）100g あたり

鉄	亜鉛	ビタミン ビタミンA（レチノール活性当量）	ビタミンD	ビタミンB1	ビタミンB2	葉酸	ビタミンC	食塩相当量	備考	食品番号	参考 見た目のおおまかなめやす量
mg	mg	µg	µg	mg	mg	µg	mg	g			
0.8	1.0	180	(0)	0.15	0.26	49	2	1.1	冷凍品（殻つき）	10368	
0.6	0.9	150	(0)	0.21	0.25	36	1	1.6	海水でゆでた後冷凍したもの	10369	
0.3	微量	0	(0)	微量	0.01	3	0	0.3		10370	1カップ　90g
0.8	3.3	180	(0)	0.26	0.13	15	0	0.8	ゆでしゃこ（むきみ）	10371	1尾　30g
0.1	0.2	微量	(0)	0.05	0.02	4	0	1.7		10372	1本　150g
4.0	1.4	66	(0)	0.20	0.50	78	0	4.6	内臓を塩辛にしたもの	10373	大さじ1　17g
5.7	5.3	微量	(0)	0.01	0.13	32	3	3.3		10374	1個　250g
3.0	2.5	(微量)	(0)	0.01	0.18	13	(0)	3.6		10375	大さじ1　17g
0.2	0.2	21	1.0	0.01	0.04	3	1	2.2		10376	1本　10g
1.0	0.6	4	4.8	微量	0.10	3	0	1.4		10423	
0.3	0.2	6	微量	0.03	0.08	7	微量	2.4	昆布 10% を使用したもの	10377	1枚　18g
0.2	0.2	(微量)	1.0	微量	0.01	2	(0)	2.2		10378	1枚　14g
0.3	0.2	(微量)	2.0	微量	0.01	5	0	2.5	蒸し焼きかまぼこを含む	10379	1切れ（5mm厚さ）8g
0.2	0.2	(微量)	2.0	0.05	0.08	2	(0)	2.4		10380	1切れ　8g
1.0	0.3	(微量)	1.0	0.05	0.08	4	(0)	2.1		10381	1本（大）　70g
0.5	0.6	60	1.0	0.04	0.20	16	(0)	0.9		10382	1切れ　30g
1.0	0.6	(微量)	5.0	0.02	0.20	3	(0)	1.4		10383	1個　20g
0.5	0.2	(微量)	微量	微量	0.01	1	(0)	2.0		10384	1枚　4g
0.5	0.1	(微量)	微量	微量	0.01	7	(0)	1.5		10385	1枚（大）　100g
0.8	0.3	(微量)	1.0	0.05	0.10	5	(0)	1.9	野菜等を加えていないもの	10386	1枚（小判形）　30g
1.0	0.7	(微量)	1.6	0.20	0.60	5	(0)	2.3		10387	薄切り1枚　20g
1.0	0.4	(微量)	0.9	0.20	0.60	4	(0)	2.1		10388	1本　75g

・（カッコ）内の成分値および（微量）は推定値または推計値であることを意味します。

肉類

食品名	エネルギー	水分	たんぱく質	脂質	コレステロール	炭水化物	食物繊維	ナトリウム	カリウム	カルシウム	マグネシウム
可食部（食べられる部分）100gあたり								ミネラル			
	kcal	g	g	g	mg	g	g	mg	mg	mg	mg
いのしし　脂身つき　生　別名 ぼたん肉	249	60.1	(16.7)	18.6	86	3.8	(0)	45	270	4	20
いの豚　脂身つき　生	275	56.7	(16.1)	23.2	66	(0.3)	(0)	50	280	4	19
うさぎ　赤肉　生	131	72.2	18.0	4.7	63	4.1	(0)	35	400	5	27
牛肉											
牛　和牛（おもに黒毛和種）											
肩　脂身つき　生	258	58.8	17.7	20.6	72	(0.3)	(0)	47	280	4	19
脂身なし　生	239	60.7	18.3	18.3	71	(0.3)	(0)	48	290	4	19
脂身　生	692	17.8	4.0	72.8	110	5.2	(0)	19	81	2	4
肩ロース　脂身つき　生	380	47.9	(11.8)	(35.0)	89	4.6	(0)	42	210	3	14
脂身なし　生	373	48.6	(11.9)	(34.1)	88	4.6	(0)	42	210	3	14
リブロース　脂身つき　生	514	34.5	8.4	53.4	86	(0.1)	(0)	39	150	2	10
ゆで	539	29.2	11.3	54.8	92	(0.1)	(0)	20	75	2	8
焼き	541	27.7	12.9	54.3	95	(0.2)	(0)	50	200	3	13
脂身なし　生	502	36.1	9.4	51.5	85	(0.1)	(0)	41	160	3	10
脂身　生	674	17.7	4.6	72.9	100	0	(0)	20	69	2	4
サーロイン　脂身つき　生	460	40.0	(10.2)	(44.4)	86	4.9	(0)	32	180	3	12
脂身なし　生	422	43.7	11.4	(39.8)	83	4.6	(0)	34	200	3	13
ばら　脂身つき　生　別名 カルビ	472	38.4	(9.6)	45.6	98	6.0	(0)	44	160	4	10
もも　脂身つき　生	235	61.2	(16.2)	16.8	75	4.8	(0)	45	320	4	22
脂身なし　生	212	63.4	17.4	13.9	73	4.3	(0)	47	330	4	23
ゆで	302	50.1	23.1	20.9	110	5.4	(0)	23	120	4	15

可食部（食べられる部分）100g あたり		ビタミン										
鉄	亜鉛	ビタミンA（レチノール活性当量）	ビタミンD	ビタミンB1	ビタミンB2	葉酸	ビタミンC	食塩相当量	備考	食品番号	参考 見た目のおおまかなめやす量
mg	mg	µg	µg	mg	mg	µg	mg	g			
2.5	3.2	4	0.4	0.24	0.29	1	1	0.1		11001	薄切り１枚　20g
0.8	1.8	11	1.1	0.62	0.16	微量	1	0.1		11002	薄切り１枚　20g
1.3	1.0	3	0	0.10	0.19	7	1	0.1		11003	
0.9	4.9	微量	0	0.08	0.21	6	1	0.1		11004	角切り１個　20g（3×4cm厚さ2cm）
0.8	5.1	微量	0	0.08	0.22	6	1	0.1	口絵７ページ参照	11005	
0.6	0.4	3	0	0.02	0.03	1	0	0	皮下脂肪および筋間脂肪→口絵７ページ参照	11007	
0.7	4.6	3	0	0.06	0.17	6	1	0.1		11008	角切り１個　20g（3×4cm厚さ2cm）薄切り１枚　60g（10×30cm厚さ2～3mm）
0.7	4.6	3	0	0.06	0.17	6	1	0.1	口絵７ページ参照	11009	
1.2	2.6	11	0	0.04	0.09	3	1	0.1		11011	1.5cm厚さ１枚　150g
1.4	3.2	8	0	0.03	0.08	3	0	0.1		11249	
1.6	3.6	8	0	0.05	0.12	5	1	0.1		11248	
1.3	2.8	10	0	0.04	0.09	4	1	0.1	口絵７ページ参照	11012	
0.6	0.9	16	0	0.02	0.03	2	微量	0.1	皮下脂肪および筋間脂肪→口絵７ページ参照	11014	
0.9	2.8	3	0	0.05	0.12	5	1	0.1		11015	ステーキ用１枚　150g（7×20cm厚さ1.5cm）
0.8	3.1	3	0	0.05	0.13	6	1	0.1	口絵７ページ参照	11016	
1.4	3.0	3	0	0.04	0.11	2	1	0.1		11018	焼肉用１枚　25g（3×8cm厚さ5mm）
2.5	4.0	微量	0	0.09	0.20	8	1	0.1		11019	焼肉用１枚　15g（4×8cm厚さ5mm）薄切り１枚　30g（5×30cm厚さ2～3mm）しゃぶしゃぶ用１枚　15g（10×16cm厚さ1mm）
2.7	4.3	0	0	0.09	0.21	9	1	0.1	口絵７ページ参照	11020	
3.4	6.4	0	0	0.05	0.19	6	0	0.1		11251	

・（カッコ）内の成分値および（微量）は推定値または推計値であることを意味します。

肉類

食品名	エネルギー	水分	たんぱく質	脂質	コレステロール	炭水化物	食物繊維	ミネラル ナトリウム	ミネラル カリウム	ミネラル カルシウム	ミネラル マグネシウム
	kcal	g	g	g	mg	g	g	mg	mg	mg	mg
焼き	300	49.5	23.9	20.5	100	4.9	(0)	50	350	5	25
脂身　生	664	20.3	(4.1)	69.2	110	6.1	(0)	24	99	2	5
ランプ　脂身つき　生	319	53.8	(13.2)	(27.5)	81	4.7	(0)	40	260	3	17
脂身なし　生	293	56.3	(14.0)	(24.3)	78	4.6	(0)	42	270	3	18
ヒレ　赤肉　生	207	64.6	(16.6)	13.8	66	4.0	(0)	40	340	3	22
国産牛（乳用肥育牛肉、おもにホルスタイン種）											
肩　脂身つき　生	231	62.0	17.1	18.0	66	(0.3)	0	59	290	4	18
ゆで	298	54.9	20.8	23.8	75	(0.1)	0	22	88	3	12
焼き	322	50.3	23.0	25.5	77	(0.1)	0	67	290	4	20
脂身なし　生	193	65.9	17.9	13.4	60	(0.2)	(0)	59	310	4	20
脂身　生	650	21.9	4.5	67.7	110	5.6	(0)	21	84	2	5
肩ロース　脂身つき　生	295	56.4	(13.7)	(24.7)	71	4.4	(0)	50	260	4	16
脂身なし　生	285	57.3	(13.9)	(23.5)	70	4.4	(0)	51	270	4	17
リブロース　脂身つき　生	380	47.9	12.5	35.0	81	3.9	(0)	40	230	4	14
ゆで	428	39.1	16.8	40.0	100	(0.3)	(0)	26	130	5	12
焼き	457	33.4	18.9	42.3	110	(0.3)	(0)	53	290	4	18
脂身なし　生	351	50.7	(13.0)	31.4	81	4.2	(0)	42	240	4	15
脂身　生	703	15.6	3.2	76.7	89	0	(0)	18	72	3	4
サーロイン　脂身つき　生	313	54.4	(14.0)	(26.7)	69	4.1	(0)	48	270	4	16
脂身なし　生	253	60.0	16.0	(19.3)	66	3.8	(0)	53	300	4	17
ばら　別名 カルビ　脂身つき　生	381	47.4	11.1	37.3	79	(0.2)	(0)	56	190	3	12
焼き	451	38.7	13.8	41.7	88	5.0	(0)	60	220	3	14
もも　脂身つき　生	196	65.8	(16.0)	12.6	69	4.6	(0)	49	330	4	22
脂身なし　生	169	68.2	17.1	9.2	67	4.4	(0)	50	340	4	23
ゆで	235	56.4	25.0	12.8	94	5.0	(0)	35	220	5	20
焼き	227	56.9	23.4	12.0	87	6.4	(0)	65	430	5	28

可食部（食べられる部分）100gあたり

可食部（食べられる部分）100gあたり								食塩相当量	備考	食品番号	参考 見た目のおおまかなめやす量
		ビタミン									
鉄	亜鉛	ビタミンA（レチノール活性当量）	ビタミンD	ビタミンB1	ビタミンB2	葉酸	ビタミンC				
mg	mg	µg	µg	mg	mg	µg	mg	g			
3.8	6.3	0	0	0.09	0.24	7	1	0.1		11250	
0.8	0.6	3	0	0.02	0.02	1	1	0.1	皮下脂肪および筋間脂肪→口絵7ページ参照	11022	
1.4	3.8	2	0	0.08	0.19	7	1	0.1		11026	1.5cm厚さ1枚　150g
1.3	4.0	2	0	0.09	0.20	8	1	0.1	口絵7ページ参照	11027	
2.5	4.2	1	0	0.09	0.24	8	1	0.1		11029	ステーキ用1枚　150g（7×12cm厚さ1.5cm）
2.1	4.5	5	0	0.08	0.20	6	1	0.2		11030	1個　20g（3×4cm厚さ2cm）
2.3	5.5	1	0	0.05	0.16	3	0	0.1		11309	
2.8	5.8	0	0	微量	0.01	50	0	0.1		11310	
0.9	4.5	4	0	0.09	0.21	7	1	0.1	口絵7ページ参照	11031	
0.7	0.5	17	0	0.02	0.03	1	1	0.1	皮下脂肪および筋間脂肪→口絵7ページ参照	11033	
0.9	4.7	7	0.1	0.06	0.17	7	1	0.1		11034	薄切り1枚　15g（10×15cm厚さ1mm）
0.9	4.8	7	0.1	0.06	0.17	7	1	0.1	口絵7ページ参照	11035	
1.0	3.7	13	0.1	0.05	0.12	6	1	0.1		11037	1.5cm厚さ1枚　150g
1.2	4.9	14	0.1	0.04	0.11	7	0	0.1		11039	
1.4	5.3	14	0.1	0.07	0.17	10	1	0.1		11038	
0.9	4.0	12	0.1	0.05	0.13	6	1	0.1	口絵7ページ参照	11040	
0.6	0.5	18	0	0.02	0.02	1	1	0	皮下脂肪および筋間脂肪→口絵7ページ参照	11042	
1.0	2.9	8	0	0.06	0.10	6	1	0.1		11043	1.5cm厚さ1枚　150g
0.8	3.3	7	0	0.06	0.11	7	1	0.1	口絵7ページ参照	11044	
1.4	2.8	13	0	0.05	0.12	3	1	0.1		11046	1枚　25g（3×8cm厚さ5mm）
1.8	3.6	12	0	0.06	0.14	5	微量	0.2		11252	
1.4	4.5	3	0	0.08	0.20	9	1	0.1		11047	薄切り1枚　15g（5×30cm厚さ2〜3mm）
1.3	4.7	2	0	0.08	0.21	9	1	0.1	口絵7ページ参照	11048	
1.7	6.6	0	0	0.07	0.23	11	0	0.1		11050	
1.7	6.4	0	0	0.10	0.27	12	1	0.2		11049	

・（カッコ）内の成分値および（微量）は推定値または推計値であることを意味します。

肉類

食品名		エネルギー	水分	たんぱく質	脂質	コレステロール	炭水化物	食物繊維	ミネラル			
		可食部（食べられる部分）100gあたり							ナトリウム	カリウム	カルシウム	マグネシウム
		kcal	g	g	g	mg	g	g	mg	mg	mg	mg
	脂身　生	594	30.2	(4.8)	63.8	92	(0.2)	(0)	30	140	2	7
ランプ	脂身つき　生	234	62.1	(15.3)	(17.1)	65	4.6	(0)	54	300	4	20
	脂身なし　生	203	64.9	(16.1)	(13.2)	63	4.9	(0)	56	310	4	21
ヒレ	赤肉　生	177	67.3	17.7	10.1	60	3.8	(0)	56	380	4	23
	焼き	238	56.3	24.8	13.6	74	4.0	(0)	74	440	5	28
輸入牛												
肩	脂身つき　生	160	69.4	19.0	9.3	59	(0.1)	(0)	54	320	4	20
	脂身なし　生	138	71.5	19.6	6.6	59	(0.1)	(0)	56	330	4	21
	脂身　生	537	32.0	7.1	56.5	65	0	(0)	24	140	6	7
肩ロース	脂身つき　生	221	63.8	(15.1)	(15.8)	69	4.5	(0)	49	300	4	18
	脂身なし　生	219	64.0	(15.2)	(15.5)	69	4.5	(0)	49	300	4	18
リブロース	脂身つき　生	212	63.8	17.3	14.2	66	3.8	(0)	44	330	4	20
	ゆで	307	50.2	23.0	21.9	94	4.4	(0)	18	130	2	14
	焼き	306	49.8	21.6	21.9	89	5.7	(0)	41	320	3	21
	脂身なし　生	203	64.5	(17.1)	13.1	66	4.3	(0)	45	330	4	20
	脂身　生	653	19.9	(4.7)	66.7	71	8.3	(0)	17	130	1	6
サーロイン	脂身つき　生	273	57.7	(14.7)	(21.5)	59	5.4	(0)	39	290	3	18
	脂身なし　生	218	63.1	(16.1)	(14.9)	57	5.0	(0)	42	320	4	20
ばら 別名 カルビ	脂身つき　生	338	51.8	14.4	31.0	67	(0.2)	(0)	52	230	4	14
もも	脂身つき　生	148	71.4	(16.5)	7.5	61	3.6	(0)	41	310	3	21
	脂身なし　生	133	73.0	17.2	5.7	61	3.1	(0)	42	320	3	22
	ゆで	204	60.0	27.1	9.2	96	3.1	(0)	19	130	3	16
	焼き	205	60.4	24.1	11.9	89	(0.4)	(0)	41	320	4	23
	脂身　生	580	28.1	(6.0)	58.7	77	6.9	(0)	19	120	2	7
ランプ	脂身つき　生	214	63.8	(15.6)	(14.7)	64	4.9	(0)	45	310	3	20

可食部（食べられる部分）100g あたり											
		ビタミン									
鉄	亜鉛	ビタミンA（レチノール活性当量）	ビタミンD	ビタミンB1	ビタミンB2	葉酸	ビタミンC	食塩相当量	備考	食品番号	参考 見た目のおおまかなめやす量
mg	mg	µg	µg	mg	mg	µg	mg	g			
1.1	0.7	17	0	0.03	0.03	2	1	0.1	皮下脂肪および筋間脂肪→口絵7ページ参照	11052	
1.4	3.7	6	0	0.08	0.19	6	1	0.1		11056	1.5cm厚さ1枚　150g
1.3	3.9	5	0	0.09	0.20	6	1	0.1	口絵7ページ参照	11057	
2.4	3.4	4	0	0.12	0.26	11	1	0.1		11059	
3.5	6.0	3	0	0.16	0.35	10	微量	0.2		11253	
1.1	5.0	7	0.3	0.08	0.22	5	1	0.1		11060	5cm角1切れ　50g
1.0	5.3	5	0.3	0.08	0.23	6	1	0.1	口絵7ページ参照	11061	
0.9	1.1	30	1.2	0.03	0.04	3	1	0.1	皮下脂肪および筋間脂肪→口絵7ページ参照	11063	
1.2	5.8	10	0.4	0.07	0.20	7	1	0.1		11064	薄切り1枚　50g
1.2	5.8	10	0.4	0.07	0.20	8	1	0.1	口絵7ページ参照	11065	
2.2	4.7	9	0.4	0.08	0.16	7	2	0.1		11067	1.5cm厚さ1枚　150g
2.7	6.5	14	0.5	0.04	0.14	6	0	0		11269	
2.9	6.3	12	0.5	0.08	0.18	7	1	0.1		11268	
2.2	4.8	9	0.4	0.08	0.16	7	2	0.1	口絵7ページ参照	11068	
1.1	1.1	29	2.2	0.01	0.02	2	0	0	皮下脂肪および筋間脂肪→口絵7ページ参照	11070	
1.4	3.1	11	0.6	0.05	0.12	5	1	0.1		11071	1.5cm厚さ1枚　150g
1.3	3.4	8	0.4	0.06	0.13	5	1	0.1	口絵7ページ参照	11072	
1.5	3.0	24	0.4	0.05	0.12	5	1	0.1		11074	3cm角1切れ　30g
2.4	3.8	5	0.2	0.08	0.19	8	1	0.1		11075	薄切り1枚　50g
2.5	3.9	4	0.1	0.09	0.20	8	1	0.1	口絵7ページ参照	11076	
3.5	7.5	8	0	0.05	0.18	7	微量	0		11271	
3.3	6.6	8	0	0.08	0.22	10	1	0.1		11270	
0.9	0.8	38	0.9	0.02	0.03	2	1	0	皮下脂肪および筋間脂肪→口絵7ページ参照	11078	
1.3	3.4	11	0.4	0.09	0.24	7	1	0.1		11082	1.5cm厚さ1枚　150g

・（カッコ）内の成分値および（微量）は推定値または推計値であることを意味します。

肉類

食品名	エネルギー	水分	たんぱく質	脂質	コレステロール	炭水化物	食物繊維	ナトリウム	カリウム	カルシウム	マグネシウム
	可食部（食べられる部分）100gあたり							ミネラル			
	kcal	g	g	g	mg	g	g	mg	mg	mg	mg
脂身なし　生	174	67.7	(16.6)	(9.8)	62	4.8	(0)	47	330	4	21
ヒレ　赤肉　生	123	73.3	(18.5)	4.2	62	2.9	(0)	45	370	4	24
子牛肉											
リブロース　脂身なし　生	94	76.0	(17.9)	0.5	64	4.5	(0)	67	360	5	23
ばら　脂身なし　生	113	74.5	(17.2)	2.9	71	4.4	(0)	100	320	6	19
もも　脂身なし　生	107	74.8	(17.4)	2.1	71	4.6	(0)	54	390	5	23
ひき肉											
ひき肉　生	251	61.4	14.4	19.8	64	3.6	(0)	64	260	6	17
焼き	280	52.2	22.7	18.8	83	5.1	(0)	92	390	8	26
副生物											
舌　別名 たん　生	318	54.0	12.3	29.7	97	(0.2)	(0)	60	230	3	15
焼き	401	41.4	17.9	34.1	120	5.7	(0)	78	320	4	22
心臓　生 別名 はつ	128	74.8	13.7	6.2	110	4.3	(0)	70	260	5	23
肝臓　生 別名 レバー	119	71.5	17.4	2.1	240	7.4	(0)	55	300	5	17
じん臓　生 別名 まめ	118	75.7	13.6	5.0	310	4.6	(0)	80	280	6	12
第一胃　ゆで 別名 みの、がつ	166	66.6	(19.2)	6.9	240	6.8	(0)	51	130	11	14
第二胃　ゆで 別名 はちのす	186	71.6	(9.7)	14.7	130	3.7	(0)	39	64	7	6
第三胃　生 別名 せんまい	57	86.6	(9.2)	0.9	120	2.9	(0)	50	83	16	10
第四胃　ゆで 別名 あかせんまい、ギアラ、あぼみ	308	58.5	(8.7)	28.7	190	3.7	(0)	38	51	8	8

可食部（食べられる部分）100gあたり											
		ビタミン						食塩相当量	備考	食品番号	参考 見た目のおおまかなめやす量
鉄	亜鉛	ビタミンA（レチノール活性当量）	ビタミンD	ビタミンB1	ビタミンB2	葉酸	ビタミンC				
mg	mg	µg	µg	mg	mg	µg	mg	g			
1.1	3.7	8	0.3	0.10	0.26	7	1	0.1	口絵7ページ参照	11083	
2.8	2.8	4	0.4	0.10	0.25	5	1	0.1		11085	1cm厚さ1枚　120g
1.6	2.8	0	0	0.09	0.17	6	1	0.2	口絵7ページ参照	11086	
1.7	3.6	3	0	0.10	0.18	3	1	0.3	口絵7ページ参照	11087	
1.3	2.3	3	0	0.08	0.16	5	1	0.1	口絵7ページ参照	11088	
2.4	5.2	13	0.1	0.08	0.19	5	1	0.2		11089	ハンバーグ1人前 70～100g
3.4	7.6	6	0.1	0.11	0.26	7	微量	0.2		11272	
2.0	2.8	3	0	0.10	0.23	14	1	0.2		11090	薄切り1枚　20g（5×6cm厚さ5mm）
2.9	4.6	3	0	0.11	0.36	14	1	0.2		11273	
3.3	2.1	9	0	0.42	0.90	16	4	0.2		11091	1切れ　30g
4.0	3.8	1100	0	0.22	3.00	1000	30	0.1		11092	薄切り1枚　10g（4×6cm厚さ5mm）
4.5	1.5	5	0	0.46	0.85	250	3	0.2		11093	1切れ　40g
0.7	4.2	1	微量	0.04	0.14	3	2	0.1		11094	1切れ　5g
0.6	1.5	3	0.1	0.02	0.10	12	0	0.1		11095	1切れ　10g
6.8	2.6	4	0	0.04	0.32	33	4	0.1		11096	1切れ　10g
1.8	1.4	5	0.2	0.05	0.14	10	0	0.1		11097	1切れ　5g

・（カッコ）内の成分値および（微量）は推定値または推計値であることを意味します。

肉類

食品名	エネルギー	水分	たんぱく質	脂質	コレステロール	炭水化物	食物繊維	ナトリウム	カリウム	カルシウム	マグネシウム
	可食部（食べられる部分）100gあたり							ミネラル			
	kcal	g	g	g	mg	g	g	mg	mg	mg	mg
小腸　生 別名 ひも	268	63.3	(7.8)	24.7	210	3.5	(0)	77	180	7	10
大腸　生 別名 しまちょう、てっちゃん	150	77.2	(7.3)	12.2	150	2.8	(0)	61	120	9	8
直腸　生 別名 てっぽう	106	80.7	(9.1)	6.4	160	3.1	(0)	87	190	9	10
腱　ゆで 別名 すじ	152	66.5	28.3	4.3	67	0	(0)	93	19	15	4
子宮　ゆで 別名 こぶくろ	95	78.2	18.4	2.4	150	0	(0)	79	74	8	7
尾　生 別名 テール	440	40.7	11.6	43.7	76	(微量)	(0)	50	110	7	13
横隔膜 別名 はらみ、さがり　生	288	57.0	13.1	25.9	70	(0.3)	(0)	48	250	2	16
焼き	401	39.4	19.8	35.5	100	(0.2)	(0)	49	270	3	19
牛加工品											
ローストビーフ	190	64.0	18.9	10.7	70	4.1	(0)	310	260	6	24
コンビーフ缶詰め	191	63.4	18.1	12.6	68	0.9	(0)	690	110	15	13
ビーフジャーキー	304	24.4	47.5	5.8	150	14.1	(0)	1900	760	13	54
スモークタン	273	55.9	16.0	21.0	120	4.5	(0)	630	190	6	16
馬　赤肉　生 別名 さくら肉	102	76.1	17.6	2.2	65	3.1	(0)	50	300	11	18
くじら　赤肉　生	100	74.3	19.9	0.3	38	4.5	(0)	62	260	3	29
うねす　生	328	49.0	18.8	28.1	190	(0.2)	(0)	150	70	8	10
本皮　生	577	21.0	9.7	52.4	120	16.6	(0)	59	44	6	3
さらしくじら	28	93.7	5.3	0.8	16	0	(0)	1	微量	1	微量

可食部（食べられる部分）100gあたり											
		ビタミン									
鉄	亜鉛	ビタミンA（レチノール活性当量）	ビタミンD	ビタミンB1	ビタミンB2	葉酸	ビタミンC	食塩相当量	備考	食品番号	参考 見た目のおおまかなめやす量
mg	mg	µg	µg	mg	mg	µg	mg	g			
1.2	1.2	2	0	0.07	0.23	15	15	0.2		11098	
0.8	1.3	2	0	0.04	0.14	8	6	0.2		11099	
0.6	1.7	2	0	0.05	0.15	24	6	0.2		11100	
0.7	0.1	(0)	0	0	0.04	3	0	0.2		11101	
1.2	1.7	(0)	0	0.01	0.10	10	0	0.2		11102	
2.0	4.3	20	0	0.06	0.17	3	1	0.1	皮を除いたもの	11103	1節　150g
3.2	3.7	4	0	0.14	0.35	6	1	0.1		11274	1枚　20g（3×8cm厚さ5mm）
4.1	5.3	5	(0)	0.15	0.46	9	1	0.1		11297	
2.3	4.1	微量	0.1	0.08	0.25	9	0	0.8		11104	1切れ　40g
3.5	4.1	微量	0	0.02	0.14	5	0	1.8		11105	1缶　100g
6.4	8.8	5	0.3	0.13	0.45	12	1	4.8		11107	10cm長さ1枚　10g
2.6	4.2	18	0.3	0.08	0.27	4	1	1.6		11108	
4.3	2.8	9	未測定	0.10	0.24	4	1	0.1	皮下脂肪および筋間脂肪を除いたもの→口絵7ページ参照	11109	薄切り1枚　20g
2.5	1.1	7	0.1	0.06	0.23	4	1	0.2	皮下脂肪および筋間脂肪を除いたもの	11110	薄切り1枚　20g
0.4	3.3	130	0.8	0.11	0.20	3	6	0.4	腹側にあるしま状の切れ込み部分。クジラベーコンの原材料	11111	
0.2	0.2	130	0.3	0.11	0.05	1	5	0.1	背側の黒皮およびすぐ下の脂肪の部分	11112	
0	微量	8	0	0	0	0	0	0	尾のつけ根の肉を塩蔵したものを薄く切り、煮沸して脂を除いたもの	11113	1切れ　15g

・(カッコ)内の成分値および(微量)は推定値または推計値であることを意味します。

肉類

可食部(食べられる部分)100gあたり

食品名		エネルギー	水分	たんぱく質	脂質	コレステロール	炭水化物	食物繊維	ミネラル ナトリウム	カリウム	カルシウム	マグネシウム
		kcal	g	g	g	mg	g	g	mg	mg	mg	mg
しか	あかしか 赤肉 生	102	74.6	(18.9)	0.9	69	4.5	(0)	58	350	4	26
	にほんじか 赤肉 生	119	71.4	22.0	3.0	59	(0.3)	(0)	55	390	4	27
	えぞしか 赤肉 生	126	71.4	20.8	4.5	59	(0.6)	(0)	52	350	4	26
	本州鹿・九州鹿 赤肉 生	107	74.4	18.5	1.8	52	3.6	(0)	51	380	3	26
豚肉												
豚肉(大型種肉)												
肩	脂身つき 生	201	65.7	18.5	14.0	65	(0.2)	(0)	53	320	4	21
	脂身なし 生	158	69.8	19.7	8.8	64	(0.2)	(0)	55	340	4	22
	脂身 生	663	22.0	5.3	71.3	68	0	(0)	23	98	2	5
肩ロース	脂身つき 生	237	62.6	(14.7)	18.4	69	3.4	(0)	54	300	4	18
	脂身なし 生	212	65.1	(15.2)	15.2	69	3.5	(0)	56	310	4	19
	脂身 生	644	23.6	(5.4)	69.1	73	0	(0)	21	110	2	5
ロース	脂身つき 生	248	60.4	17.2	18.5	61	3.0	(0)	42	310	4	22
	ゆで	299	51.0	21.7	23.4	77	(0.3)	(0)	25	180	5	19
	焼き	310	49.1	23.2	22.1	76	4.4	(0)	52	400	6	29
	とんかつ	429	31.2	19.0	35.1	60	8.8	0.7	110	340	14	27
	脂身なし 生	190	65.7	(18.4)	11.3	61	3.6	(0)	45	340	5	24
	脂身 生	695	18.3	5.3	74.9	62	0	(0)	15	110	1	5
ばら	脂身つき 生	366	49.4	12.8	34.9	70	(0.1)	(0)	50	240	3	15
	焼き	444	37.1	16.5	41.9	81	(0.1)	(0)	56	270	4	17
もも	脂身つき 生	171	68.1	(16.9)	9.5	67	4.6	(0)	47	350	4	24
	脂身なし 生	138	71.2	18.0	5.4	66	4.3	(0)	49	360	4	25
	ゆで	185	61.8	25.2	7.1	91	4.9	(0)	27	200	5	24

可食部（食べられる部分）100gあたり		ビタミン										
鉄	亜鉛	ビタミンA（レチノール活性当量）	ビタミンD	ビタミンB_1	ビタミンB_2	葉酸	ビタミンC	食塩相当量	備考	食品番号	参考 見た目のおおまかなめやす量
mg	mg	µg	µg	mg	mg	µg	mg	g			
3.1	3.1	3	微量	0.21	0.35	1	1	0.1		11114	
3.9	2.9	4	0	0.20	0.35	4	1	0.1		11275	
3.4	2.8	5	0	0.21	0.32	4	1	0.1		11294	
3.9	2.7	3	0	0.18	0.34	3	1	0.1		11295	
0.5	2.7	5	0.2	0.66	0.23	2	2	0.1		11115	薄切り1枚　30g
0.4	2.9	4	0.2	0.71	0.25	2	2	0.1	口絵7ページ参照	11116	
0.4	0.4	16	0.7	0.20	0.05	2	1	0.1	皮下脂肪および筋間脂肪→口絵7ページ参照	11118	
0.6	2.7	6	0.3	0.63	0.23	2	2	0.1		11119	角切り1個　20g (3×4cm厚さ2cm) しょうが焼用1枚　40g (8×15cm厚さ4mm)
0.5	2.9	6	0.3	0.66	0.25	2	2	0.1	口絵7ページ参照	11120	
0.4	0.6	16	0.7	0.23	0.05	2	1	0.1	皮下脂肪および筋間脂肪→口絵7ページ参照	11122	
0.3	1.6	6	0.1	0.69	0.15	1	1	0.1		11123	薄切り1枚　20g (7×15cm厚さ2mm) しゃぶしゃぶ用1枚　12g (7×18cm厚さ1mm)
0.4	2.2	3	0.1	0.54	0.16	1	微量	0.1		11125	薄切り1枚　15g
0.4	2.2	2	0.1	0.90	0.21	1	1	0.1		11124	薄切り1枚　15g
0.6	1.9	11	0.7	0.75	0.15	6	1	0.3		11276	1枚　100g (7×15cm厚さ1.2cm)
0.3	1.8	5	0.1	0.75	0.16	1	1	0.1		11126	
0.2	0.3	15	0.2	0.22	0.05	1	1	0	皮下脂肪および筋間脂肪→口絵7ページ参照	11128	
0.6	1.8	11	0.5	0.51	0.13	2	1	0.1		11129	角切り1個　20g (3×4cm厚さ2cm) 薄切り1枚　20g (5×30cm厚さ2mm)
0.7	2.2	11	0.6	0.57	0.14	1	微量	0.1		11277	
0.7	2.0	4	0.1	0.90	0.21	2	1	0.1		11130	薄切り1枚　25g (8×20cm　厚さ2mm)
0.7	2.1	3	0.1	0.94	0.22	2	1	0.1	口絵7ページ参照	11131	
0.9	3.0	1	0.1	0.82	0.23	2	1	0.1		11133	

・(カッコ) 内の成分値および (微量) は推定値または推計値であることを意味します。

肉類

食品名	可食部(食べられる部分)100gあたり										
	エネルギー	水分	たんぱく質	脂質	コレステロール	炭水化物	食物繊維	ミネラル			
								ナトリウム	カリウム	カルシウム	マグネシウム
	kcal	g	g	g	mg	g	g	mg	mg	mg	mg
焼き	186	60.4	26.8	6.7	88	4.6	(0)	58	450	5	33
脂身　生	611	25.5	(6.5)	65.0	79	0	(0)	22	140	1	8
ヒレ　赤肉　生	118	73.4	18.5	3.3	59	3.7	(0)	56	430	3	27
焼き	202	53.8	33.2	4.9	100	6.1	(0)	92	690	6	45
とんかつ	379	33.3	21.8	24.0	71	18.5	0.9	140	440	17	33
黒豚(中型種肉)											
肩　脂身つき　生	224	63.6	18.3	16.8	69	0	(0)	53	320	4	20
脂身なし　生	172	68.5	19.7	10.4	67	0	(0)	57	350	5	22
脂身　生	698	19.1	4.9	75.4	80	0	(0)	20	91	2	5
肩ロース　脂身つき　生	241	62.0	(15.2)	18.6	76	3.2	(0)	55	310	4	20
脂身なし　生	212	64.8	(15.8)	15.0	75	3.4	(0)	57	330	4	21
脂身　生	663	22.3	(5.4)	71.3	88	0	(0)	22	110	2	6
ロース　脂身つき　生	275	58.0	(15.6)	22.1	62	3.5	(0)	39	310	3	20
脂身なし　生	203	64.6	17.8	13.1	62	3.5	(0)	43	340	4	23
脂身　生	716	17.3	(4.1)	77.7	66	0	(0)	15	82	1	5
ばら　脂身つき　生	398	45.8	(11.6)	39.0	70	0	(0)	43	220	3	14
もも　脂身つき　生	211	64.2	(16.1)	14.3	71	4.4	(0)	48	330	4	22
脂身なし　生	153	69.6	(17.4)	7.1	70	4.8	(0)	51	360	4	24
脂身　生	672	20.7	(5.2)	72.3	81	0	(0)	18	110	1	6
ヒレ　赤肉　生	105	74.2	(18.5)	1.3	65	4.7	(0)	48	400	4	28
ひき肉											
ひき肉　生	209	64.8	15.9	16.1	74	(0.1)	(0)	57	290	6	20
副生物											
舌　生　別名 たん	205	66.7	12.6	15.2	110	4.6	(0)	80	220	8	15

可食部（食べられる部分）100g あたり											
		ビタミン									
鉄	亜鉛	ビタミンA（レチノール活性当量）	ビタミンD	ビタミンB1	ビタミンB2	葉酸	ビタミンC	食塩相当量	備考	食品番号	参考 見た目のおおまかなめやす量
mg	mg	µg	µg	mg	mg	µg	mg	g			
1.0	3.1	1	0.1	1.19	0.28	1	1	0.1		11132	
0.7	0.5	13	0.5	0.34	0.05	1	1	0.1	皮下脂肪および筋間脂肪→口絵7ページ参照	11135	
0.9	2.2	3	0.3	1.32	0.25	1	1	0.1		11140	1口カツ用1枚　30g（5×7cm厚さ1.5cm）
1.6	3.6	2	0.3	2.09	0.44	1	1	0.2		11278	
1.3	2.7	3	0.3	1.09	0.32	6	1	0.4		11279	1枚　30g（5×7cm厚さ1.5cm）
0.5	3.0	5	微量	0.70	0.22	1	1	0.1		11141	薄切り1枚　30g
0.5	3.3	3	微量	0.75	0.24	1	1	0.1	口絵7ページ参照	11142	
0.4	0.4	15	0.2	0.19	0.04	1	1	0.1	皮下脂肪および筋間脂肪→口絵7ページ参照	11144	
0.7	3.2	4	微量	0.70	0.24	1	1	0.1		11145	薄切り1枚　20g
0.6	3.4	4	微量	0.74	0.25	1	1	0.1	口絵7ページ参照	11146	
0.5	0.7	11	0.2	0.21	0.04	1	0	0.1	皮下脂肪および筋間脂肪→口絵7ページ参照	11148	
0.3	1.6	6	0.1	0.77	0.13	1	1	0.1		11149	薄切り1枚　20g カツ用1枚　100g
0.2	1.8	5	0.1	0.86	0.14	1	1	0.1	口絵7ページ参照	11150	
0.2	0.3	14	0.1	0.19	0.04	1	1	0	皮下脂肪および筋間脂肪→口絵7ページ参照	11152	
0.6	1.6	9	0.1	0.45	0.11	2	1	0.1		11153	薄切り1枚　20g
0.5	2.0	5	0.1	0.90	0.19	1	1	0.1		11154	薄切り1枚　30g
0.5	2.2	4	0.1	0.98	0.20	1	1	0.1	口絵7ページ参照	11155	
0.5	0.4	13	0.1	0.23	0.04	1	0	0	皮下脂肪および筋間脂肪→口絵7ページ参照	11157	
1.2	2.3	2	0	1.22	0.25	1	1	0.1		11162	1cm厚さ1枚　30g
1.0	2.8	9	0.4	0.69	0.22	2	1	0.1		11163	大さじ1　15g
2.3	2.0	7	2.0	0.37	0.43	4	3	0.2		11164	1切れ　15g

・(カッコ) 内の成分値および (微量) は推定値または推計値であることを意味します。

肉類

可食部(食べられる部分)100gあたり

食品名	エネルギー	水分	たんぱく質	脂質	コレステロール	炭水化物	食物繊維	ミネラル			
								ナトリウム	カリウム	カルシウム	マグネシウム
	kcal	g	g	g	mg	g	g	mg	mg	mg	mg
心臓 生 別名 はつ	118	75.7	13.4	5.0	110	4.8	(0)	80	270	5	17
肝臓 生 別名 レバー	114	72.0	17.3	1.9	250	7.1	(0)	55	290	5	20
じん臓 生 別名 まめ	96	79.0	11.4	3.3	370	5.2	(0)	160	200	7	11
胃 ゆで 別名 がつ、ぶたみの	111	76.8	(13.9)	4.1	250	4.4	(0)	100	150	9	15
小腸 ゆで 別名 ひも	159	73.7	(11.2)	11.1	240	3.5	(0)	13	14	21	13
大腸 ゆで 別名 しろ、しろころ	166	74.1	(9.4)	12.9	210	3.2	(0)	21	27	15	10
子宮 生 別名 こぶくろ	64	83.8	(11.7)	0.5	170	3.3	(0)	130	150	7	8
豚足 ゆで	227	62.7	20.1	16.3	110	(微量)	(0)	110	50	12	5
軟骨 ゆで 別名 ふえがらみ	229	63.5	(15.1)	17.3	140	3.3	(0)	120	110	100	13
豚加工品(ハム)											
骨つきハム	208	62.9	14.4	14.4	64	5.0	(0)	970	200	6	19
ボンレスハム	115	72.0	15.8	3.4	49	4.8	(0)	1100	260	8	20
ロースハム	211	61.1	16.0	13.5	61	6.0	0	910	290	4	20
ゆで	233	58.9	17.4	15.6	69	5.8	0	730	220	4	21
焼き	240	54.6	20.6	14.5	77	6.6	0	1100	370	5	24
フライ	432	27.8	15.4	30.6	50	23.2	0	820	260	24	22
ショルダーハム	221	62.7	13.9	16.2	56	4.4	(0)	640	290	7	19

可食部（食べられる部分）100gあたり									備考	食品番号	参考 見た目のおおまかなめやす量
		ビタミン									
鉄	亜鉛	ビタミンA（レチノール活性当量）	ビタミンD	ビタミンB1	ビタミンB2	葉酸	ビタミンC	食塩相当量			
mg	mg	µg	µg	mg	mg	µg	mg	g			
3.5	1.7	9	0.7	0.38	0.95	5	4	0.2		11165	1切れ　20g
13.0	6.9	13000	1.3	0.34	3.60	810	20	0.1		11166	1切れ　30g
3.7	2.4	75	1.7	0.33	1.75	130	15	0.4		11167	1切れ　30g
1.5	2.4	4	0.5	0.10	0.23	31	5	0.3		11168	1切れ　8g
1.4	2.0	15	0.3	0.01	0.03	17	0	0		11169	
1.6	1.8	8	0.5	0.03	0.07	25	0	0.1		11170	
1.9	1.3	8	0.2	0.06	0.14	8	11	0.3		11171	
1.4	1.0	6	1.0	0.05	0.12	1	0	0.3	皮付きのもの	11172	1本　180g
1.6	1.5	7	0.5	0.08	0.15	2	2	0.3		11173	
0.7	1.6	4	0.5	0.24	0.24	微量	39	2.5	もも肉。ビタミンC：添加品を含む	11174	薄切り1枚　50g
0.7	1.6	(微量)	0.6	0.90	0.28	1	49	2.8	もも肉。ビタミンC：添加品を含む	11175	薄切り1枚　20g
0.5	1.6	3	0.2	0.70	0.12	1	25	2.3	ロース肉。ビタミンC：添加品を含む	11176	1枚　10g
0.5	1.8	3	0.3	0.64	0.12	1	19	1.9	ロース肉。ビタミンC：添加品を含む	11303	
0.6	1.8	3	0.2	0.86	0.16	1	27	2.8	ロース肉。ビタミンC：添加品を含む	11304	
0.6	1.3	1	0.1	0.52	0.13	9	15	2.1	ロース肉。ビタミンC：添加品を含む	11305	
1.0	2.0	4	0.2	0.70	0.35	2	55	1.6	肩肉。ビタミンC：添加品を含む	11177	薄切り1枚　20g

・（カッコ）内の成分値および（微量）は推定値または推計値であることを意味します。

肉類

食品名	エネルギー	水分	たんぱく質	脂質	コレステロール	炭水化物	食物繊維	ナトリウム	カリウム	カルシウム	マグネシウム
	可食部（食べられる部分）100gあたり							ミネラル			
	kcal	g	g	g	mg	g	g	mg	mg	mg	mg
生ハム　促成	243	55.0	20.6	16.0	78	3.3	(0)	1100	470	6	27
長期熟成	253	49.5	22.0	18.0	98	0.1	(0)	2200	480	11	25
豚加工品（プレスハム）											
プレスハム	113	73.3	12.9	3.7	43	6.8	(0)	930	150	8	13
チョップドハム	132	68.0	10.1	3.6	39	14.6	(0)	1000	290	15	17
豚加工品（ベーコン）											
ベーコン	400	45.0	11.2	38.1	50	2.6	(0)	800	210	6	18
ロースベーコン	202	62.5	14.6	12.8	50	6.7	(0)	870	260	6	19
ショルダーベーコン	178	65.4	16.2	10.4	51	4.3	(0)	940	240	12	17
豚加工品（ソーセージ）											
ウインナーソーセージ	319	52.3	10.5	29.3	60	3.1	0	740	180	6	12
ゆで	328	52.3	10.9	30.7	62	1.8	0	700	170	5	12
焼き	345	50.2	11.8	31.2	64	4.1	0	810	200	6	13
フライ	376	45.8	11.2	33.8	60	6.5	未測定	730	180	9	13
セミドライソーセージ	335	46.8	14.6	28.9	81	3.7	(0)	1200	240	34	17
ドライソーセージ	467	23.5	23.1	39.8	95	3.3	(0)	1700	430	27	22
フランクフルトソーセージ	295	54.0	11.0	24.2	59	8.0	(0)	740	200	12	13
ボロニアソーセージ	242	60.9	11.0	20.5	64	3.0	(0)	830	180	9	13
リオナソーセージ	188	65.2	13.4	12.4	49	5.8	(0)	910	200	13	16
レバーソーセージ	324	47.7	12.8	24.7	86	12.4	(0)	650	150	16	14
生ソーセージ 別名 フレッシュソーセージ	269	58.6	12.2	24.0	66	0.6	(0)	680	200	8	14
豚加工品（その他）											
焼き豚	166	64.3	16.3	7.2	46	8.4	(0)	930	290	9	20
レバーペースト	370	45.8	11.0	33.1	130	6.9	(0)	880	160	27	15

鉄	亜鉛	ビタミンA（レチノール活性当量）	ビタミンD	ビタミンB1	ビタミンB2	葉酸	ビタミンC	食塩相当量	備考	食品番号	参考 見た目のおおまかなめやす量
可食部（食べられる部分）100gあたり		ビタミン									
mg	mg	µg	µg	mg	mg	µg	mg	g			
0.7	2.2	5	0.3	0.92	0.18	3	18	2.8	ラックスハムを含む。一般に多く流通している。ビタミンC：添加品を含む	11181	1枚　5g
1.2	3.0	5	0.8	0.90	0.27	2	微量	5.6	プロシュートを含む	11182	1枚　15g
1.2	1.5	（微量）	0.3	0.55	0.18	3	43	2.4	豚肉以外の肉やつなぎ、調味料等が用いられる。ビタミンC：添加品を含む	11178	薄切り1枚　20g
0.8	1.5	（微量）	0.3	0.17	0.20	2	32	2.5	豚肉以外の肉やつなぎ、調味料等が用いられる。ビタミンC：添加品を含む	11180	薄切り1枚　20g
0.6	1.8	6	0.5	0.47	0.14	1	35	2.0	ばら肉。ビタミンC：添加品を含む	11183	1枚　17g
0.5	1.2	4	0.6	0.59	0.19	1	50	2.2	ロース肉。ビタミンC：添加品を含む	11184	薄切り1枚　20g
0.8	1.6	4	0.4	0.58	0.34	4	39	2.4	肩肉。ビタミンC：添加品を含む	11185	薄切り1枚　20g
0.5	1.3	2	0.4	0.35	0.12	1	32	1.9	ビタミンC：添加品を含む	11186	1本　20g
0.6	1.4	2	0.3	0.36	0.12	1	30	1.8	ビタミンC：添加品を含む	11306	
0.6	1.5	2	0.4	0.38	0.13	1	32	2.0	ビタミンC：添加品を含む	11307	
0.6	1.4	2	0.3	0.35	0.13	3	30	1.9	ビタミンC：添加品を含む	11308	
2.2	2.7	8	0.7	0.26	0.23	4	14	2.9	ソフトサラミを含む ビタミンC：添加品を含む	11187	薄切り1枚　20g
2.6	3.9	3	0.5	0.64	0.39	4	3	4.4	サラミを含む ビタミンC：添加品を含む	11188	1本　200g
0.9	1.8	5	0.4	0.21	0.13	2	10	1.9	ビタミンC：添加品を含む	11189	1本　50g
1.0	1.5	5	0.3	0.20	0.13	4	10	2.1	ビタミンC：添加品を含む	11190	薄切り1枚　20g
1.0	1.7	4	0.4	0.33	0.14	5	43	2.3	ビタミンC：添加品を含む	11191	薄切り1枚　20g
3.2	2.2	2800	0.5	0.23	1.42	15	5	1.7		11192	薄切り1枚　20g
0.9	1.7	12	0.7	0.51	0.14	1	2	1.7		11194	1本　22g
0.7	1.3	微量	0.6	0.85	0.20	3	20	2.4	ビタミンC：添加品を含む	11195	1枚　10g
7.7	2.9	4300	0.3	0.18	1.45	140	3	2.2		11196	大さじ1　15g

・（カッコ）内の成分値および（微量）は推定値または推計値であることを意味します。

肉類

食品名	エネルギー	水分	たんぱく質	脂質	コレステロール	炭水化物	食物繊維	ミネラル ナトリウム	カリウム	カルシウム	マグネシウム
	kcal	g	g	g	mg	g	g	mg	mg	mg	mg
スモークレバー	182	57.6	24.9	4.5	480	10.3	(0)	690	280	8	24
ゼラチン	347	11.3	86.0	0.3	2	0	(0)	260	8	16	3
羊肉											
マトン											
ロース　脂身つき　生	192	68.2	17.7	13.4	65	(0.2)	(0)	62	330	3	17
焼き	305	52.3	23.7	23.3	97	(0.2)	(0)	69	370	4	20
もも　脂身つき　生	205	65.0	17.2	13.6	78	3.4	(0)	37	230	4	21
ラム											
肩　脂身つき　生	214	64.8	14.9	15.3	80	4.1	(0)	70	310	4	23
ロース　脂身つき　生	287	56.5	13.6	23.2	66	5.9	(0)	72	250	10	17
焼き	358	43.5	19.0	27.2	88	9.4	(0)	80	290	11	21
ロース　皮下脂肪なし　生	128	72.3	18.0	4.3	67	3.7	0	77	330	7	23
もも　脂身つき　生	164	69.7	17.6	10.3	64	(0.3)	(0)	59	340	3	22
焼き	267	53.5	25.0	18.4	99	(0.2)	(0)	64	370	4	24
混合プレスハム	100	75.8	14.4	3.4	31	(2.7)	(0)	880	140	11	12
やぎ　赤肉　生	99	75.4	18.9	1.0	70	3.8	(0)	45	310	7	25
鳥肉											
うずら　皮つき　生	194	65.4	(17.8)	11.9	120	3.8	(0)	35	280	15	27
がちょう　フォアグラ　ゆで	470	39.7	(7.0)	48.5	650	(1.4)	(0)	44	130	3	10
まがも　皮なし　生	118	72.1	(19.8)	2.2	86	4.7	(0)	72	400	5	27
あいがも　皮つき　生	304	56.0	(12.4)	28.2	86	(0.1)	(0)	62	220	5	16
あひる　皮つき　生	237	62.7	(13.3)	18.2	85	5.0	(0)	67	250	5	17
皮なし　生	94	77.2	17.2	1.5	88	3.0	(0)	84	360	5	26
皮　生	448	41.3	7.6	42.9	79	7.9	(0)	42	84	5	5
きじ　皮なし　生	101	75.0	(19.7)	0.8	73	3.7	(0)	38	220	8	27
七面鳥　皮なし　生	99	74.6	19.8	0.4	62	4.0	(0)	37	190	8	29

可食部（食べられる部分）100gあたり

可食部（食べられる部分）100gあたり									備考	食品番号	参考 見た目のおおまかなめやす量
		ビタミン									
鉄	亜鉛	ビタミンA（レチノール活性当量）	ビタミンD	ビタミンB1	ビタミンB2	葉酸	ビタミンC	食塩相当量			
mg	mg	µg	µg	mg	mg	µg	mg	g			
20.0	8.7	17000	0.9	0.29	5.17	310	10	1.8		11197	1個　100g
0.7	0.1	(0)	0	(0)	(0)	2	(0)	0.7		11198	小さじ1　3g
2.7	2.5	12	0.7	0.16	0.21	1	1	0.2		11199	薄切り1枚　30g
3.6	3.9	14	0.7	0.16	0.26	微量	微量	0.2		11281	
2.5	3.4	7	0.4	0.14	0.33	1	1	0.1		11200	薄切り1枚　30g
2.2	5.0	8	0.9	0.13	0.26	2	1	0.2		11201	薄切り1枚　30g
1.2	2.6	30	0	0.12	0.16	1	1	0.2		11202	1枚　30g（直径12cm厚さ3mm）
1.7	3.3	37	0	0.13	0.21	1	1	0.2		11282	
1.9	2.7	7	0	0.15	0.25	1	1	0.2		11246	
2.0	3.1	9	0.1	0.18	0.27	1	1	0.2		11203	薄切り1枚　30g
2.5	4.5	14	0	0.19	0.32	4	微量	0.2		11283	
1.1	1.7	(微量)	0.4	0.10	0.18	5	31	2.2	マトンに、つなぎとして魚肉を混合したもの。ビタミンC：添加品を含む	11179	
3.8	4.7	3	0	0.07	0.28	2	1	0.1		11204	薄切り1切れ　20g
2.9	0.8	45	0.1	0.12	0.50	11	微量	0.1		11207	1羽　120g
2.7	1.0	1000	0.9	0.27	0.81	220	7	0.1		11239	1cm厚さ1切れ　50g
4.3	1.4	15	3.1	0.40	0.69	3	1	0.2	皮下脂肪を除いたもの	11208	胸肉1枚　200g
1.9	1.4	46	1.0	0.24	0.35	2	1	0.2	まがもとあひるの交雑種	11205	胸肉1枚　220g
1.6	1.6	62	0.8	0.30	0.26	10	2	0.2	北京ダックとして輸入されているもの	11206	1羽　1625g
2.4	2.3	9	0.4	0.46	0.41	14	3	0.2	皮下脂肪を除いたもの	11247	
0.4	0.7	140	1.4	0.07	0.05	5	2	0.1	皮下脂肪を含んだもの	11284	
1.0	1.0	7	0.5	0.08	0.24	12	1	0.1	皮下脂肪を除いたもの	11209	1羽　710g
1.1	0.8	微量	0.1	0.07	0.24	10	2	0.1	皮下脂肪を除いたもの	11210	1羽　2800g

・（カッコ）内の成分値および（微量）は推定値または推計値であることを意味します。

肉類

食品名			エネルギー	水分	たんぱく質	脂質	コレステロール	炭水化物	食物繊維	ナトリウム	カリウム	カルシウム	マグネシウム
			可食部（食べられる部分）100gあたり							ミネラル			
			kcal	g	g	g	mg	g	g	mg	mg	mg	mg
すずめ	骨・皮つき	生	114	72.2	18.1	4.6	230	(0.1)	(0)	80	160	1100	42
鶏肉													
若鶏肉													
手羽	皮つき	生	189	68.1	(16.5)	13.7	110	0	(0)	79	220	14	17
手羽先	皮つき	生	207	67.1	16.3	15.7	120	0	(0)	78	210	20	16
手羽元	皮つき	生	175	68.9	16.7	12.1	100	0	(0)	80	230	10	19
むね	皮つき	生	133	72.6	17.3	5.5	73	3.6	(0)	42	340	4	27
		焼き	215	55.1	29.2	8.4	120	5.8	(0)	65	510	6	40
	皮なし	生	105	74.6	19.2	1.6	72	3.4	(0)	45	370	4	29
		焼き	177	57.6	33.2	2.8	120	4.7	(0)	73	570	7	47
もも	皮つき	生	190	68.5	17.0	13.5	89	0	(0)	62	290	5	21
		ゆで	216	62.9	(22.1)	14.2	130	0	(0)	47	210	9	23
		焼き	220	58.4	(26.4)	12.7	130	0	(0)	92	390	6	29
		から揚げ	307	41.2	20.5	17.2	110	17.0	0.8	990	430	11	32
	皮なし	生	113	76.1	16.3	4.3	87	2.3	(0)	69	320	5	24
		ゆで	141	69.1	(21.1)	4.2	120	4.6	(0)	56	260	10	25
		焼き	145	68.1	(21.5)	4.5	120	4.7	(0)	81	380	7	29
		から揚げ	249	47.1	20.8	10.5	100	17.3	0.9	1100	440	12	34
ささ身	生		98	75.0	19.7	0.5	66	2.8	(0)	40	410	4	32
	ゆで		121	69.2	25.4	0.6	77	3.1	(0)	38	360	5	34
	焼き		132	66.4	26.9	0.8	84	3.5	(0)	53	520	5	41
	フライ		246	52.4	22.4	12.2	71	11.1	未測定	95	440	14	36
	天ぷら		192	59.3	22.2	6.9	71	9.6	未測定	65	430	24	34
ひき肉													
ひき肉	生		171	70.2	14.6	11.0	80	3.4	(0)	55	250	8	24

可食部（食べられる部分）100gあたり									備考	食品番号	参考 見た目のおおまかなめやす量
		ビタミン						食塩相当量			
鉄	亜鉛	ビタミンA（レチノール活性当量）	ビタミンD	ビタミンB1	ビタミンB2	葉酸	ビタミンC				
mg	mg	μg	μg	mg	mg	μg	mg	g			
8.0	2.7	15	0.2	0.28	0.80	16	微量	0.2	くちばし、内臓および足先を除いたもの	11211	1羽　20g
0.5	1.2	47	0.4	0.07	0.10	10	2	0.2		11218	骨つき1本　70g
0.6	1.5	51	0.6	0.07	0.09	8	2	0.2		11285	骨つき1本　60g（正味35g）
0.5	1.0	44	0.3	0.08	0.10	12	2	0.2		11286	骨つき1本　60g（正味40g）
0.3	0.6	18	0.1	0.09	0.10	12	3	0.1		11219	1枚　280g
0.4	1.0	27	0.1	0.12	0.17	17	3	0.2		11287	
0.3	0.7	9	0.1	0.10	0.11	13	3	0.1	皮下脂肪を除いたもの	11220	1枚分　255g
0.5	1.1	14	0.1	0.14	0.18	18	4	0.2		11288	
0.6	1.6	40	0.4	0.10	0.15	13	3	0.2		11221	1枚　280g
1.0	2.0	47	0.2	0.07	0.21	7	2	0.1		11223	1枚　180g
0.9	2.5	25	0.4	0.14	0.24	8	2	0.2		11222	1枚　170g
1.0	2.1	28	0.2	0.12	0.23	23	2	2.5		11289	
0.6	1.8	16	0.2	0.12	0.19	10	3	0.2	皮下脂肪を除いたもの	11224	1枚分　220g
0.8	2.2	14	0	0.12	0.18	8	2	0.1		11226	1枚　140g
0.9	2.6	13	0	0.14	0.23	10	3	0.2		11225	1枚　145g
1.0	2.3	17	0.2	0.15	0.25	22	2	2.7		11290	
0.3	0.6	5	0	0.09	0.11	15	3	0.1		11227	1本　50g
0.3	0.8	4	0	0.09	0.13	11	2	0.1		11229	1本　40g
0.4	0.8	4	0	0.11	0.16	13	2	0.1		11228	1本　40g
0.4	0.8	4	未測定	0.09	0.15	15	2	0.2		11300	
0.4	0.8	5	未測定	0.09	0.16	16	3	0.2		11299	
0.8	1.1	37	0.1	0.09	0.17	10	1	0.1		11230	大さじ1　15g

・（カッコ）内の成分値および（微量）は推定値または推計値であることを意味します。

肉類

食品名	エネルギー	水分	たんぱく質	脂質	コレステロール	炭水化物	食物繊維	ナトリウム	カリウム	カルシウム	マグネシウム
								ミネラル			
	kcal	g	g	g	mg	g	g	mg	mg	mg	mg
副生物											
心臓 生 別名 はつ	186	69.0	12.2	13.2	160	4.6	(0)	85	240	5	15
肝臓 生 別名 レバー	100	75.7	16.1	1.9	370	4.7	(0)	85	330	5	19
筋胃 生 別名 砂ぎも	86	79.0	15.5	1.2	200	3.5	(0)	55	230	7	14
皮 むね 生	466	41.5	6.8	46.7	110	4.6	(0)	23	140	3	8
もも 生	474	41.6	5.3	50.3	120	0	(0)	23	33	6	6
軟骨 生 別名 やげん	54	85.0	12.5	0.3	29	(0.4)	(0)	390	170	47	15
鶏加工品											
焼き鳥缶詰め	173	62.8	15.5	7.6	76	10.6	(0)	850	200	12	21
チキンナゲット	235	53.7	13.0	12.3	45	17.1	1.2	630	260	48	24
つくね	235	57.9	13.5	14.8	85	10.8	(1.9)	720	260	33	25
はと 皮なし 生	131	71.5	(19.0)	4.4	160	3.8	(0)	88	380	3	28
ほろほろ鳥 皮なし 生	98	75.2	19.4	0.7	75	3.6	(0)	67	350	6	27
その他肉											
いなご つくだ煮	243	33.7	26.3	0.6	77	33.1	(0)	1900	260	28	32
かえる 生	92	76.3	22.3	0.2	43	(0.3)	(0)	33	230	9	23
すっぽん 生	175	69.1	16.4	12.0	95	(0.5)	(0)	69	150	18	10
はち はちの子缶詰め	239	44.3	16.2	6.8	55	(27.2)	(0)	680	110	11	24

可食部（食べられる部分）100g あたり

可食部（食べられる部分）100gあたり											
		ビタミン									
鉄	亜鉛	ビタミンA（レチノール活性当量）	ビタミンD	ビタミンB1	ビタミンB2	葉酸	ビタミンC	食塩相当量	備考	食品番号	参考 見た目のおおまかなめやす量
mg	mg	µg	µg	mg	mg	µg	mg	g			
5.1	2.3	700	0.4	0.22	1.10	43	5	0.2		11231	1個　15g
9.0	3.3	14000	0.2	0.38	1.80	1300	20	0.2		11232	1個　50g
2.5	2.8	4	0	0.06	0.26	36	5	0.1		11233	1個　25g
0.3	0.5	120	0.3	0.02	0.05	3	1	0.1	皮下脂肪を含んだもの	11234	1枚分　25g
0.3	0.4	120	0.3	0.01	0.05	2	1	0.1	皮下脂肪を含んだもの	11235	1枚分　60g
0.3	0.3	1	0	0.03	0.03	5	3	1.0	胸骨の軟骨部分	11236	1切れ　5g
2.9	1.6	60	0	0.01	0.18	7	(0)	2.2	液汁を含んだもの	11237	1缶　85g
0.6	0.6	24	0.2	0.08	0.09	13	1	1.6		11292	
1.1	1.4	38	0.4	0.11	0.18	18	0	1.8		11293	
4.4	0.6	16	0.2	0.32	1.89	2	3	0.2		11238	1羽　100g
1.1	1.2	9	0.4	0.16	0.20	2	3	0.2	皮下脂肪を除いたもの	11240	1枚　200g
4.7	3.2	75	0.3	0.06	1.00	54	(0)	4.8		11241	10匹　15g
0.4	1.2	(0)	0.9	0.04	0.13	4	0	0.1		11242	
0.9	1.6	94	3.6	0.91	0.41	16	1	0.2	甲殻、頭部、脚、内臓、皮等を除いたもの	11243	1匹　560g
3.0	1.7	42	0	0.17	1.22	28	(0)	1.7	原材料：おもに地ばち（黒すずめばち）の幼虫	11244	大さじ1　12g

・（カッコ）内の成分値および（微量）は推定値または推計値であることを意味します。

卵類

食品名		エネルギー	水分	たんぱく質	脂質	コレステロール	炭水化物	食物繊維	ミネラル			
									ナトリウム	カリウム	カルシウム	マグネシウム
		kcal	g	g	g	mg	g	g	mg	mg	mg	mg
可食部（食べられる部分）100gあたり												
あひる卵	ピータン	188	66.7	13.7	13.5	680	3.0	(0)	780	65	90	6
うこっけい卵	全卵　生	154	73.7	(10.7)	10.5	550	4.2	(0)	140	150	53	11
うずら卵	全卵　生	157	72.9	11.4	10.7	470	3.9	(0)	130	150	60	11
	水煮缶詰め	162	73.3	(9.7)	11.9	490	4.1	(0)	210	28	47	8
鶏卵	全卵　生	142	75.0	11.3	9.3	370	3.4	0	140	130	46	10
	ゆで	134	76.7	11.2	9.0	380	2.1	0	140	130	47	11
	ポーチドエッグ	145	74.9	(10.6)	9.7	420	3.9	(0)	110	100	55	11
	目玉焼き	205	67.0	12.7	15.5	470	3.9	0	180	150	60	14
	いり 別名 スクランブルエッグ	190	70.0	12.1	14.6	400	2.5	0	160	140	58	13
	素揚げ	321	54.8	12.8	29.9	460	(0.2)	0	180	160	58	13
	卵黄　生	336	49.6	13.8	28.2	1200	6.7	0	53	100	140	11
	ゆで	330	50.3	13.5	27.6	1200	6.9	0	58	87	140	12
	卵白　生	44	88.3	9.5	0	1	1.6	0	180	140	5	10
	ゆで	46	87.9	9.9	微量	2	1.5	0	170	140	6	11
	たまご豆腐	76	(85.2)	(5.8)	(4.5)	(190)	(3.1)	0	(390)	(99)	(26)	(8)
	たまご焼き　厚焼きたまご	146	(71.9)	(9.4)	(8.1)	(320)	(8.9)	0	(450)	(130)	(41)	(11)
	だし巻きたまご	123	(77.5)	(9.8)	(8.0)	(330)	(2.9)	0	(470)	(130)	(42)	(11)

可食部（食べられる部分）100g あたり											
		ビタミン									
鉄	亜鉛	ビタミンA（レチノール活性当量）	ビタミンD	ビタミンB1	ビタミンB2	葉酸	ビタミンC	食塩相当量	備考	食品番号	参考 見た目のおおまかなめやす量
mg	mg	µg	µg	mg	mg	µg	mg	g			
3.0	1.3	220	6.2	微量	0.27	63	(0)	2.0	あひる卵製品	12020	1個（むき身） 70g
2.2	1.6	160	1.0	0.10	0.32	6	0	0.4		12001	1個 40g
3.1	1.8	350	2.5	0.14	0.72	91	(0)	0.3		12002	殻つき1個 12g（正味 10g）
2.8	1.8	480	2.6	0.03	0.33	47	(0)	0.5	液汁を除いたもの	12003	1個 10g
1.5	1.1	210	3.8	0.06	0.37	49	0	0.4	ビタミンD：ビタミンD活性代謝物を含む（含まない場合：1.3 µg）	12004	殻つき1個 65g（正味 55g）
1.5	1.1	170	2.5	0.06	0.32	48	0	0.3	ビタミンD：ビタミンD活性代謝物を含む（含まない場合：0.8 µg）	12005	
2.2	1.5	160	0.9	0.06	0.40	46	(0)	0.3		12006	
2.1	1.4	200	3.9	0.07	0.41	58	0	0.5	ビタミンD：ビタミンD活性代謝物を含む（含まない場合：1.7 µg）	12021	
1.8	1.4	180	4.7	0.07	0.42	48	0	0.4	ビタミンD：ビタミンD活性代謝物を含む（含まない場合：2.0 µg）	12022	
2.0	1.4	200	4.5	0.08	0.43	54	0	0.5	ビタミンD：ビタミンD活性代謝物を含む（含まない場合：1.9 µg）	12023	
4.8	3.6	690	12.0	0.21	0.45	150	0	0.1	液卵黄を含む。ビタミンD：ビタミンD活性代謝物を含む（含まない場合：4.5 µg）	12010	1個分 17g
4.7	3.3	520	7.1	0.16	0.43	140	0	0.1	液卵黄を含む。ビタミンD：ビタミンD活性代謝物を含む（含まない場合：2.9 µg）	12011	
微量	0	0	0	0	0.35	0	0	0.5		12014	1個分 38g
微量	0	0	0	0.02	0.26	0	0	0.4		12015	
(0.8)	(0.6)	(83)	(0.6)	(0.04)	(0.17)	(25)	0	(1.0)		12017	1パック 110g
(1.3)	(0.9)	(140)	(2.1)	(0.06)	(0.27)	(40)	0	(1.2)	調味料として砂糖を添加	12018	1切れ 60g
(1.3)	(1.0)	(140)	(2.2)	(0.06)	(0.28)	(42)	0	(1.2)	砂糖を添加せず、だしを多く加えるもの	12019	1切れ 60g

・（カッコ）内の成分値および（微量）は推定値または推計値であることを意味します。

乳類

食品名	エネルギー	水分	たんぱく質	脂質	コレステロール	炭水化物	食物繊維	ナトリウム	カリウム	カルシウム	マグネシウム
	kcal	g	g	g	mg	g	g	mg	mg	mg	mg
液状乳（牛乳、乳飲料）											
生乳 ジャージー種	77	85.5	3.5	5.0	17	4.5	(0)	58	140	140	13
ホルスタイン種	63	87.7	2.8	3.8	12	4.4	(0)	40	140	110	10
普通牛乳 一般名 牛乳	61	87.4	3.0	3.5	12	4.4	(0)	41	150	110	10
加工乳 濃厚乳	70	86.3	3.0	4.2	16	4.8	(0)	55	170	110	13
低脂肪乳	42	88.8	3.4	1.0	6	4.9	(0)	60	190	130	14
乳児用液体ミルク	66	87.6	1.5	3.6	11	7.1	0	未測定	81	45	5
乳飲料 コーヒー牛乳	56	88.1	1.9	2.0	8	7.7	(0)	30	85	80	10
フルーツ牛乳	46	88.3	1.2	0.2	2	9.9	(0)	20	65	40	6
粉乳											
スキムミルク 別名 脱脂粉乳	354	3.8	30.6	0.7	25	55.2	(0)	570	1800	1100	110
育児用粉ミルク 別名 乳児用調製粉乳	510	2.6	10.8	26.0	63	57.9	(0)	140	500	370	40
練乳											
無糖練乳 別名 エバミルク	135	72.5	(6.2)	7.5	27	(10.8)	(0)	140	330	270	21
加糖練乳 別名 コンデンスミルク	314	26.1	7.0	8.4	19	53.2	(0)	96	400	260	25
クリーム類											
生クリーム 乳脂肪 別名 フレッシュクリーム	404	48.2	1.6	39.6	64	10.1	0	43	76	49	5
乳脂肪・植物性脂肪	388	49.8	(3.9)	(40.2)	63	(2.8)	(0)	140	76	47	4
植物性脂肪 別名 植物性生クリーム	353	55.5	1.1	37.6	21	2.5	0	40	67	50	6
ホイップクリーム 乳脂肪	409	44.3	(1.5)	(37.5)	110	16.2	(0)	24	72	54	4
乳脂肪・植物性脂肪	394	44.0	(3.5)	(36.7)	57	(12.6)	(0)	130	69	42	3

可食部（食べられる部分）100gあたり

可食部（食べられる部分）100gあたり		ビタミン									
鉄	亜鉛	ビタミンA（レチノール活性当量）	ビタミンD	ビタミンB1	ビタミンB2	葉酸	ビタミンC	食塩相当量	備考	食品番号	参考 見た目のおおまかなめやす量
mg	mg	µg	µg	mg	mg	µg	mg	g			
0.1	0.4	53	0.1	0.02	0.21	3	1	0.1	生乳は搾ったままの未殺菌牛乳	13001	1カップ 210g
微量	0.4	38	微量	0.04	0.15	5	1	0.1		13002	1カップ 210g
0.02	0.4	38	0.3	0.04	0.15	5	1	0.1	一般に広く市販されている。ビタミンD：ビタミンD活性代謝物を含む（含まない場合：微量）	13003	コップ1杯 150g 1カップ 210g
0.1	0.4	35	微量	0.03	0.17	0	微量	0.1		13004	コップ1杯 150g 1カップ 210g
0.1	0.4	13	微量	0.04	0.18	微量	微量	0.2		13005	コップ1杯 150g 1カップ 210g
0.6	0.4	66	1.1	0.08	0.11	21	31	0	調乳せずにそのまま飲むことが可能な母乳代替食品	13059	
0.1	0.2	5	微量	0.02	0.09	微量	微量	0.1		13007	1カップ 210g
微量	0.1	(0)	微量	0.01	0.06	微量	微量	0.1		13008	1カップ 210g
0.5	3.9	6	微量	0.30	1.60	1	5	1.4		13010	大さじ1 6g 小さじ1 2g
6.5	2.8	560	9.3	0.41	0.72	82	53	0.4	育児用栄養強化品	13011	大さじ1 9g
0.2	1.0	50	微量	0.06	0.35	1	微量	0.4		13012	大さじ1 16g
0.1	0.8	120	0.1	0.08	0.37	1	2	0.2		13013	大さじ1 21g
0.1	0.2	160	0.3	0.02	0.13	0	0	0.1	液状クリーム	13014	1パック（200mℓ） 200g 大さじ1 15g
0.2	0.3	200	0.3	0.01	0.07	2	微量	0.4	脂質：乳脂肪由来 22.5g、植物性脂肪由来 19.6g	13015	1カップ 200g
0	0.2	9	0.1	0.01	0.07	0	0	0.1		13016	1カップ 200g
0.1	0.2	350	0.5	0.02	0.08	微量	微量	0.1	クリームにグラニュー糖を加えて泡だてたもの	13017	
0.1	0.3	180	0.2	0.01	0.06	3	（微量）	0.3	クリームにグラニュー糖を加えて泡だてたもの。脂質は乳脂肪由来 19.1g、植物性脂肪由来 17.1g	13018	

・(カッコ) 内の成分値および (微量) は推定値または推計値であることを意味します。

乳類

食品名	エネルギー	水分	たんぱく質	脂質	コレステロール	炭水化物	食物繊維	ナトリウム	カリウム	カルシウム	マグネシウム
	kcal	g	g	g	mg	g	g	mg	mg	mg	mg
植物性脂肪	399	43.7	(5.5)	(35.8)	5	13.9	(0)	230	65	30	3
コーヒークリーム 液状 乳脂肪	205	70.3	4.8	17.8	50	6.4	(0)	150	55	30	3
乳脂肪・植物性脂肪	227	69.2	(4.2)	(21.2)	27	4.6	(0)	160	50	26	3
植物性脂肪	244	68.4	(3.8)	24.6	3	(1.8)	(0)	160	45	21	2
粉末状 乳脂肪	504	2.8	(6.5)	24.4	86	64.5	0	360	360	87	9
植物性脂肪	542	2.7	(1.8)	32.8	1	59.4	0	720	220	120	1
ヨーグルト・乳酸菌飲料											
ヨーグルト 全脂無糖 別名 プレーンヨーグルト	56	87.7	3.3	2.8	12	3.8	(0)	48	170	120	12
低脂肪無糖	40	89.2	3.4	0.9	5	3.9	(0)	48	180	130	13
無脂肪無糖	37	89.1	3.8	0.2	4	4.1	(0)	54	180	140	13
脱脂加糖 別名 普通ヨーグルト	65	82.6	4.0	0.2	4	11.2	(0)	60	150	120	22
ドリンクタイプ 加糖	64	83.8	2.6	0.5	3	11.5	(0)	50	130	110	11
乳酸菌飲料 乳製品	64	82.1	0.9	微量	1	15.1	(0)	18	48	43	5
殺菌乳製品	217	45.5	1.3	0.1	2	51.6	(0)	19	60	55	7
非乳製品	39	89.3	0.3	0.1	1	9.2	0.2	10	44	16	3
チーズ類											
ナチュラルチーズ エダムチーズ	321	41.0	(29.4)	22.6	65	(0)	(0)	780	65	660	40
エメンタールチーズ	398	33.5	(27.2)	29.5	85	5.8	(0)	500	110	1200	32
カテージチーズ	99	79.0	13.2	4.1	20	2.2	(0)	400	50	55	4
カマンベールチーズ	291	51.8	17.7	22.5	87	4.2	(0)	800	120	460	20
クリームチーズ	313	55.5	7.6	30.1	99	2.4	(0)	260	70	70	8
ゴーダチーズ	356	40.0	(26.3)	26.2	83	3.7	(0)	800	75	680	31

可食部（食べられる部分）100g あたり		ビタミン									参考
鉄	亜鉛	ビタミンA（レチノール活性当量）	ビタミンD	ビタミンB1	ビタミンB2	葉酸	ビタミンC	食塩相当量	備考	食品番号	見た目のおおまかなめやす量
mg	mg	µg	µg	mg	mg	µg	mg	g			
0.2	0.4	9	0	0	0.05	3	0	0.6	クリームにグラニュー糖を加えて泡だてたもの	13019	
0.1	0.4	150	0.2	0.01	0.05	2	微量	0.4		13020	1個（5mℓ） 5g
0.1	0.3	77	0.1	0.01	0.04	2	微量	0.4	脂質は乳脂肪由来 9.2g、植物性脂肪由来 12.4g	13021	1個 5g
0.1	0.3	3	0	0	0.03	2	微量	0.4		13022	1個 5g
0	0.4	320	0.2	0.02	0.65	10	0	0.9	商品名に「クリープ」など	13023	小さじ1 2g
0.1	0.2	0	0	0	0.01	2	0	1.8	商品名に「ブライト」など	13024	小さじ1 2g
微量	0.4	33	0	0.04	0.14	11	1	0.1	全脂無糖ヨーグルト	13025	1食分 80g 1カップ 210g 大さじ1 15g
微量	0.5	12	0	0.04	0.19	15	2	0.1		13053	
微量	0.4	3	0	0.04	0.17	16	1	0.1		13054	
0.1	0.4	(0)	微量	0.03	0.15	3	微量	0.2	砂糖等の糖類のほか、ゼラチン、寒天を加えたもの	13026	1パック 75g
0.1	微量	5	微量	0.01	0.12	1	微量	0.1		13027	コップ1杯 150g
微量	0.4	0	0	0.01	0.05	微量	微量	0	商品名に「ヤクルト」など	13028	
0.1	0.2	(0)	微量	0.02	0.08	微量	0	0	商品名に「カルピス」など。希釈後飲用	13029	
微量	微量	1	0.1	0.01	0.01	微量	5	0	商品名に「マミー」など	13030	
0.3	4.6	250	0.2	0.04	0.42	39	(0)	2.0		13031	1切れ 30g
0.3	4.3	220	0.1	0.02	0.48	10	(0)	1.3		13032	大さじ1 8g
0.1	0.5	37	0	0.02	0.15	21	(0)	1.0	クリーム入りを含む	13033	大さじ1 15g
0.2	2.8	240	0.2	0.03	0.48	47	(0)	2.0		13034	1ホール 100g 輸入品1ホール 125g
0.1	0.7	250	0.2	0.03	0.22	11	(0)	0.7		13035	大さじ1 15g
0.3	3.6	270	0	0.03	0.33	29	(0)	2.0		13036	1切れ 10g

・(カッコ) 内の成分値および (微量) は推定値または推計値であることを意味します。

乳類

食品名	エネルギー (kcal)	水分 (g)	たんぱく質 (g)	脂質 (g)	コレステロール (mg)	炭水化物 (g)	食物繊維 (g)	ミネラル ナトリウム (mg)	カリウム (mg)	カルシウム (mg)	マグネシウム (mg)
	可食部(食べられる部分)100gあたり										
チェダーチーズ	390	35.3	23.9	32.1	100	(0.4)	(0)	800	85	740	24
パルメザンチーズ	445	15.4	(41.1)	27.6	96	8.0	(0)	1500	120	1300	55
ブルーチーズ	326	45.6	(17.5)	26.1	90	5.3	(0)	1500	120	590	19
マスカルポーネチーズ	273	62.4	4.1	25.3	83	7.2	(0)	35	140	150	10
モッツァレラチーズ	269	56.3	18.4	19.9	62	4.2	(0)	70	20	330	11
やぎチーズ 別名 シェーブルチーズ	280	52.9	18.5	20.1	88	5.9	(0)	480	260	130	20
リコッタチーズ	159	72.9	7.1	11.5	57	6.7	(0)	160	210	340	20
プロセスチーズ	313	45.0	21.6	24.7	78	0.1	(0)	1100	60	630	19
チーズスプレッド	284	53.8	15.9	23.1	87	3.2	(0)	1000	50	460	14
アイスクリーム類											
アイスクリーム 高脂肪	205	61.3	3.1	10.8	32	23.6	0.1	80	160	130	14
普通脂肪	178	63.9	3.5	7.7	53	23.6	0.1	110	190	140	13
アイスミルク	167	65.6	(3.0)	6.5	18	24.1	(0)	75	140	110	14
ラクトアイス 普通脂肪	217	60.4	2.7	14.1	21	20.0	0.1	61	150	95	12
低脂肪	108	75.2	(1.6)	2.0	4	20.8	(0)	45	80	60	9
ソフトクリーム	146	69.6	(3.4)	5.6	13	20.5	(0)	65	190	130	14
その他乳類											
シャーベット	128	69.1	0.9	1.0	1	28.7	(0)	13	95	22	3
人乳	61	88.0	0.8	3.6	15	(6.4)	(0)	15	48	27	3

可食部（食べられる部分）100g あたり		ビタミン						食塩相当量	備考	食品番号	参考 見た目のおおまかなめやす量
鉄	亜鉛	ビタミンA（レチノール活性当量）	ビタミンD	ビタミンB1	ビタミンB2	葉酸	ビタミンC				
mg	mg	µg	µg	mg	mg	µg	mg	g			
0.3	4.0	330	0	0.04	0.45	32	(0)	2.0		13037	1切れ　10g
0.4	7.3	240	0.2	0.05	0.68	10	(0)	3.8	粉末状にした粉チーズが有名	13038	大さじ1　6g
0.3	2.5	280	0.3	0.03	0.42	57	(0)	3.8		13039	1切れ（3×3cm 厚さ1cm）　10g
0.1	0.5	390	0.2	0.03	0.17	2	0	0.1		13055	大さじ1　16g
0.1	2.8	280	0.2	0.01	0.19	9	未測定	0.2		13056	1切れ（厚さ8mm）15g
0.1	0.5	290	0.3	0.09	0.88	100	未測定	1.2		13057	1切れ（厚さ8mm）12g
0.1	0.3	160	0	0.04	0.21	4	未測定	0.4		13058	大さじ1　16g
0.3	3.2	260	微量	0.03	0.38	27	0	2.8	スライスチーズなど	13040	スライス1枚　18g 6Pチーズ1個　18g 1切れ（3×6cm 厚さ5mm）　10g スティック1本　10g 個包装1個　15g
0.2	1.6	190	0.3	0.02	0.35	16	(0)	2.5	プロセスチーズの一種。バターと乳化剤が加えられたパンに塗ったりできる半固体状のチーズ	13041	大さじ1　13g
0.1	0.5	100	0.1	0.06	0.18	微量	微量	0.2	バニラアイスクリーム	13042	ディッシャー1杯（50mℓ）　18g
0.1	0.4	58	0.1	0.06	0.20	微量	微量	0.3		13043	ディッシャー1杯（50mℓ）　20g
0.1	0.3	22	0.1	0.03	0.14	微量	微量	0.2	植物性脂肪を含む	13044	ディッシャー1杯（50mℓ）　30g
0.1	0.4	10	微量	0.03	0.15	1	微量	0.2	主な脂質：植物性脂肪	13045	ディッシャー1杯（50mℓ）　25g
0.1	0.1	0	微量	0.02	0.12	1	(0)	0.1	主な脂質：植物性脂肪	13046	ディッシャー1杯（50mℓ）　30g
0.1	0.4	18	0.1	0.05	0.22	微量	(0)	0.2	主な脂質：乳脂肪。コーンカップを除いたもの	13047	1個　100g
0.1	0.1	(0)	微量	0.04	0.05	微量	0	0	乳成分入り氷菓	13049	ディッシャー1杯（50mℓ）　30g
0.04	0.3	46	0.3	0.01	0.03	微量	5	0	成熟乳。ビタミンD：ビタミンD活性代謝物を含む（含まない場合：微量）	13051	

・（カッコ）内の成分値および（微量）は推定値または推計値であることを意味します。

油脂類

食品名	エネルギー	水分	たんぱく質	脂質	コレステロール	炭水化物	食物繊維	ミネラル ナトリウム	カリウム	カルシウム	マグネシウム
	可食部（食べられる部分）100gあたり										
	kcal	g	g	g	mg	g	g	mg	mg	mg	mg
植物油											
亜麻仁油	897	微量	0	99.5	2	0.5	0	0	0	微量	0
えごま油	897	微量	0	99.5	0	0.5	0	微量	微量	1	微量
オリーブ油	894	0	0	98.9	0	1.1	0	微量	0	微量	0
↳ 大さじ1（13.7g）あたり	122	0	0	13.5	0	0.2	0	微量	0	微量	0
ごま油	890	0	0	98.1	0	1.9	0	微量	微量	1	微量
↳ 大さじ1（13.8g）あたり	123	0	0	13.5	0	0.3	0	微量	微量	微量	微量
米ぬか油 別名 米油	880	0	0	96.1	0	3.9	0	0	微量	微量	0
↳ 大さじ1（13.8g）あたり	121	0	0	13.3	0	0.5	0	0	微量	微量	0
サフラワー油 別名 べにばな油	892	0	0	98.5	0	1.5	0	0	0	0	0
↳ 大さじ1（13.7g）あたり	122	0	0	13.5	0	0.2	0	0	0	0	0
大豆油	885	0	0	97.0	1	3.0	0	0	微量	0	0
↳ 大さじ1（13.8g）あたり	122	0	0	13.4	微量	0.4	0	0	微量	0	0
調合油 一般名 サラダ油	886	0	0	97.2	2	2.8	0	0	微量	微量	0
↳ 大さじ1（13.5g）あたり	120	0	0	13.1	微量	0.4	0	0	微量	微量	0
とうもろこし油 別名 コーン油	884	0	0	96.8	0	3.2	0	0	0	微量	0
↳ 大さじ1（13.8g）あたり	122	0	0	13.4	0	0.4	0	0	0	微量	0
なたね油 別名 キャノーラ油	887	0	0	97.5	2	2.5	0	0	微量	微量	0
↳ 大さじ1（13.7g）あたり	122	0	0	13.4	微量	0.3	0	0	微量	微量	0
ひまわり油	899	0	0	99.9	0	0.1	0	0	0	0	0
↳ 大さじ1（13.8g）あたり	124	0	0	13.8	0	微量	0	0	0	0	0
ぶどう油 別名 グレープシードオイル	882	0	0	96.5	0	3.5	0	0	0	0	0
↳ 大さじ1（13.8g）あたり	122	0	0	13.3	0	0.5	0	0	0	0	0
綿実油	883	0	0	96.6	0	3.4	0	0	0	0	0

可食部（食べられる部分）100g あたり									備考	食品番号	参考 見た目のおおまかなめやす量
		ビタミン						食塩相当量			
鉄	亜鉛	ビタミンA（レチノール活性当量）	ビタミンD	ビタミンB1	ビタミンB2	葉酸	ビタミンC				
mg	mg	µg	µg	mg	mg	µg	mg	g			
0	0	1	(0)	0	0	未測定	(0)	0		14023	小さじ1　4g
0.1	0	2	(0)	0	0	未測定	(0)	0		14024	小さじ1　4g
0	0	15	(0)	0	0	(0)	(0)	0		14001	
0	0	2	(0)	0	0	(0)	(0)	0			小さじ1　4g
0.1	微量	0	(0)	0	0	(0)	(0)	0		14002	
微量	微量	0	(0)	0	0	(0)	(0)	0			小さじ1　4g
0	0	0	(0)	0	0	(0)	(0)	0		14003	
0	0	0	(0)	0	0	(0)	(0)	0			小さじ1　4g
0	0	0	(0)	0	0	(0)	(0)	0	ハイオレイック。高オレイン酸精製油および高リノール酸精製油	14004	
0	0	0	(0)	0	0	(0)	(0)	0			小さじ1　4g
0	0	0	(0)	0	0	(0)	(0)	0		14005	
0	0	0	(0)	0	0	(0)	(0)	0			小さじ1　4g
0	微量	0	(0)	0	0	(0)	(0)	0		14006	
0	微量	0	(0)	0	0	(0)	(0)	0			小さじ1　4g
0	0	0	(0)	0	0	(0)	(0)	0		14007	
0	0	0	(0)	0	0	(0)	(0)	0			小さじ1　4g
0	微量	0	(0)	0	0	(0)	(0)	0		14008	
0	微量	0	(0)	0	0	(0)	(0)	0			小さじ1　4g
0	0	0	(0)	0	0	(0)	(0)	0	ハイリノール。高リノール酸精製油およびミッドオレイン酸精製油、高オレイン酸精製油	14011	
0	0	0	(0)	0	0	(0)	(0)	0			小さじ1　4g
0	0	微量	0	0	0	(0)	(0)	0		14028	
0	0	微量	0	0	0	(0)	(0)	0			小さじ1　4g
0	0	0	(0)	0	0	(0)	(0)	0		14012	

・（カッコ）内の成分値および（微量）は推定値または推計値であることを意味します。

油脂類

食品名	エネルギー	水分	たんぱく質	脂質	コレステロール	炭水化物	食物繊維	ミネラル ナトリウム	カリウム	カルシウム	マグネシウム
	kcal	g	g	g	mg	g	g	mg	mg	mg	mg
↳ 大さじ1（13.8g）あたり	122	0	0	13.3	0	0.5	0	0	0	0	0
やし油 別名 ココナッツオイル	889	0	0	97.7	1	2.3	0	0	0	微量	0
↳ 大さじ1（13.7g）あたり	122	0	0	13.4	微量	0.3	0	0	0	微量	0
動物脂											
牛脂 別名 ヘット	869	微量	0.2	93.8	100	6.0	0	1	1	微量	0
ラード 別名 豚脂	885	0	0	97.0	100	3.0	0	0	0	0	0
↳ 小さじ1（4.3g）あたり	38	0	0	4.2	4	0.1	0	0	0	0	0
バター											
有塩バター	700	16.2	0.5	74.5	210	6.8	(0)	750	28	15	2
食塩不使用バター 別名 無塩バター	720	15.8	(0.4)	77.0	220	6.2	(0)	11	22	14	2
発酵バター	713	13.6	(0.5)	74.6	230	9.9	(0)	510	25	12	2
マーガリン											
マーガリン 有塩	715	14.7	0.4	78.9	5	0.8	(0)	500	27	14	2
無塩	715	14.7	0.4	78.9	5	0.8	(0)	(微量)	27	14	2
ファットスプレッド	579	30.2	0.1	64.1	4	0.6	(0)	420	17	8	2
その他油脂											
ショートニング	889	0.1	0	97.8	4	2.2	(0)	0	0	0	0
↳ 小さじ1（4.0g）あたり	36	0	0	3.9	微量	0.1	(0)	0	0	0	0

表頭：可食部（食べられる部分）100g あたり

可食部（食べられる部分）100g あたり											
		ビタミン									
鉄	亜鉛	ビタミンA（レチノール活性当量）	ビタミンD	ビタミンB1	ビタミンB2	葉酸	ビタミンC	食塩相当量	備考	食品番号	参考 見た目のおおまかなめやす量
mg	mg	µg	µg	mg	mg	µg	mg	g			
0	0	0	(0)	0	0	(0)	(0)	0			小さじ1　4g
0	微量	0	(0)	0	0	(0)	(0)	0		14013	
0	微量	0	(0)	0	0	(0)	(0)	0			小さじ1　5g
0.1	微量	85	0	0	0	未測定	0	0		14015	
0	微量	0	0.2	0	0	0	0	0		14016	
0	微量	0	0	0	0	0	0	0			大さじ1　12g
0.1	0.1	520	0.6	0.01	0.03	微量	0	1.9		14017	大さじ1　12g 小さじ1　4g
0.4	0.1	800	0.7	0	0.03	1	0	0		14018	大さじ1　12g 小さじ1　4g
0.4	0.1	780	0.7	0	0.02	1	0	1.3		14019	
微量	0.1	25	11.0	0.01	0.03	微量	0	1.3	油脂含有率 80%以上。ビタミンD添加品含む。	14020	大さじ1　12g 小さじ1　4g
微量	0.1	25	11.0	0.01	0.03	微量	0	0		14033	大さじ1　12g 小さじ1　4g
微量	微量	31	1.1	0.02	0.02	微量	0	1.1	油脂含有率 80%未満	14021	大さじ1　12g 小さじ1　4g
0	0	0	0.1	0	0	0	0	0		14022	
0	0	0	0	0	0	0	0	0			大さじ1　12g

・(カッコ) 内の成分値および (微量) は推定値または推計値であることを意味します。

菓子類

可食部(食べられる部分)100gあたり 食品名	エネルギー	水分	たんぱく質	脂質	コレステロール	炭水化物	食物繊維	ミネラル ナトリウム	カリウム	カルシウム	マグネシウム
	kcal	g	g	g	mg	g	g	mg	mg	mg	mg
和生菓子・和半生菓子											
甘納豆 あずき	283	26.2	(2.9)	(0.1)	0	(66.0)	4.8	45	170	11	17
いんげん豆	288	25.2	(3.3)	(0.2)	0	(66.3)	5.5	45	170	26	19
えんどう	293	23.1	(3.1)	(0.3)	0	(68.7)	3.2	47	110	12	17
今川焼 別名 大判焼、小判焼、回転焼、二重焼、太鼓まんじゅう、ともえ焼 こしあん入り	217	(45.5)	(4.1)	(0.9)	(29)	(47.2)	(1.4)	(57)	(64)	(29)	(8)
つぶしあん入り	220	(45.5)	(4.1)	(1.2)	(29)	(46.9)	(1.7)	(71)	(95)	(23)	(10)
カスタードクリーム入り	224	(45.5)	(4.3)	(2.3)	(62)	(45.7)	(0.9)	(52)	(95)	(46)	(7)
ういろう 白	181	(54.5)	(0.9)	(0.1)	0	(43.8)	(0.1)	(1)	(17)	(2)	(4)
黒	174	(54.5)	(1.1)	(0.1)	(0)	(41.9)	(0.1)	(1)	(41)	(3)	(10)
うぐいすもち こしあん入り	236	(40.0)	(3.1)	(0.3)	0	(54.4)	(1.8)	(35)	(21)	(19)	(9)
つぶしあん入り	237	(40.0)	(2.3)	(0.3)	(0)	(55.5)	(1.2)	(46)	(59)	(8)	(9)
かしわもち こしあん入り	203	(48.5)	(3.5)	(0.3)	0	(45.2)	(1.7)	(55)	(40)	(18)	(13)
つぶしあん入り	204	(48.5)	(3.4)	(0.4)	0	(45.0)	(1.7)	(67)	(78)	(7)	(15)
カステラ	313	(25.6)	(6.5)	(4.3)	(160)	(61.8)	(0.5)	(71)	(86)	(27)	(7)
かのこ	260	(34.0)	(4.1)	(0.2)	未測定	(59.0)	(3.8)	(22)	(93)	(23)	(15)
かるかん	226	(42.5)	(1.7)	(0.2)	0	(54.1)	(0.4)	(2)	(120)	(3)	(8)
きび団子	298	(24.4)	(1.4)	(0.2)	0	(72.9)	(0.1)	(1)	(2)	(2)	(1)
ぎゅうひ	253	(36.0)	(1.2)	(0.2)	0	(61.7)	(0.1)	(1)	(1)	(1)	(1)
切りざんしょ	245	(38.0)	(1.8)	(0.3)	0	(58.5)	(0.2)	(66)	(31)	(2)	(8)
きんぎょく糖	282	(28.0)	(微量)	0	0	(71.2)	(0.8)	(2)	(2)	(7)	(1)
きんつば	260	(34.0)	(5.3)	(0.4)	0	(56.1)	(5.5)	(120)	(160)	(20)	(22)
草もち こしあん入り	224	(43.0)	(3.6)	(0.3)	0	(50.4)	(1.9)	(17)	(46)	(22)	(14)

可食部（食べられる部分）100gあたり											
		ビタミン									
鉄	亜鉛	ビタミンA（レチノール活性当量）	ビタミンD	ビタミンB1	ビタミンB2	葉酸	ビタミンC	食塩相当量	備考	食品番号	参考 見た目のおおまかなめやす量
mg	mg	µg	µg	mg	mg	µg	mg	g			
0.7	0.4	0	0	0.06	0.02	9	0	0.1		15001	10粒　5g
0.8	0.4	0	0	0.09	0.03	13	0	0.1		15002	5粒　25g
0.9	0.6	2	0	0.11	0.02	2	0	0.1		15003	10粒　14g
(0.6)	(0.3)	(14)	(0.3)	(0.04)	(0.04)	(6)	(0)	(0.1)	たい焼を含む	15005	1個　100g
(0.6)	(0.3)	(15)	(0.3)	(0.04)	(0.04)	(8)	(0)	(0.2)		15145	
(0.5)	(0.4)	(51)	(0.8)	(0.06)	(0.08)	(14)	(微量)	(0.1)		15146	
(0.2)	(0.2)	0	0	(0.02)	(微量)	(2)	0	0	白ういろう。食塩添加品あり	15006	1切れ　50g
(0.4)	(0.4)	(0)	(0)	(0.04)	(0.01)	(5)	(0)	0		15147	
(0.9)	(0.5)	0	0	(0.01)	(0.01)	(3)	0	(0.1)		15007	1個　55g
(0.7)	(0.5)	(0)	(0)	(0.01)	(0.01)	(6)	(0)	(0.1)		15148	
(0.9)	(0.5)	0	0	(0.03)	(0.02)	(4)	0	(0.1)	葉を除いたもの	15008	1個　65g
(0.7)	(0.6)	0	0	(0.04)	(0.02)	(7)	0	(0.2)		15149	
(0.7)	(0.6)	(91)	(2.3)	(0.05)	(0.18)	(22)	0	(0.2)	長崎カステラ	15009	1切れ　50g
(0.9)	(0.4)	(0)	(0)	(0.03)	(0.02)	(5)	(0)	(0.1)	ようかん等を芯とし、練りあん、みつ漬あずきで覆い、寒天でつやをつけたもの	15010	1切れ　55g
(0.3)	(0.3)	0	0	(0.05)	(0.01)	(5)	(1)	0		15011	1切れ　50g
(0.3)	(0.3)	0	0	(0.01)	(微量)	(3)	0	0		15012	1個　15g
(0.2)	(0.3)	0	0	(0.01)	(微量)	(3)	0	0		15013	1個　10g
(0.3)	(0.3)	0	0	(0.03)	(0.01)	(4)	0	(0.2)	こねて蒸した上新粉に砂糖を混ぜてつき、山椒油等で風味をつけたもの	15014	1本　20g
(0.1)	(微量)	0	0	0	0	0	0	0	とかした寒天に砂糖、水あめを加え、型に入れて固めたもの	15015	1個　20g
(1.4)	(0.7)	0	0	(0.03)	(0.03)	(8)	0	(0.3)		15016	1個　50g
(1.0)	(0.6)	(13)	0	(0.03)	(0.02)	(5)	0	0		15017	1個　50g

・(カッコ)内の成分値および(微量)は推定値または推計値であることを意味します。

菓子類

可食部(食べられる部分)100gあたり

食品名		エネルギー	水分	たんぱく質	脂質	コレステロール	炭水化物	食物繊維	ミネラル ナトリウム	カリウム	カルシウム	マグネシウム
		kcal	g	g	g	mg	g	g	mg	mg	mg	mg
	つぶしあん入り	227	(43.0)	(4.4)	(0.6)	(0)	(49.1)	(2.7)	(30)	(90)	(13)	(16)
くし団子	こしあん入り	198	(50.0)	(3.3)	(0.4)	0	(43.9)	(1.2)	(22)	(43)	(13)	(13)
	つぶしあん入り	199	(50.0)	(3.3)	(0.4)	0	(43.8)	(1.3)	(24)	(68)	(6)	(15)
	しょうゆ 別名 みたらし団子	194	(50.5)	(2.7)	(0.4)	0	(43.5)	(0.3)	(250)	(59)	(4)	(13)
くずもち	関西風 くずでん粉製品	93	(77.4)	(0.1)	(0.1)	0	(22.5)	0	(1)	(1)	(5)	(1)
	関東風 小麦でん粉製品	94	(77.4)	(0.1)	(0.1)	0	(22.4)	0	(1)	(2)	(4)	(1)
月餅(げっぺい)		348	(20.9)	(4.3)	(8.3)	(微量)	(62.6)	(2.1)	(2)	(64)	(41)	(24)
五平もち		178	(54.7)	(2.5)	(0.5)	0	(40.2)	(1.3)	(240)	(58)	(10)	(9)
桜もち 別名 道明寺	関西風 こしあん入り	196	(50.0)	(3.0)	(0.1)	0	(44.7)	(1.7)	(33)	(22)	(18)	(8)
	つぶしあん入り	197	(50.0)	(2.6)	(0.2)	0	(45.2)	(1.3)	(26)	(43)	(5)	(7)
桜もち	関東風 こしあん入り	235	(40.5)	(4.0)	(0.3)	0	(52.6)	(2.6)	(45)	(37)	(26)	(11)
	つぶしあん入り	237	(40.5)	(3.8)	(0.5)	0	(52.7)	(2.5)	(44)	(82)	(12)	(11)
笹だんご	こしあん入り	227	(40.5)	(3.5)	(0.4)	0	(50.8)	(1.9)	(18)	(88)	(15)	(15)
	つぶしあん入り	228	(40.5)	(4.1)	(0.5)	0	(49.8)	(2.3)	(32)	(91)	(17)	(17)
ずんだ	別名 ずんだあん	190	(52.7)	(5.4)	(3.2)	0	(34.1)	(2.5)	(87)	(270)	(42)	(40)
ずんだもち		212	(47.8)	(4.4)	(1.6)	0	(44.5)	(1.3)	(35)	(130)	(19)	(19)
大福もち	こしあん入り	223	(41.5)	(4.1)	(0.3)	0	(49.3)	(1.8)	(33)	(33)	(18)	(10)
	つぶしあん入り	223	(41.5)	(4.2)	(0.4)	0	(48.6)	(2.7)	(56)	(86)	(10)	(13)
タルト(和菓子)		288	(30.0)	(5.4)	(2.6)	(91)	(60.1)	(1.5)	(38)	(64)	(27)	(9)
ちまき		150	(62.0)	(1.1)	(0.2)	0	(35.9)	(0.1)	(1)	(17)	(1)	(4)
ちゃつう		320	(22.5)	(5.5)	(4.1)	0	(63.6)	(3.8)	(5)	(63)	(120)	(41)
どら焼	こしあん入り	282	(31.5)	(6.0)	(2.8)	(97)	(57.2)	(1.5)	(120)	(61)	(31)	(12)
	つぶしあん入り	292	(31.5)	(6.0)	(2.8)	(98)	(59.9)	(1.9)	(140)	(120)	(22)	(15)

可食部（食べられる部分）100gあたり

鉄	亜鉛	ビタミン						食塩相当量	備考	食品番号	参考 見た目のおおまかなめやす量
		ビタミンA（レチノール活性当量）	ビタミンD	ビタミンB1	ビタミンB2	葉酸	ビタミンC				
mg	mg	µg	µg	mg	mg	µg	mg	g			
(0.9)	(0.6)	(18)	(0)	(0.04)	(0.02)	(9)	(0)	(0.1)		15150	
(0.7)	(0.5)	0	0	(0.04)	(0.02)	(5)	0	(0.1)		15018	1本　60g
(0.6)	(0.6)	0	0	(0.04)	(0.01)	(7)	0	(0.1)		15151	
(0.4)	(0.5)	0	0	(0.04)	(0.02)	(7)	0	(0.6)		15019	1本　55g
(0.5)	0	0	0	0	0	0	0	0	無糖のくずもちのみ（きな粉や黒みつは含まない）	15121	
(0.2)	(微量)	0	0	0	0	0	0	0	無糖のくずもちのみ（きな粉や黒みつは含まない）	15122	
(1.1)	(0.7)	0	0	(0.05)	(0.03)	(8)	0	0	あん（小豆あん、くるみ、水あめ、ごま等）入り	15020	1個　65g
(0.4)	(0.6)	0	0	(0.02)	(0.02)	(5)	0	(0.6)	みそだれ付き。愛知県、岐阜県、静岡県、長野県等の郷土料理	15123	
(0.7)	(0.5)	0	0	(0.01)	(0.01)	(1)	0	(0.1)	蒸し道明寺粉であんを包んだもの。桜葉を除いたもの	15022	1個　70g
(0.4)	(0.6)	0	0	(0.01)	(0.01)	(3)	0	(0.1)	桜葉を除いたもの	15153	
(1.0)	(0.4)	0	0	(0.02)	(0.02)	(2)	0	(0.1)	薄く焼いた小麦粉生地であんを包んだもの。桜葉を除いたもの	15021	1個　45g
(0.7)	(0.3)	0	0	(0.04)	(0.02)	(5)	0	(0.1)	桜葉を除いたもの	15152	
(0.5)	(0.7)	(34)	未測定	(0.06)	(0.02)	(10)	0	0		15124	1本　60g
(0.7)	(0.8)	(33)	未測定	(0.05)	(0.02)	(10)	0	(0.1)		15154	
(1.4)	(0.7)	(13)	0	(0.13)	(0.07)	(140)	(8)	(0.2)	枝豆をゆでてすりつぶし、砂糖を加えたもの	15143	
(0.6)	(0.8)	(5)	0	(0.07)	(0.03)	(60)	(3)	(0.1)		15144	
(0.7)	(0.8)	0	0	(0.02)	(0.01)	(3)	0	(0.1)		15023	1個　95g
(0.7)	(0.8)	0	0	(0.03)	(0.02)	(6)	0	(0.1)		15155	
(0.9)	(0.5)	(54)	(1.0)	(0.04)	(0.11)	(14)	(1)	(0.1)	あん入りロールカステラ。ゆず風味小豆こしあん入り。カステラ生地でゆずの香りのあんを巻いたもの。愛媛県の郷土菓子	15024	1切れ　40g
(0.2)	(0.2)	0	0	(0.02)	(微量)	(3)	0	0	上新粉製品	15025	1個　50g
(1.9)	(0.9)	0	0	(0.08)	(0.05)	(8)	0	0	茶通。小麦粉、ひき茶等を混ぜた生地であんを包み、両面を焼いたもの	15026	1個　55g
(1.1)	(0.5)	(39)	(0.7)	(0.04)	(0.09)	(11)	(0)	(0.3)		15156	1個　90g
(1.1)	(0.6)	(40)	(0.7)	(0.04)	(0.09)	(15)	(0)	(0.4)		15027	

・（カッコ）内の成分値および（微量）は推定値または推計値であることを意味します。

菓子類

食品名	エネルギー	水分	たんぱく質	脂質	コレステロール	炭水化物	食物繊維	ナトリウム	カリウム	カルシウム	マグネシウム
可食部（食べられる部分）100gあたり								ミネラル			
	kcal	g	g	g	mg	g	g	mg	mg	mg	mg
生八つ橋　こしあん入り	274	(30.5)	(3.1)	(0.3)	0	(64.0)	(1.6)	(2)	(35)	(17)	(12)
つぶしあん入り	275	(30.5)	(3.2)	(0.3)	(0)	(63.5)	(2.3)	(32)	(110)	(12)	(17)
練りきり	259	(34.0)	(4.6)	(0.2)	0	(58.2)	(3.6)	(2)	(33)	(39)	(16)
まんじゅう											
カステラまんじゅう　こしあん入り	292	(27.9)	(6.0)	(1.8)	(56)	(61.6)	(2.4)	(47)	(77)	(45)	(14)
つぶしあん入り	292	(27.9)	(6.2)	(2.0)	(57)	(60.3)	(3.2)	(83)	(160)	(33)	(18)
かるかんまんじゅう　こしあん入り	226	(42.5)	(2.5)	(0.2)	(0)	(53.4)	(1.4)	(45)	(65)	(24)	(13)
つぶしあん入り	226	(42.5)	(2.6)	(0.2)	(0)	(53.0)	(1.9)	(78)	(140)	(12)	(16)
くずまんじゅう　こしあん入り 別名 くずざくら	216	(45.0)	(2.7)	(0.1)	0	(50.3)	(2.2)	(48)	(22)	(24)	(10)
つぶしあん入り	218	(45.0)	(1.1)	(0.1)	(0)	(52.9)	(1.3)	(60)	(75)	(10)	(11)
栗まんじゅう　こしあん入り	296	(24.0)	(5.8)	(1.1)	(30)	(64.1)	(3.3)	(25)	(62)	(38)	(14)
つぶしあん入り	295	(24.0)	(6.0)	(1.2)	(31)	(62.6)	(4.7)	(66)	(160)	(26)	(20)
とうまんじゅう　こしあん入り	299	(28.0)	(6.1)	(2.7)	(97)	(61.8)	(1.7)	(25)	(57)	(33)	(13)
つぶしあん入り	294	(28.0)	(6.3)	(2.9)	(99)	(59.5)	(2.3)	(60)	(140)	(23)	(18)
蒸しまんじゅう　こしあん入り	254	(35.0)	(4.1)	(0.3)	(0)	(57.5)	(2.4)	(60)	(48)	(33)	(12)
つぶしあん入り	257	(35.0)	(4.2)	(0.4)	(0)	(57.2)	(3.4)	(95)	(130)	(20)	(16)
中華まんじゅう あんまん　こしあん入り	273	(36.6)	(5.6)	(5.3)	(3)	(48.8)	(2.6)	(11)	(65)	(58)	(23)
つぶしあん入り	279	(36.6)	(5.7)	(5.7)	(3)	(48.8)	(3.3)	(29)	(110)	(55)	(26)
肉まん　別名 豚まん	242	(39.5)	(8.7)	(4.7)	(16)	(39.0)	(3.2)	(460)	(310)	(28)	(20)
もなか　こしあん入り	277	(29.0)	(4.3)	(0.2)	0	(63.2)	(3.1)	(2)	(32)	(33)	(14)
つぶしあん入り	278	(29.0)	(5.6)	(0.3)	0	(60.1)	(6.1)	(59)	(170)	(21)	(25)
ゆべし	321	(22.0)	(2.1)	(3.6)	0	(69.8)	(0.5)	(230)	(62)	(6)	(15)
ようかん　練りようかん	289	(26.0)	(3.1)	(0.1)	0	(68.0)	(3.1)	(3)	(24)	(33)	(12)
水ようかん	168	(57.0)	(2.3)	(0.1)	0	(38.7)	(2.2)	(57)	(17)	(23)	(8)

可食部(食べられる部分)100gあたり											
		ビタミン									
鉄	亜鉛	ビタミンA(レチノール活性当量)	ビタミンD	ビタミンB1	ビタミンB2	葉酸	ビタミンC	食塩相当量	備考	食品番号	参考 見た目のおおまかなめやす量
mg	mg	µg	µg	mg	mg	µg	mg	g			
(0.8)	(0.5)	0	0	(0.03)	(0.02)	(3)	0	0		15157	1個 25g
(1.0)	(0.6)	(0)	(0)	(0.03)	(0.02)	(7)	(0)	(0.1)		15158	1個 25g
(1.5)	(0.6)	0	0	(0.01)	(0.03)	(1)	0	0		15028	1個 40g
(1.3)	(0.6)	(23)	(0.4)	(0.04)	(0.07)	(8)	(0)	(0.1)	カステラ生地であんを包んでオーブンで焼いた福岡県の銘菓	15029	1個 40g
(1.2)	(0.6)	(24)	(0.4)	(0.05)	(0.07)	(13)	(0)	(0.2)		15159	
(1.0)	(0.5)	(0)	(0)	(0.02)	(0.02)	(2)	(微量)	(0.1)		15160	
(1.0)	(0.5)	(0)	(0)	(0.03)	(0.02)	(6)	(微量)	(0.2)		15161	
(0.9)	(0.3)	0	0	(0.01)	(0.02)	(1)	0	(0.1)		15030	1個 60g
(0.7)	(0.3)	(0)	(0)	(0.01)	(0.01)	(4)	(0)	(0.2)		15162	
(1.2)	(0.5)	(17)	(0.3)	(0.03)	(0.05)	(6)	(0)	(0.1)	栗入り小豆こしあん入り	15031	1個 45g
(1.3)	(0.7)	(18)	(0.3)	(0.04)	(0.06)	(12)	0	(0.2)	栗入り小豆つぶしあん入り	15163	
(1.2)	(0.6)	(34)	(0.6)	(0.03)	(0.08)	(10)	(0)	(0.1)	小麦粉、砂糖、卵を混ぜた生地であんを包み、焼いたもの	15032	1個 40g
(1.3)	(0.7)	(36)	(0.6)	(0.04)	(0.09)	(15)	(0)	(0.2)		15164	
(1.0)	(0.4)	(0)	(0)	(0.03)	(0.02)	(2)	(0)	(0.2)	薬まんじゅう等	15033	1個 35g
(1.0)	(0.5)	(0)	(0)	(0.03)	(0.02)	(7)	(0)	(0.2)		15165	
(1.1)	(0.6)	0	0	(0.08)	(0.03)	(9)	0	0		15034	1個 85g
(1.1)	(0.6)	0	0	(0.08)	(0.03)	(12)	0	(0.1)		15166	
(0.8)	(1.2)	(3)	(0.1)	(0.23)	(0.10)	(38)	(7)	(1.2)		15035	1個 85g
(1.2)	(0.6)	0	0	(0.01)	(0.02)	(1)	0	0		15036	1個 60g
(1.6)	(0.8)	0	0	(0.02)	(0.03)	(9)	0	(0.2)		15167	
(0.4)	(0.4)	0	0	(0.03)	(0.02)	(8)	0	(0.6)	くるみ入り	15037	1個 65g
(1.1)	(0.4)	0	0	(0.01)	(0.02)	(1)	0	0		15038	1切れ 60g
(0.8)	(0.3)	0	0	(0.01)	(0.01)	(1)	0	(0.1)		15039	1個 65g

・（カッコ）内の成分値および（微量）は推定値または推計値であることを意味します。

菓子類

食品名	可食部（食べられる部分）100gあたり										
	エネルギー	水分	たんぱく質	脂質	コレステロール	炭水化物	食物繊維	ミネラル			
								ナトリウム	カリウム	カルシウム	マグネシウム
	kcal	g	g	g	mg	g	g	mg	mg	mg	mg
蒸しようかん	237	(39.5)	(3.8)	(0.2)	0	(53.8)	(2.8)	(83)	(32)	(30)	(13)
和干菓子											
あめ玉	385	(2.5)	0	0	0	(97.5)	0	(1)	(2)	(1)	0
芋かりんとう 別名 芋けんぴ	465	(5.5)	(1.2)	(19.8)	(微量)	(69.5)	(2.6)	(13)	(550)	(41)	(28)
おこし	376	(5.0)	(3.2)	(0.6)	0	(88.5)	(0.4)	(95)	(25)	(4)	(5)
おのろけ豆	438	(3.0)	(10.3)	(13.8)	0	(65.3)	(2.3)	(390)	(270)	(17)	(70)
かりんとう 黒	420	(3.5)	(6.9)	(11.1)	(微量)	(72.0)	(1.2)	(7)	(300)	(66)	(27)
白	423	(2.5)	(8.9)	(10.7)	(微量)	(70.8)	(1.7)	(1)	(71)	(17)	(27)
五家宝（ごかぼう）	367	(10.0)	(9.8)	(6.0)	0	(65.7)	(4.5)	(1)	(500)	(48)	(64)
小麦粉せんべい いそべせんべい	377	(4.2)	(3.9)	(0.7)	0	(87.9)	(1.3)	(500)	(59)	(11)	(6)
かわらせんべい	390	(4.3)	(6.5)	(2.9)	(90)	(83.7)	(1.2)	(57)	(54)	(10)	(6)
巻きせんべい 別名 有平巻き	386	(3.5)	(4.0)	(1.3)	(30)	(89.2)	(1.0)	(39)	(71)	(22)	(5)
南部せんべい ごま入り	423	(3.3)	(10.6)	(10.8)	0	(66.7)	(4.2)	(430)	(170)	(240)	(78)
落花生入り	421	(3.3)	(11.0)	(9.2)	0	(69.9)	(3.5)	(340)	(230)	(26)	(40)
しおがま	348	(10.0)	(2.2)	(0.2)	0	(84.2)	(0.6)	(580)	(42)	(14)	(7)
ひなあられ 関西風	385	(2.6)	(7.1)	(1.3)	(0)	(85.5)	(1.3)	(680)	(100)	(8)	(17)
関東風	380	(4.7)	(8.7)	(2.6)	(0)	(79.3)	(2.5)	(590)	(220)	(18)	(31)
米菓せんべい・あられ 揚げせんべい	458	(4.0)	(4.9)	(16.9)	(微量)	(69.0)	(0.5)	(490)	(82)	(5)	(21)
甘辛せんべい 別名 ざらめせんべい	374	(4.5)	(5.8)	(0.8)	0	(83.1)	(0.6)	(460)	(120)	(7)	(28)
あられ	378	(4.4)	(6.7)	(0.8)	0	(85.0)	(0.8)	(660)	(99)	(8)	(17)
しょうゆせんべい	368	(5.9)	(6.3)	(0.9)	0	(80.4)	(0.6)	(500)	(130)	(8)	(30)

可食部（食べられる部分）100gあたり											
		ビタミン									
鉄	亜鉛	ビタミンA（レチノール活性当量）	ビタミンD	ビタミンB1	ビタミンB2	葉酸	ビタミンC	食塩相当量	備考	食品番号	参考 見た目のおおまかなめやす量
mg	mg	µg	µg	mg	mg	µg	mg	g			
(1.1)	(0.4)	0	0	(0.02)	(0.02)	(1)	0	(0.2)		15040	1切れ 65g
(微量)	0	0	0	0	0	0	0	0	食塩添加品あり	15041	1個 10g
(0.7)	(0.2)	(3)	0	(0.13)	(0.05)	(57)	(33)	0		15042	10本 25g
(0.2)	(0.8)	0	0	(0.02)	(0.01)	(3)	0	(0.2)	米おこし、粟おこしを含む	15043	1個 20g
(1.1)	(1.6)	0	0	(0.13)	(0.05)	(24)	0	(1.0)	らっかせい製品	15044	10粒 15g
(1.6)	(0.7)	0	(微量)	(0.10)	(0.05)	(25)	0	0		15045	大5個 45g
(0.8)	(0.8)	0	(微量)	(0.12)	(0.05)	(31)	0	0		15046	10個 45g
(2.0)	(1.4)	0	0	(0.03)	(0.06)	(55)	0	0	おこし種に水あめ等を加えて練り、きな粉をまぶしたもの。埼玉県の郷土菓子	15047	1本 10g
(0.3)	(0.1)	0	0	(0.06)	(0.02)	(4)	0	(1.3)	生地に磯部鉱泉水を混ぜて焼いた群馬県の銘菓。類似品に炭酸せんべい	15048	1枚 6g
(0.6)	(0.4)	(51)	(0.3)	(0.07)	(0.11)	(16)	0	(0.1)		15049	1枚 10g
(0.3)	(0.2)	(17)	(0.3)	(0.05)	(0.04)	(7)	0	(0.1)		15050	1本 10g
(2.2)	(1.3)	0	0	(0.27)	(0.08)	(25)	0	(1.1)		15051	1枚 11g
(0.7)	(0.7)	0	0	(0.17)	(0.05)	(21)	0	(0.9)		15052	1枚 15g
(0.2)	(0.6)	(85)	未測定	(0.02)	(0.02)	(7)	0	(1.5)		15053	1本 140g
(0.3)	(1.6)	(0)	(0)	(0.06)	(0.03)	(11)	(0)	(1.7)	塩またはしょうゆ味の米を主体としたあられ	15056	大さじ1 6g
(0.8)	(1.7)	(0)	(0)	(0.06)	(0.04)	(26)	(0)	(1.5)	砂糖がけをした甘味のでん米を主体のあられ	15055	大さじ1 6g
(0.7)	(0.9)	0	0	(0.08)	(0.02)	(11)	0	(1.2)	原材料：うるち米	15057	1枚 11g
(0.9)	(1.0)	0	0	(0.09)	(0.03)	(14)	0	(1.2)	原材料：うるち米。ざらめ糖せんべい、砂糖じょうゆせんべいなど	15058	1枚 25g
(0.3)	(1.6)	0	0	(0.06)	(0.03)	(11)	0	(1.7)	原材料：もち米。柿の種を含む	15059	10個 12g
(1.0)	(1.1)	0	0	(0.10)	(0.04)	(16)	0	(1.3)	原材料：うるち米。塩せんべいなど	15060	1枚 25g

・（カッコ）内の成分値および（微量）は推定値または推計値であることを意味します。

菓子類

食品名		エネルギー	水分	たんぱく質	脂質	コレステロール	炭水化物	食物繊維	ミネラル ナトリウム	カリウム	カルシウム	マグネシウム
		kcal	g	g	g	mg	g	g	mg	mg	mg	mg
ボーロ	たまごボーロ	391	(4.5)	(2.3)	(1.9)	(74)	(90.7)	0	(30)	(44)	(15)	(5)
	そばボーロ	398	(2.0)	(7.0)	(3.0)	(87)	(84.4)	(1.5)	(130)	(130)	(21)	(30)
松風		378	(5.3)	(3.7)	(0.6)	0	(88.4)	(1.2)	(27)	(54)	(10)	(6)
三島豆		402	(1.6)	(11.5)	(8.2)	0	(68.6)	(6.0)	(1)	(680)	(65)	(86)
八つ橋		390	(1.8)	(2.9)	(0.5)	0	(93.0)	(0.3)	(1)	(49)	(3)	(13)
らくがん	らくがん	384	(3.0)	(2.0)	(0.2)	0	(93.4)	(0.2)	(2)	(19)	(3)	(3)
	麦らくがん	396	(2.4)	(4.2)	(1.5)	0	(88.7)	(5.4)	(2)	(170)	(16)	(46)
	もろこしらくがん	374	(2.5)	(5.7)	(0.2)	0	(84.4)	(6.9)	(130)	(51)	(16)	(22)
菓子パン												
揚げパン		369	27.7	7.5	17.8	3	43.8	1.8	450	110	42	19
あんパン	こしあん入り	267	(35.5)	(5.8)	(3.4)	(18)	(52.2)	(2.5)	(110)	(64)	(30)	(15)
	つぶしあん入り	266	(35.5)	(6.3)	(3.5)	(18)	(50.3)	(3.3)	(130)	(120)	(23)	(18)
	薄皮タイプ　こしあん入り	256	(37.4)	(5.7)	(3.0)	(17)	(50.3)	(2.4)	(42)	(45)	(36)	(16)
	つぶしあん入り	258	(37.4)	(6.1)	(3.4)	(17)	(48.8)	(3.2)	(86)	(150)	(21)	(21)
カレーパン		302	(41.3)	(5.7)	(17.3)	(13)	(29.5)	(1.6)	(490)	(130)	(24)	(17)
クリームパン		286	(35.5)	(6.7)	(6.8)	(98)	(48.8)	(1.3)	(150)	(120)	(57)	(15)
	薄皮タイプ	218	(52.2)	(5.2)	(6.3)	(140)	(34.8)	(0.6)	(83)	(110)	(72)	(11)
ジャムパン		285	(32.0)	(4.5)	(3.7)	(20)	(57.6)	(1.6)	(120)	(84)	(20)	(12)
チョコチョコネ		320	(33.5)	(4.9)	(14.6)	(21)	(40.9)	(1.1)	(160)	(160)	(78)	(18)
チョコパン	薄皮タイプ	340	(35.0)	(4.0)	(18.5)	(16)	(38.2)	(0.8)	(150)	(190)	(100)	(19)
メロンパン		349	20.9	6.7	10.2	37	56.2	1.7	210	110	26	16
菓子パン	あんなし	294	(30.7)	(7.6)	(5.8)	(31)	(51.1)	(1.7)	(190)	(92)	(26)	(16)
ケーキ・ペストリー												
シュークリーム		211	(56.3)	(5.5)	(10.4)	(200)	(23.8)	(0.3)	(78)	(120)	(91)	(9)
スポンジケーキ		283	(32.0)	(7.3)	(6.0)	(170)	(49.3)	(0.7)	(65)	(92)	(27)	(8)

可食部（食べられる部分）100gあたり									備考	食品番号	参考 見た目のおおまかなめやす量
		ビタミン						食塩相当量			
鉄	亜鉛	ビタミンA（レチノール活性当量）	ビタミンD	ビタミンB1	ビタミンB2	葉酸	ビタミンC				
mg	mg	µg	µg	mg	mg	µg	mg	g			
(0.6)	(0.2)	(42)	(0.8)	(0.01)	(0.07)	(10)	0	(0.1)	乳児用としてカルシウム、ビタミン等の添加品あり	15061	10粒　4g
(0.9)	(0.7)	(49)	(0.9)	(0.12)	(0.11)	(21)	0	(0.3)		15062	10個　35g
(0.3)	(0.1)	0	0	(0.05)	(0.02)	(4)	0	(0.1)	小麦粉、水あめ等をこねた生地をならし、けしの実をふりかけて焼いたもの	15063	10枚　30g
(2.7)	(1.4)	0	0	(0.02)	(0.08)	(75)	0	0	糖衣のいり大豆。いり大豆に砂糖衣をかけたもの	15064	
(0.4)	(0.8)	0	0	(0.04)	(0.01)	(7)	0	0	あんなし、乾燥	15065	1枚　5g
(0.2)	(0.5)	0	0	(0.01)	(微量)	(2)	0	0	みじん粉製品。原材料：米	15066	1個　3g
(1.1)	(1.4)	0	0	(0.03)	(0.04)	(9)	0	0	麦こがし製品。原材料：大麦	15067	1個　4g
(1.8)	(0.7)	0	0	(0.01)	(0.01)	(1)	0	(0.3)	さらしあん製品。原材料：小豆	15068	1個　4g
0.6	0.7	2	0	0.18	0.13	33	0	1.1	揚げパン部分のみ	15125	
(1.0)	(0.6)	(10)	(0.2)	(0.06)	(0.07)	(27)	(0)	(0.3)		15069	1個　80g
(1.0)	(0.7)	(10)	(0.2)	(0.06)	(0.07)	(32)	0	(0.3)		15168	
(1.3)	(0.6)	(4)	(0.1)	(0.03)	(0.04)	(11)	(0)	(0.1)	ミニあんパン	15126	1個　40g
(1.3)	(0.7)	(4)	(0.1)	(0.04)	(0.05)	(17)	(0)	(0.2)	ミニあんパン	15169	
(0.7)	(0.6)	(34)	0	(0.11)	(0.15)	(17)	0	(1.2)		15127	1個　105g
(0.8)	(0.9)	(66)	(1.1)	(0.10)	(0.14)	(46)	(微量)	(0.4)		15070	1個　110g
(0.7)	(0.8)	(93)	(1.5)	(0.07)	(0.15)	(34)	(微量)	(0.2)	ミニクリームパン	15130	1個　35g
(0.5)	(0.5)	(11)	(0.2)	(0.07)	(0.07)	(40)	(3)	(0.3)		15071	1個　80g
(0.6)	(0.6)	(30)	(0.4)	(0.08)	(0.14)	(25)	(微量)	(0.4)		15072	1個　75g
(0.5)	(0.6)	(36)	(0.4)	(0.07)	(0.16)	(14)	(微量)	(0.4)	ミニチョコパン	15131	1個　35g
0.6	0.6	40	0.2	0.09	0.10	29	0	0.5		15132	1個　90g
(0.6)	(0.7)	(17)	(0.4)	(0.10)	(0.11)	(49)	(0)	(0.5)		15181	
(0.8)	(0.8)	(150)	(2.1)	(0.07)	(0.18)	(28)	(1)	(0.2)	エクレアを含む	15073	1個　70g
(0.8)	(0.6)	(120)	(1.7)	(0.06)	(0.18)	(24)	(0)	(0.2)		15074	直径15cm1台　140g

・(カッコ)内の成分値および(微量)は推定値または推計値であることを意味します。

菓子類

食品名	エネルギー	水分	たんぱく質	脂質	コレステロール	炭水化物	食物繊維	ミネラル ナトリウム	ミネラル カリウム	ミネラル カルシウム	ミネラル マグネシウム
	kcal	g	g	g	mg	g	g	mg	mg	mg	mg
ショートケーキ 果実なし	318	(35.0)	(6.4)	(13.8)	(140)	(41.7)	(0.6)	(80)	(86)	(31)	(7)
いちご	314	(35.0)	(6.3)	(13.4)	(140)	(41.5)	(0.9)	(77)	(120)	(34)	(10)
タルト(洋菓子)	247	(50.3)	(4.1)	(12.3)	(100)	(28.9)	(1.4)	(79)	(120)	(82)	(11)
チーズケーキ ベイクドチーズケーキ	299	(46.1)	(7.9)	(19.3)	(160)	(23.0)	(0.2)	(180)	(86)	(53)	(8)
レアチーズケーキ	349	(43.1)	(5.3)	(25.2)	(64)	(24.6)	(0.3)	(210)	(93)	(98)	(9)
デニッシュペストリー アメリカンタイプ プレーン	382	(31.3)	(5.7)	(25.0)	(41)	(31.9)	(2.1)	(300)	(92)	(27)	(13)
デンマークタイプ プレーン	440	(25.5)	(5.8)	(32.3)	(62)	(29.3)	(2.7)	(220)	(80)	(17)	(13)
アメリカンタイプ こしあん入り	330	(32.8)	(5.3)	(14.8)	(24)	(42.2)	(2.9)	(180)	(68)	(33)	(15)
つぶしあん入り	323	(34.6)	(5.3)	(14.8)	(24)	(40.0)	(3.6)	(200)	(120)	(23)	(17)
デンマークタイプ こしあん入り	384	(25.5)	(5.8)	(20.1)	(39)	(42.9)	(3.3)	(130)	(65)	(29)	(16)
つぶしあん入り	387	(25.5)	(5.9)	(20.7)	(40)	(41.7)	(4.2)	(160)	(120)	(19)	(19)
アメリカンタイプ カスタードクリーム入り	304	(42.8)	(5.2)	(18.1)	(93)	(29.0)	(1.4)	(200)	(100)	(51)	(11)
デンマークタイプ カスタードクリーム入り	417	(25.5)	(6.6)	(27.8)	(130)	(33.5)	(2.1)	(180)	(120)	(56)	(14)
ドーナッツ イーストドーナッツ	379	(27.5)	(6.4)	(19.4)	(19)	(44.0)	(1.5)	(310)	(110)	(43)	(14)
こしあん入り	341	(27.5)	(6.1)	(12.0)	(12)	(50.9)	(2.6)	(190)	(85)	(45)	(16)
つぶしあん入り	341	(27.5)	(6.3)	(12.4)	(12)	(49.4)	(3.4)	(220)	(140)	(36)	(19)
カスタードクリーム入り	371	(27.5)	(7.0)	(17.7)	(97)	(45.3)	(1.2)	(250)	(140)	(75)	(15)
ドーナッツ ケーキドーナッツ	367	(20.0)	(6.6)	(11.2)	(90)	(58.7)	(1.2)	(160)	(120)	(42)	(9)
こしあん入り	353	(20.0)	(7.6)	(7.7)	(120)	(62.2)	(2.4)	(110)	(90)	(46)	(13)
つぶしあん入り	355	(20.0)	(7.8)	(8.0)	(120)	(61.3)	(3.4)	(130)	(150)	(36)	(16)

可食部（食べられる部分）100g あたり											
		ビタミン									
鉄	亜鉛	ビタミンA（レチノール活性当量）	ビタミンD	ビタミンB1	ビタミンB2	葉酸	ビタミンC	食塩相当量	備考	食品番号	参考 見た目のおおまかなめやす量
mg	mg	μg	μg	mg	mg	μg	mg	g			
(0.6)	(0.5)	(130)	(1.4)	(0.05)	(0.15)	(19)	(0)	(0.2)	デコレーションケーキを含む(果実などの具材は含まない)。スポンジとクリーム部分のみ	15075	1切れ　110g
(0.7)	(0.5)	(130)	(1.3)	(0.05)	(0.15)	(40)	(15)	(0.2)		15170	
(0.6)	(0.4)	(120)	(0.7)	(0.05)	(0.11)	(42)	(21)	(0.2)	いちごタルト	15133	1個　100g
(0.5)	(0.7)	(200)	(1.2)	(0.04)	(0.23)	(21)	(2)	(0.5)		15134	1個　105g
(0.2)	(0.4)	(160)	(0.2)	(0.04)	(0.16)	(8)	(2)	(0.5)		15135	1個　55g
(0.6)	(0.7)	(56)	(1.6)	(0.11)	(0.12)	(63)	(0)	(0.8)	デニッシュ部分のみ。アメリカンタイプは層が壊れにくいように油脂量を減らした工業的な製品	15182	
(0.7)	(0.7)	(82)	(2.1)	(0.11)	(0.12)	(62)	(0)	(0.5)	デニッシュ部分のみ。デンマークタイプは層の壊れやすいデニッシュ	15076	1個　80g
(1.0)	(0.6)	(33)	(0.9)	(0.07)	(0.08)	(38)	0	(0.5)		15183	
(1.0)	(0.7)	(33)	(0.9)	(0.07)	(0.08)	(41)	0	(0.5)		15184	
(1.1)	(0.7)	(51)	(1.3)	(0.07)	(0.09)	(39)	(0)	(0.3)		15171	
(1.1)	(0.7)	(52)	(1.3)	(0.08)	(0.09)	(43)	0	(0.4)		15172	
(0.6)	(0.7)	(83)	(1.7)	(0.09)	(0.14)	(50)	(微量)	(0.5)		15185	
(0.9)	(0.9)	(120)	(2.5)	(0.11)	(0.17)	(60)	(微量)	(0.5)		15173	
(0.5)	(0.6)	(10)	(0.2)	(0.09)	(0.11)	(37)	(微量)	(0.8)	イーストで発酵させたふんわりした食感のドーナッツ	15077	1個　45g
(1.0)	(0.6)	(6)	(0.1)	(0.06)	(0.08)	(23)	(0)	(0.5)		15174	
(1.0)	(0.7)	(7)	(0.1)	(0.06)	(0.08)	(27)	(0)	(0.6)		15175	
(0.7)	(0.8)	(66)	(1.1)	(0.10)	(0.16)	(40)	(微量)	(0.6)		15176	
(0.6)	(0.4)	(54)	(0.9)	(0.07)	(0.12)	(16)	(0)	(0.4)	ベーキングパウダーを用いたやや固めのさくっとした食感のドーナッツ	15078	1個　45g
(1.1)	(0.6)	(34)	(0.6)	(0.05)	(0.09)	(11)	(0)	(0.3)		15177	
(1.1)	(0.6)	(35)	(0.6)	(0.06)	(0.09)	(14)	(0)	(0.3)		15178	

・（カッコ）内の成分値および（微量）は推定値または推計値であることを意味します。

菓子類

可食部（食べられる部分）100gあたり

食品名		エネルギー	水分	たんぱく質	脂質	コレステロール	炭水化物	食物繊維	ミネラル			
									ナトリウム	カリウム	カルシウム	マグネシウム
		kcal	g	g	g	mg	g	g	mg	mg	mg	mg
	カスタードクリーム入り	375	(20.0)	(8.8)	(12.7)	(250)	(55.8)	(0.7)	(140)	(150)	(76)	(11)
パイ	パイ皮	373	(32.0)	(4.6)	(23.3)	(1)	(34.5)	(1.3)	(390)	(50)	(9)	(9)
	アップルパイ	294	(45.0)	(3.7)	(16.0)	(1)	(33.1)	(1.2)	(180)	(54)	(5)	(5)
	ミートパイ	381	(36.2)	(8.9)	(27.4)	(13)	(23.7)	(1.8)	(440)	(110)	(11)	(11)
バターケーキ		422	(20.0)	(5.3)	(23.2)	(160)	(47.4)	(0.7)	(240)	(74)	(22)	(7)
ホットケーキ		253	(40.0)	(7.0)	(4.9)	(77)	(43.8)	(1.1)	(260)	(210)	(110)	(13)
ワッフル	カスタードクリーム入り	241	(45.9)	(6.6)	(7.0)	(140)	(37.0)	(0.8)	(63)	(160)	(99)	(12)
	ジャム入り	279	(33.0)	(4.5)	(3.9)	(53)	(55.9)	(1.3)	(43)	(120)	(44)	(10)
デザート菓子												
カスタードプリン		116	(74.1)	(5.3)	(4.5)	(120)	(13.8)	0	(69)	(130)	(81)	(9)
牛乳寒天		61	(85.2)	(1.0)	(1.2)	(4)	(11.6)	(0.5)	(15)	(51)	(38)	(4)
こんにゃくゼリー		65	(83.2)	0	0	0	(15.6)	(0.8)	(58)	(110)	(15)	(1)
ゼリー	オレンジ	80	(77.6)	(1.9)	(0.1)	0	(17.8)	(0.2)	(5)	(180)	(9)	(10)
	コーヒー	43	(87.8)	(1.4)	0	0	(9.6)	0	(5)	(47)	(2)	(5)
	ミルク	103	(76.8)	(4.0)	(3.4)	(12)	(14.1)	0	(43)	(150)	(110)	(10)
	ワイン	65	(84.1)	(1.7)	0	0	(13.1)	0	(5)	(11)	(1)	(1)
ババロア		204	(60.9)	(5.0)	(11.7)	(150)	(19.9)	0	(52)	(90)	(72)	(6)
ビスケット												
ウエハース	クリームなし	439	2.1	(7.0)	12.0	18	(74.5)	1.2	480	76	21	9
	クリーム入り	492	(2.7)	(7.0)	(20.7)	(1)	(68.1)	(2.1)	(370)	(58)	(16)	(7)
クラッカー	オイルスプレークラッカー 別名 スナッククラッカー	481	2.7	(7.7)	21.1	未測定	64.1	2.1	610	110	180	18
	ソーダクラッカー	421	3.1	(9.6)	9.3	未測定	73.6	2.1	730	140	55	21
サブレ		459	(3.1)	(5.7)	(16.1)	(54)	(71.7)	(1.3)	(73)	(110)	(36)	(8)
中華風クッキー		514	(3.0)	(4.7)	(27.6)	(75)	(60.7)	(1.1)	(97)	(81)	(25)	(6)

可食部（食べられる部分）100g あたり											
		ビタミン									
鉄	亜鉛	ビタミンA（レチノール活性当量）	ビタミンD	ビタミンB1	ビタミンB2	葉酸	ビタミンC	食塩相当量	備考	食品番号	参考 見た目のおおまかなめやす量
mg	mg	µg	µg	mg	mg	µg	mg	g			
(0.8)	(0.7)	(100)	(1.6)	(0.09)	(0.17)	(25)	(微量)	(0.4)		15179	
(0.3)	(0.3)	0	(微量)	(0.05)	(0.02)	(6)	0	(1.0)		15079	シート1枚 90g
(0.2)	(0.1)	(微量)	(微量)	(0.03)	(0.01)	(3)	(1)	(0.4)		15080	1切れ 100g
(0.5)	(0.6)	(36)	(0.1)	(0.14)	(0.05)	(7)	(微量)	(1.1)		15081	1個 85g
(0.6)	(0.4)	(200)	(1.2)	(0.05)	(0.12)	(16)	0	(0.6)	パウンドケーキ、マドレーヌを含む	15082	1切れ 20g
(0.5)	(0.5)	(52)	(0.7)	(0.08)	(0.16)	(15)	(微量)	(0.7)		15083	1枚 50g
(0.8)	(0.8)	(110)	(1.7)	(0.08)	(0.19)	(25)	(1)	(0.2)		15084	1個 40g
(0.4)	(0.3)	(32)	(0.5)	(0.05)	(0.09)	(22)	(6)	(0.1)		15085	1個 45g
(0.5)	(0.6)	(88)	(1.4)	(0.04)	(0.20)	(18)	(1)	(0.2)	プリン部分のみ	15086	1個 100g
(0.1)	(0.1)	(13)	(0.1)	(0.01)	(0.05)	(2)	(微量)	0	杏仁豆腐を含む	15136	1個 110g
(微量)	(微量)	0	0	(微量)	0	0	0	(0.1)		15142	
(0.1)	(0.1)	(4)	0	(0.07)	(0.02)	(26)	(40)	0	ゼリー部分のみ	15087	1個 95g
(微量)	0	0	0	0	(微量)	0	0	0	ゼリー部分のみ	15088	1個 80g
(微量)	(0.4)	(37)	(0.3)	(0.04)	(0.15)	(5)	(1)	(0.1)	ゼリー部分のみ	15089	大1個 130g
(0.1)	0	0	0	0	0	0	0	0	ゼリー部分のみ	15090	1個 70g
(0.6)	(0.6)	(130)	(1.6)	(0.04)	(0.13)	(20)	(微量)	(0.1)	ババロア部分のみ	15091	1個 80g
0.6	0.4	17	0	0.03	0.08	6	0	1.2	乳幼児用としてカルシウム、ビタミン等添加品あり	15092	
(0.5)	(0.3)	(13)	(微量)	(0.02)	(0.06)	(5)	(0)	(0.9)	乳幼児用としてカルシウム、ビタミン等添加品あり	15141	1枚 3g
0.8	0.5	(0)	未測定	0.08	0.04	12	(0)	1.5	ソーダクラッカーにとかした植物性油脂をスプレーしたもの。商品名に「リッツ」「ルヴァン」など	15093	6枚 20g
0.7	0.4	(0)	未測定	0.05	0.04	22	(0)	1.9		15094	6枚 20g
(0.5)	(0.3)	(30)	(0.6)	(0.07)	(0.07)	(12)	(0)	(0.2)	商品名に「鳩サブレー」など	15095	1枚 30g
(0.4)	(0.3)	(27)	(0.5)	(0.06)	(0.06)	(10)	0	(0.2)	油脂としてラードを用いたもの	15054	1枚 50g

・(カッコ)内の成分値および(微量)は推定値または推計値であることを意味します。

菓子類

可食部(食べられる部分)100gあたり

食品名	エネルギー	水分	たんぱく質	脂質	コレステロール	炭水化物	食物繊維	ミネラル			
								ナトリウム	カリウム	カルシウム	マグネシウム
	kcal	g	g	g	mg	g	g	mg	mg	mg	mg
ビスケット ハードビスケット	422	2.6	6.4	8.9	10	77.8	2.3	320	140	330	22
ソフトビスケット	512	3.2	(5.3)	23.9	58	(67.0)	1.4	220	110	20	12
プレッツェル	465	1.0	(8.6)	16.8	未測定	68.8	2.6	750	160	36	22
リーフパイ 別名 パフパイ	558	2.5	(5.2)	(34.7)	1	(53.9)	1.7	54	77	14	8
ロシアケーキ	486	(4.0)	(5.4)	(22.9)	(1)	(63.3)	(1.8)	(200)	(140)	(41)	(32)
スナック											
小麦粉あられ 別名 小麦粉系スナック	472	(2.0)	(7.0)	(18.4)	(1)	(66.3)	(2.3)	(710)	(100)	(18)	(11)
コーンスナック	516	0.9	(4.7)	25.4	(0)	66.4	1.0	470	89	50	13
ポテトチップス ポテトチップス	541	2.0	(4.4)	(34.2)	微量	51.8	4.2	400	1200	17	70
成形ポテトチップス	515	2.2	(6.3)	28.8	未測定	55.2	4.8	360	900	49	53
キャンデー類											
かわり玉 別名 チャイナマーブル	392	(0.5)	0	0	0	(99.5)	0	(1)	(2)	(1)	0
キャラメル	426	5.4	(3.4)	10.4	14	(79.8)	0	110	180	190	13
ゼリーキャンデー	334	(16.0)	(微量)	0	0	(83.1)	(0.9)	(2)	(1)	(8)	(1)
ゼリービーンズ	358	(9.5)	(微量)	0	0	(89.5)	(0.9)	(2)	(6)	(10)	(2)
ドロップ	389	(2.0)	0	0	0	(98.0)	0	(1)	(1)	(1)	0
バタースコッチ	414	(2.0)	(微量)	(6.0)	(17)	(91.1)	0	(150)	(4)	(2)	(微量)
ブリットル	506	(1.5)	(11.8)	(27.0)	0	(52.5)	(3.6)	(72)	(380)	(26)	(100)
マシュマロ	324	(18.5)	(2.1)	0	0	(79.3)	0	(7)	(1)	(1)	0
ラムネ	373	7.0	0	0.5	(0)	92.2	(0)	67	5	110	2

可食部（食べられる部分）100gあたり		ビタミン						食塩相当量	備考	食品番号	参考 見た目のおおまかなめやす量
鉄	亜鉛	ビタミンA（レチノール活性当量）	ビタミンD	ビタミンB1	ビタミンB2	葉酸	ビタミンC				
mg	mg	µg	µg	mg	mg	µg	mg	g			
0.9	0.5	18	微量	0.13	0.22	16	(0)	0.8	乳幼児用としてカルシウム、ビタミン等添加品あり。商品名に「マリー」など	15097	1枚　8g
0.5	0.4	150	微量	0.06	0.05	7	(0)	0.6	クッキーを含む	15098	1枚　7g
0.9	0.5	5	未測定	0.13	0.11	27	未測定	1.9		15099	10本　15g
0.4	0.2	0	微量	0.08	0.02	6	0	0.1	パルミエを含む。商品名に「ホームパイ」など	15096	1枚　15g
(0.5)	(0.4)	(1)	(微量)	(0.06)	(0.14)	(9)	0	(0.5)	ビスケット生地の上に、マカロン生地を絞り、焼いた後、ゼリージャム、マーマレード等で飾ったもの	15100	1個　30g
(0.5)	(0.3)	0	(微量)	(0.10)	(0.03)	(8)	0	(1.8)	商品名に「かっぱえびせん」など	15101	10個　10g
0.4	0.3	11	未測定	0.02	0.05	8	(0)	1.2	商品名に「カール」、「とんがりコーン」など	15102	10個　10g
1.7	0.5	(0)	未測定	0.26	0.06	70	15	1.0		15103	1袋　60g
1.2	0.7	0	未測定	0.25	0.05	36	9	0.9	商品名に「チップスター」など	15104	10枚　17g
0	0	0	0	0	0	0	0	0	砂糖を核とし、着色した砂糖液を幾重にも重ねたもの	15109	1個　5g
0.3	0.4	110	3.0	0.09	0.18	5	(0)	0.3		15105	1個　5g
(0.1)	(微量)	0	0	0	0	0	0	0	寒天ゼリー	15107	1個　12g
(0.2)	(微量)	0	0	0	0	0	0	0		15108	1個　3g
(微量)	0	0	0	0	0	0	0	0		15110	1個　4g
(微量)	0	(62)	(0.1)	0	(微量)	0	0	(0.4)		15111	1個　4g
(0.9)	(1.5)	0	0	(0.12)	(0.07)	(29)	0	(0.2)	いり落花生入り。砂糖とバターを煮詰めてナッツ類、重曹を加え、適度に冷まして切断したキャンデー	15112	1かけ　7g
(0.1)	0	0	0	0	0	0	0	0		15113	5個　20g
0.1	0	(0)	(0)	0	0	微量	2	0.2		15106	2個　5g

・（カッコ）内の成分値および（微量）は推定値または推計値であることを意味します。

菓子類

食品名	エネルギー	水分	たんぱく質	脂質	コレステロール	炭水化物	食物繊維	ナトリウム	カリウム	カルシウム	マグネシウム
可食部（食べられる部分）100gあたり								ミネラル			
	kcal	g	g	g	mg	g	g	mg	mg	mg	mg
チョコレート											
アーモンドチョコレート	562	(2.0)	(10.4)	(39.6)	(12)	(38.2)	(6.1)	(41)	(550)	(240)	(150)
カバーリングチョコレート 別名 エンローバーチョコレート	488	(2.0)	(6.0)	(23.1)	(15)	(62.2)	(3.2)	(140)	(320)	(160)	(50)
ホワイトチョコレート	588	0.8	7.2	37.8	22	(55.4)	0.6	92	340	250	24
ミルクチョコレート	550	0.5	(5.8)	32.8	19	(56.5)	3.9	64	440	240	74
果実菓子											
マロングラッセ	303	21.0	(0.9)	(0.2)	(0)	(75.0)	未測定	28	60	8	未測定
チューインガム											
板ガム	388	(3.1)	0	0	0	(96.9)	0	(3)	(3)	(3)	未測定
糖衣ガム 別名 粒ガム	390	(2.4)	0	0	0	(97.6)	0	(2)	(4)	(1)	未測定
風船ガム	387	(3.3)	0	0	0	(96.7)	0	(3)	(4)	(3)	未測定
その他菓子											
カスタードクリーム	174	(61.8)	(4.4)	(6.5)	(180)	(24.6)	(0.2)	(34)	(120)	(93)	(9)
しるこ こしあん 別名 御膳しるこ	211	(46.1)	(4.0)	(0.1)	0	(47.1)	(3.2)	(2)	(29)	(35)	(14)
しるこ つぶしあん 別名 田舎しるこ、ぜんざい	179	(54.5)	(3.6)	(0.2)	0	(38.6)	(4.3)	(42)	(120)	(14)	(17)
チョコレートクリーム	481	(14.6)	(4.0)	(30.6)	(15)	(47.0)	(0.6)	(200)	(310)	(160)	(26)

可食部（食べられる部分）100gあたり									備考	食品番号	参考 見た目のおおまかなめやす量
		ビタミン									
鉄	亜鉛	ビタミンA（レチノール活性当量）	ビタミンD	ビタミンB1	ビタミンB2	葉酸	ビタミンC	食塩相当量			
mg	mg	µg	µg	mg	mg	µg	mg	g			
(2.8)	(2.3)	(43)	(0.6)	(0.19)	(0.64)	(35)	0	(0.1)		15137	1個　4g
(1.6)	(1.1)	(42)	(0.6)	(0.15)	(0.27)	(14)	(0)	(0.3)	ビスケットやウエハースなどにチョコレートがけしたもの	15114	
0.1	0.8	50	微量	0.08	0.39	8	未測定	0.2		15115	1枚　45g
2.4	1.6	66	1.0	0.19	0.41	18	(0)	0.2		15116	1枚　50g
0.6	未測定	1	(0)	未測定	0.03	未測定	0	0.1		15117	1個　25g
(0.1)	未測定	0	(0)	0	0	未測定	0	0		15118	1枚　3g
(0.1)	未測定	0	(0)	0	0	未測定	0	0	糖衣シロップでくるんだガム。商品名に「クロレッツ」など	15119	1粒　2g
(0.1)	未測定	0	(0)	0	0	未測定	0	0		15120	1個　7g
(0.7)	(0.9)	(120)	(1.9)	(0.07)	(0.16)	(26)	(1)	(0.1)		15138	
(1.3)	(0.5)	0	0	(0.01)	(0.02)	(1)	0	0	具材は含まない	15139	
(1.1)	(0.5)	0	0	(0.01)	(0.02)	(6)	未測定	(0.1)	具材は含まない	15140	
(0.6)	(0.6)	(53)	(3.2)	(0.07)	(0.23)	(3)	(1)	(0.5)		15180	

・（カッコ）内の成分値および（微量）は推定値または推計値であることを意味します。

し好飲料類

可食部（食べられる部分）100gあたり

食品名	エネルギー	水分	たんぱく質	脂質	コレステロール	炭水化物	食物繊維	ミネラル			
								ナトリウム	カリウム	カルシウム	マグネシウム
	kcal	g	g	g	mg	g	g	mg	mg	mg	mg
アルコール飲料類											
醸造酒											
清酒 別名 日本酒 普通酒	107	82.4	0.3	0	0	5.0	0	2	5	3	1
純米酒	102	83.7	(0.3)	0	0	3.7	0	4	5	3	1
本醸造酒	106	82.8	(0.3)	0	0	4.6	0	2	5	3	1
吟醸酒（ぎんじょうしゅ）	103	83.6	(0.2)	0	0	3.7	0	2	7	2	1
純米吟醸酒	102	83.5	(0.3)	0	0	4.2	0	3	5	2	1
ビール 淡色	39	92.8	0.2	0	0	3.1	0	3	34	3	7
黒	45	91.6	(0.3)	0	0	3.5	0.2	3	55	3	10
発泡酒	44	92.0	(0.1)	0	0	3.6	0	1	13	4	4
ぶどう酒 別名 ワイン 白	75	88.6	0.1	微量	(0)	(2.2)	未測定	3	60	8	7
赤	68	88.7	0.2	微量	(0)	(0.2)	未測定	2	110	7	9
ロゼ	71	87.4	0.1	0	0	(2.5)	0	4	60	10	7
紹興酒（しょうこうしゅ）	126	78.8	1.7	微量	(0)	5.1	微量	15	55	25	19
蒸留酒											
焼酎 連続式蒸留焼酎	203	71.0	0	0	(0)	0	(0)	未測定	未測定	未測定	未測定
単式蒸留焼酎	144	79.5	0	0	(0)	0	(0)	未測定	未測定	未測定	未測定
泡盛	206	70.6	微量	微量	未測定	0	未測定	1	1	微量	0
ウイスキー	234	66.6	0	0	(0)	0	(0)	2	1	0	0
ブランデー	234	66.6	0	0	(0)	0	(0)	4	1	0	0
ウオッカ	237	66.2	0	0	(0)	0	(0)	微量	微量	(0)	未測定
ジン	280	59.9	0	微量	(0)	0.1	(0)	微量	微量	(0)	未測定

可食部（食べられる部分）100gあたり									備考	食品番号	参考 見た目のおおまかなめやす量
		ビタミン									
鉄	亜鉛	ビタミンA（レチノール活性当量）	ビタミンD	ビタミンB1	ビタミンB2	葉酸	ビタミンC	食塩相当量			
mg	mg	µg	µg	mg	mg	µg	mg	g			
微量	0.1	0	0	微量	0	0	0	0	100mL あたり 99.9g。アルコール 15.4 容量%	16001	1合 180g 1カップ 200g 大さじ1 15g 小さじ1 5g
0.1	0.1	0	0	微量	0	0	0	0	100mL あたり 99.8g。アルコール 15.4 容量%	16002	1合 180g
微量	0.1	0	0	微量	0	0	0	0	100mL あたり 99.8g。アルコール 15.4 容量%	16003	1合 180g
微量	0.1	0	0	0	0	0	0	0	100mL あたり 99.7g。アルコール 15.7 容量%	16004	1合 180g
微量	0.1	0	0	0	0	0	0	0	100mL あたり 99.8g。アルコール 15.1 容量%	16005	1合 180g
微量	微量	0	0	0	0.02	7	0	0	生ビールを含む。100mL あたり 100.8g。アルコール 4.6 容量%	16006	中ジョッキ（500mL） 504g
0.1	微量	0	0	0	0.04	9	0	0	生ビールを含む。100mL あたり 101.0g。アルコール 5.3 容量%	16007	中ジョッキ（500mL） 505g
0	微量	0	0	0	0.01	4	0	0	100mL あたり 100.9g。アルコール 5.3 容量%	16009	中ジョッキ（500mL） 505g
0.3	微量	(0)	(0)	0	0	0	0	0	100mL あたり 99.8g。アルコール 11.4 容量%	16010	グラス1杯（100mL） 100g
0.4	微量	(0)	(0)	0	0.01	0	0	0	100mL あたり 99.6g。アルコール 11.6 容量%	16011	グラス1杯（100mL） 100g
0.4	微量	0	0	0	0	0	0	0	100mL あたり 100.2g。アルコール 10.7 容量%	16012	グラス1杯（100mL） 100g
0.3	0.4	(0)	(0)	微量	0.03	1	0	0	もち米を原料とした中国酒。100mL あたり 100.6g。アルコール 17.8 容量%	16013	シングル1杯 30g
未測定	未測定	(0)	(0)	(0)	(0)	(0)	(0)	(0)	純度の高いアルコール。果実酒やチューハイのベースに使う。ホワイトリカーなど。100mL あたり 95.8g。アルコール 35.0 容量%	16014	1カップ 192g
未測定	未測定	(0)	(0)	(0)	(0)	(0)	(0)	未測定	原料特有の芳香と風味を持つ。米焼酎、芋焼酎、黒糖焼酎など。100mL あたり 97.0g。アルコール 25.0 容量%	16015	1カップ 194g
微量	0	未測定	未測定	未測定	未測定	未測定	未測定	0	100mL あたり 95.8g。アルコール 35.4 容量 %	16060	
微量	微量	(0)	(0)	(0)	(0)	(0)	(0)	0	100mL あたり 95.2g。アルコール 40.0 容量%	16016	シングル1杯 29g
0	微量	(0)	(0)	(0)	(0)	(0)	(0)	0	100mL あたり 95.2g。アルコール 40.0 容量%	16017	シングル1杯 28g
(0)	未測定	(0)	(0)	(0)	(0)	(0)	(0)	0	100mL あたり 95.0g。アルコール 40.4 容量%	16018	シングル1杯 28g
(0)	未測定	(0)	(0)	(0)	(0)	(0)	(0)	0	100mL あたり 94.0g。アルコール 47.4 容量%	16019	シングル1杯 28g

・（カッコ）内の成分値および（微量）は推定値または推計値であることを意味します。

し好飲料類

食品名	エネルギー	水分	たんぱく質	脂質	コレステロール	炭水化物	食物繊維	ナトリウム	カリウム	カルシウム	マグネシウム
	可食部（食べられる部分）100gあたり							ミネラル			
	kcal	g	g	g	mg	g	g	mg	mg	mg	mg
ラム	237	66.1	0	微量	(0)	0.1	(0)	3	微量	0	0
混成酒（梅酒・みりん・リキュールほか）											
梅酒	155	68.9	0.1	微量	未測定	20.7	未測定	4	39	1	2
合成清酒	108	82.2	0.1	0	未測定	5.3	未測定	11	3	2	微量
白酒	236	44.7	1.9	微量	未測定	48.5	未測定	5	14	3	4
みりん　本みりん	241	47.0	0.2	微量	未測定	43.3	未測定	3	7	2	2
↳大さじ1（17.6g）あたり	42	8.3	微量	微量	未測定	7.6	未測定	1	1	微量	微量
薬味酒	181	62.6	微量	微量	未測定	26.8	未測定	1	14	1	1
キュラソー	319	43.1	微量	微量	未測定	26.4	未測定	1	微量	微量	0
スイートワイン 別名 ポートワイン	125	75.2	0.1	0	未測定	(12.2)	未測定	5	70	5	5
ペパーミント	300	41.0	0	0	未測定	37.6	未測定	4	1	微量	0
ベルモット　甘口タイプ 別名 イタリアンベルモット	151	71.3	0.1	0	未測定	16.4	未測定	4	29	6	5
辛口タイプ 別名 フレンチベルモット	113	81.7	0.1	0	未測定	(3.0)	未測定	4	26	8	6
缶チューハイ　レモン風味	51	91.4	0	微量	(0)	2.6	0.1	10	13	1	微量
茶類											
玉露　浸出液	5	97.8	(1.0)	(0)	(0)	0.3	未測定	2	340	4	15
抹茶	237	5.0	23.1	3.3	(0)	9.5	38.5	6	2700	420	230
せん茶　茶葉	229	2.8	(19.1)	2.9	(0)	8.4	46.5	3	2200	450	200
浸出液	2	99.4	(0.2)	(0)	(0)	0.3	未測定	3	27	3	2

可食部（食べられる部分）100gあたり									備考	食品番号	参考 見た目のおおまかなめやす量
		ビタミン						食塩相当量			
鉄	亜鉛	ビタミンA（レチノール活性当量）	ビタミンD	ビタミンB1	ビタミンB2	葉酸	ビタミンC				
mg	mg	µg	µg	mg	mg	µg	mg	g			
0	微量	(0)	(0)	(0)	(0)	(0)	(0)	0	100mL あたり 95.1g。アルコール 40.5 容量%	16020	シングル1杯 28g
微量	微量	(0)	未測定	0	0.01	0	0	0	100mL あたり 103.9g。アルコール 13.0 容量%	16022	シングル1杯 31g
0	微量	(0)	未測定	0	0	0	0	0	調味料等を加え、清酒に似た風味にしたアルコール飲料。100mL あたり 100.3g。アルコール 15.5 容量%	16023	大さじ1 15g 1カップ 200g
0.1	0.3	(0)	未測定	0.02	0.01	1	1	0	100mL あたり 121.0g。アルコール 7.4 容量%	16024	1カップ 242g
0	0	(0)	未測定	微量	0	0	0	0	調味料等に利用される。100mL あたり 117.0g。アルコール 14.0 容量%	16025	
0	0	(0)	未測定	微量	0	0	0	0		16025	小さじ 6g 1カップ 230g
微量	微量	(0)	未測定	0	0	0	0	0	人参、芍薬、甘草などの生薬を酒で浸出して作る薬効をもった酒。100mL あたり 109.3g。アルコール 14.6 容量%	16027	シングル1杯 30g
0	微量	(0)	未測定	0	0	0	0	0	オレンジキュラソー。100mL あたり 105.3g。アルコール 40.4 容量%	16028	シングル1杯 32g
0.3	微量	(0)	未測定	0	微量	0	0	0	甘味果実酒。100mL あたり 103.7g。アルコール 14.5 容量%	16029	グラス1杯 104g
0	微量	(0)	未測定	0	0	0	0	0	100mL あたり 112.0g。アルコール 30.2 容量%	16030	大さじ1 17g
0.3	微量	未測定	未測定	0	0	0	0	0	熟成した白ワインに草根木皮を漬け込んだもの。100mL あたり 104.7g。アルコール 16.0 容量%	16031	シングル1杯 31g
0.3	微量	未測定	未測定	0	0	0	0	0	100mL あたり 99.5g。アルコール 18.0 容量%	16032	シングル1杯 30g
0	0	(0)	(0)	0	0	0	0	0	100 mL あたり 100.1 g。アルコール 7.1 容量%	16059	
0.2	0.3	(0)	(0)	0.02	0.11	150	19	0		16034	1杯（100mL） 100g
17.0	6.3	2400	(0)	0.60	1.35	1200	60	0	粉末製品	16035	小さじ1 2g
20.0	3.2	1100	(0)	0.36	1.43	1300	260	0	茶葉。飲料は浸出液	16036	大さじ1 6g
0.2	微量	(0)	(0)	0	0.05	16	6	0		16037	1カップ 200g

・（カッコ）内の成分値および（微量）は推定値または推計値であることを意味します。

し好飲料類

	可食部（食べられる部分）100g あたり										
	エネルギー	水分	たんぱく質	脂質	コレステロール	炭水化物	食物繊維	ミネラル			
								ナトリウム	カリウム	カルシウム	マグネシウム
食品名	kcal	g	g	g	mg	g	g	mg	mg	mg	mg
かまいり茶　浸出液	1	99.7	(0.1)	(0)	(0)	0.1	未測定	1	29	4	1
番茶　浸出液	0	99.8	微量	(0)	(0)	0.1	未測定	2	32	5	1
ほうじ茶　浸出液	0	99.8	微量	(0)	(0)	微量	未測定	1	24	2	微量
玄米茶　浸出液	0	99.9	0	(0)	(0)	0	0	2	7	2	1
ウーロン茶　浸出液	0	99.8	微量	(0)	(0)	0.1	未測定	1	13	2	1
紅茶　茶葉	234	6.2	20.3	2.5	(0)	13.6	38.1	3	2000	470	220
浸出液	1	99.7	0.1	(0)	(0)	0.1	未測定	1	8	1	1
麦茶　浸出液	1	99.7	微量	(0)	(0)	0.3	未測定	1	6	2	微量
コーヒー・ココア類											
コーヒー　浸出液	4	98.6	(0.1)	(微量)	0	0.8	未測定	1	65	2	6
インスタントコーヒー	287	3.8	(6.0)	0.2	0	65.3	未測定	32	3600	140	410
コーヒー飲料 別名 缶コーヒー	38	90.5	0.7	0.2	未測定	8.3	未測定	30	60	22	6
ココア　ピュアココア	386	4.0	13.5	20.9	1	23.5	23.9	16	2800	140	440
ミルクココア 別名 調整ココア	400	1.6	7.4	6.6	未測定	75.1	5.5	270	730	180	130
その他飲料											
青汁	312	2.3	10.8	2.8	0	46.7	28.0	230	2300	1200	210
甘酒	76	79.7	(1.3)	0.1	(0)	(16.9)	0.4	60	14	3	5
昆布茶	173	1.4	7.5	0.2	0	33.4	2.8	20000	580	88	51
スポーツドリンク	21	94.7	0	微量	0	5.1	微量	31	26	8	3
コーラ	46	88.5	0.1	微量	(0)	(12.0)	未測定	2	微量	2	1
サイダー	41	89.8	微量	微量	(0)	10.2	未測定	4	微量	1	微量
ビール風味炭酸飲料 別名 ノンアルコールビール	5	98.6	0.1	微量	(0)	1.2	未測定	3	9	2	1

可食部（食べられる部分）100g あたり

鉄	亜鉛	ビタミン（レチノール活性当量）ビタミンA	ビタミンD	ビタミンB1	ビタミンB2	葉酸	ビタミンC	食塩相当量	備考	食品番号	参考 見た目のおおまかなめやす量
mg	mg	µg	µg	mg	mg	µg	mg	g			
微量	微量	(0)	(0)	0	0.04	18	4	0		16038	1カップ　200g
0.2	微量	(0)	(0)	0	0.03	7	3	0		16039	1カップ　200g
微量	微量	(0)	(0)	0	0.02	13	微量	0		16040	1カップ　200g
微量	微量	(0)	(0)	0	0.01	3	1	0		16041	1カップ　200g
微量	微量	(0)	(0)	0	0.03	2	0	0		16042	1カップ　200g
17.0	4.0	75	(0)	0.10	0.80	210	0	0	茶葉。飲料は浸出液	16043	大さじ1　5g
0	微量	(0)	(0)	0	0.01	3	0	0		16044	1カップ　200g
微量	0.1	(0)	(0)	0	0	0	(0)	0		16055	1杯（150mL）150g
微量	微量	0	0	0	0.01	0	0	0		16045	1杯（150mL）150g
3.0	0.4	(0)	(0)	0.02	0.14	8	(0)	0.1	顆粒製品	16046	1杯分　2g
0.1	0.1	(0)	未測定	0.01	0.04	0	(0)	0.1	乳成分入り。加糖	16047	1缶　190g
14.0	7.0	3	(0)	0.16	0.22	31	0	0	粉末製品。糖類、粉乳などを加えていないもの	16048	大さじ1　6g
2.9	2.1	8	未測定	0.07	0.42	12	(0)	0.7	粉末製品。ココアパウダーに糖類、粉乳などを加えたもので、お湯でとかして飲む	16049	大さじ1　6g
2.9	1.8	860	0	0.31	0.80	820	1100	0.6	ケール。粉末製品	16056	
0.1	0.3	(0)	(0)	0.01	0.03	8	(0)	0.2		16050	1カップ　210g
0.5	0.3	3	0	0.01	0.02	11	6	51.3	粉末製品	16051	1杯分　4g
微量	0	0	0	0	0	0	微量	0.1		16057	
微量	微量	(0)	(0)	0	0	未測定	0	0		16053	1缶（350mL）360g
微量	0.1	(0)	(0)	0	0	未測定	0	0		16054	1缶（350mL）360g
0	0	(0)	(0)	0	0	1	8	0	100mL あたり 100.5g	16058	1缶（350mL）352g

・（カッコ）内の成分値および（微量）は推定値または推計値であることを意味します。

調味料及び香辛料類

食品名	可食部（食べられる部分）100gあたり										
	エネルギー	水分	たんぱく質	脂質	コレステロール	炭水化物	食物繊維	ミネラル			
								ナトリウム	カリウム	カルシウム	マグネシウム
	kcal	g	g	g	mg	g	g	mg	mg	mg	mg
調味料											
ソース											
ウスターソース	117	61.3	0.7	微量	未測定	27.0	0.5	3300	190	59	24
↳小さじ1（6g）あたり	7	3.7	微量	微量	未測定	1.6	微量	198	11	4	1
中濃ソース	129	60.9	0.5	微量	未測定	30.1	1.0	2300	210	61	23
↳小さじ1（5.8g）あたり	7	3.5	微量	微量	未測定	1.7	0.1	133	12	4	1
濃厚ソース	130	60.7	0.9	0.1	未測定	29.8	1.0	2200	210	61	26
お好み焼きソース	144	58.1	1.3	微量	微量	33.5	0.9	1900	240	31	20
↳小さじ1（5.8g）あたり	8	3.4	0.1	微量	微量	1.9	0.1	110	14	2	1
辛味調味料											
トウバンジャン	49	69.7	2.0	1.8	3	4.1	4.3	7000	200	32	42
↳小さじ1（5.7g）あたり	3	4.0	0.1	0.1	微量	0.2	0.2	399	11	2	2
チリペッパーソース	58	84.1	(0.5)	(0.4)	未測定	13.1	未測定	630	130	15	13
ラー油	887	0.1	0.1	(97.5)	(0)	2.3	未測定	微量	微量	微量	微量
しょうゆ											
濃口しょうゆ	76	67.1	6.1	0	(0)	8.6	(微量)	5700	390	29	65
↳小さじ1（5.9g）あたり	4	4.0	0.4	0	(0)	0.5	(微量)	336	23	2	4
濃口しょうゆ　減塩	68	74.4	(6.4)	微量	(0)	10.0	(0)	3300	260	31	74
↳小さじ1（5.6g）あたり	4	4.2	(0.4)	微量	(0)	0.6	(0)	185	15	2	4
うす口しょうゆ	60	69.7	4.9	0	(0)	6.1	(微量)	6300	320	24	50
↳小さじ1（5.9g）あたり	4	4.1	0.3	0	(0)	0.4	(微量)	372	19	1	3
うす口しょうゆ　低塩	77	70.9	5.5	微量	(0)	7.8	微量	5000	330	19	54
↳小さじ1（5.7g）あたり	4	4.0	0.3	微量	(0)	0.4	微量	285	19	1	3
たまりしょうゆ	111	57.3	9.2	0	(0)	18.5	(0)	5100	810	40	100
↳小さじ1（6.1g）あたり	7	3.5	0.6	0	(0)	1.1	(0)	311	49	2	6
再仕込みしょうゆ	101	60.7	(7.6)	0	(0)	16.7	(0)	4900	530	23	89

可食部（食べられる部分）100g あたり											
		ビタミン									
鉄	亜鉛	ビタミンA（レチノール活性当量）	ビタミンD	ビタミンB_1	ビタミンB_2	葉酸	ビタミンC	食塩相当量	備考	食品番号	参考 見た目のおおまかなめやす量
mg	mg	µg	µg	mg	mg	µg	mg	g			
1.6	0.1	4	(0)	0.01	0.02	1	0	8.5	100mL あたり 119.5g	17001	
0.1	0	微量	(0)	0	微量	0	0	0.5			大さじ1　18g
1.7	0.1	7	(0)	0.02	0.04	1	(0)	5.8	100mL あたり 116g	17002	
0.1	0	微量	(0)	微量	微量	0	(0)	0.3			大さじ1　21g
1.5	0.1	9	(0)	0.03	0.04	1	(0)	5.6		17003	
0.9	0.2	17	0	0.03	0.03	6	3	4.9	100mL あたり 117g	17085	
0.1	微量	1	0	微量	微量	微量	微量	0.3			大さじ1　20g
2.3	0.3	120	(0)	0.04	0.17	8	3	17.8	100mL あたり 113g	17004	小さじ1　7g
0.1	微量	7	(0)	微量	0.01	微量	微量	1.0			
1.5	0.1	130	(0)	0.03	0.08	未測定	0	1.6	タバスコソース等を含む。商品名に「タバスコソース」など	17005	小さじ1　5g
0.1	微量	59	(0)	0	0	未測定	(0)	0		17006	小さじ1　4g
1.7	0.9	0	(0)	0.05	0.17	33	0	14.5	100mL あたり 118.1g	17007	
0.1	0.1	0	(0)	微量	0.01	2	0	0.9			大さじ1　18g
2.1	0.9	未測定	(0)	0.07	0.17	57	(0)	8.3	減塩タイプ。100mL あたり 112.0g	17086	
0.1	0.1	未測定	(0)	微量	0.01	3	(0)	0.5			大さじ1　17g
1.1	0.6	0	(0)	0.05	0.11	31	0	16.0	100mL あたり 118.1g	17008	
0.1	微量	0	(0)	微量	0.01	2	0	0.9			大さじ1　18g
1.0	0.5	0	未測定	0.25	0.08	36	4	12.8	減塩タイプ。100 mL あたり 113.9 g	17139	
0.1	微量	0	未測定	0.01	微量	2	微量	0.7			大さじ1　18g
2.7	1.0	0	(0)	0.07	0.17	37	0	13.0	100mL あたり 121.1g	17009	
0.2	0.1	0	(0)	微量	0.01	2	0	0.8			大さじ1　18g
2.1	1.1	0	(0)	0.17	0.15	29	0	12.4	100mL あたり 121.1g	17010	

・(カッコ) 内の成分値および (微量) は推定値または推計値であることを意味します。

調味料及び香辛料類

食品名	エネルギー (kcal)	水分 (g)	たんぱく質 (g)	脂質 (g)	コレステロール (mg)	炭水化物 (g)	食物繊維 (g)	ミネラル ナトリウム (mg)	カリウム (mg)	カルシウム (mg)	マグネシウム (mg)
↳小さじ1 (6.1g) あたり	6	3.7	(0.5)	0	(0)	1.0	(0)	299	32	1	5
白しょうゆ	86	63.0	(2.0)	0	(0)	18.6	(0)	5600	95	13	34
↳小さじ1 (6.1g) あたり	5	3.8	0.1	0	(0)	1.1	(0)	342	6	1	2
だししょうゆ	39	(83.2)	(3.1)	0	0	(4.5)	(微量)	(2800)	(230)	(16)	(35)
塩											
食塩	0	0.1	0	0	(0)	0	(0)	39000	100	22	18
↳小さじ1 (6g) あたり	0	0	0	0	(0)	0	(0)	2340	6	1	1
並塩 別名 あら塩	0	1.8	0	0	(0)	0	(0)	38000	160	55	73
↳小さじ1 (4.5g) あたり	0	0.1	0	0	(0)	0	(0)	1710	7	2	3
減塩タイプ食塩 別名 減塩塩 調味料含む	50	微量	(0)	(0)	(0)	0	0	19000	19000	2	240
調味料不使用	0	2.0	(0)	(0)	(0)	0	0	18000	25000	390	530
精製塩	0	微量	0	0	(0)	0	(0)	39000	2	0	87
↳小さじ1 (6g) あたり	0	微量	0	0	(0)	0	(0)	2340	微量	0	5
酢											
黒酢	54	85.7	1.0	0	(0)	9.0	(0)	10	47	5	21
穀物酢	25	93.3	0.1	0	(0)	2.4	(0)	6	4	2	1
↳大さじ1 (15g) あたり	4	14.0	微量	0	(0)	0.4	(0)	1	1	微量	微量
米酢	46	87.9	0.2	0	(0)	7.4	(0)	12	16	2	6
↳大さじ1 (15g) あたり	7	13.2	微量	0	(0)	1.1	(0)	2	2	微量	1
バルサミコ酢	99	74.2	0.5	0	(0)	19.4	(0)	29	140	17	11
ぶどう酢 別名 ワインビネガー、ワイン酢	22	93.7	0.1	微量	0	1.2	0	4	22	3	2
↳大さじ1 (15g) あたり	3	14.1	微量	微量	0	0.2	0	1	3	微量	微量
りんご酢 別名 サイダービネガー	26	92.6	0.1	0	(0)	2.4	(0)	18	59	4	4
↳大さじ1 (15g) あたり	4	13.9	微量	0	(0)	0.4	(0)	3	9	1	1

可食部（食べられる部分）100g あたり									備考	食品番号	参考 見た目のおおまかなめやす量
		ビタミン									
鉄	亜鉛	ビタミンA（レチノール活性当量）	ビタミンD	ビタミンB1	ビタミンB2	葉酸	ビタミンC	食塩相当量			
mg	mg	μg	μg	mg	mg	μg	mg	g			
0.1	0.1	0	(0)	0.01	0.01	2	0	0.8			大さじ1　18g
0.7	0.3	0	(0)	0.14	0.06	14	0	14.2	100mL あたり 121.1g	17011	
微量	微量	0	(0)	0.01	微量	1	0	0.9			大さじ1　18g
(0.9)	(0.4)	0	0	(0.03)	(0.09)	(17)	0	(7.3)	濃口しょうゆに同量のかつお・昆布だしを合わせたもの	17087	
微量	微量	(0)	(0)	(0)	(0)	(0)	(0)	99.5		17012	
微量	微量	(0)	(0)	(0)	(0)	(0)	(0)	6.0			大さじ1　18g
微量	微量	(0)	(0)	(0)	(0)	(0)	(0)	97.3		17013	
微量	微量	(0)	(0)	(0)	(0)	(0)	(0)	4.4			大さじ1　15g
0.1	微量	(0)	(0)	(0)	(0)	(0)	(0)	49.4	調味料（無機塩、有機酸）を含む	17146	
0.1	微量	(0)	(0)	(0)	(0)	(0)	(0)	45.7	塩化カリウムを含む	17147	
0	0	(0)	(0)	(0)	(0)	(0)	(0)	99.6		17014	
0	0	(0)	(0)	(0)	(0)	(0)	(0)	6.0			大さじ1　18g
0.2	0.3	(0)	(0)	0.02	0.01	1	(0)	0		17090	大さじ1 15g 小さじ1　5g
微量	0.1	0	(0)	0.01	0.01	0	0	0	100mL あたり 100g	17015	
微量	微量	0	(0)	微量	微量	0	0	0			小さじ1　5g
0.1	0.2	0	(0)	0.01	0.01	0	0	0	100mL あたり 100g	17016	
微量	微量	0	(0)	微量	微量	0	0	0			小さじ1　5g
0.7	0.1	(0)	(0)	0.01	0.01	微量	(0)	0.1	100mL あたり 100g	17091	大さじ1　18g 小さじ1　6g
0.2	微量	(0)	微量	微量	微量	微量	微量	0		17017	
微量	微量	(0)	微量	微量	微量	微量	微量	0			小さじ1　5g
0.2	0.1	(0)	(微量)	0	0.01	0	0	0		17018	
微量	微量	(0)	(微量)	0	微量	0	0	0			小さじ1　5g

・（カッコ）内の成分値および（微量）は推定値または推計値であることを意味します。

調味料及び香辛料類

食品名	エネルギー	水分	たんぱく質	脂質	コレステロール	炭水化物	食物繊維	ミネラル ナトリウム	ミネラル カリウム	ミネラル カルシウム	ミネラル マグネシウム
	可食部（食べられる部分）100gあたり										
	kcal	g	g	g	mg	g	g	mg	mg	mg	mg
だし											
あごだし	0	99.8	微量	0	0	微量	微量	10	19	微量	1
かつおだし 荒節	2	99.4	0.2	微量	0	0.2	0	21	29	2	3
本枯れ節	2	99.4	0.2	0	0	0.3	0	21	32	微量	3
昆布だし 水出し	4	98.5	(0.1)	微量	未測定	0.9	未測定	61	140	3	4
煮出し	5	98.1	0.2	0	0	1.1	0.1	73	160	5	8
かつお・昆布だし 荒節・昆布だし	2	99.2	(0.2)	微量	未測定	0.4	未測定	34	63	3	4
本枯れ節・昆布だし	2	99.2	0.1	0	未測定	0.5	微量	30	58	1	3
しいたけだし	4	98.8	0.1	0	未測定	0.9	未測定	3	29	1	3
煮干しだし	1	99.7	0.1	0.1	未測定	0	(0)	38	25	3	2
鶏がらだし	7	98.6	0.5	0.4	1	0.3	(0)	40	60	1	1
中華だし	3	99.0	(0.7)	0	未測定	0.1	未測定	20	90	3	5
洋風だし 別名 スープストック、ブイヨン	6	97.8	(0.6)	0	未測定	1.0	未測定	180	110	5	6
固形ブイヨン 別名 固形コンソメ	233	0.8	(8.2)	4.1	微量	40.8	0.3	17000	200	26	19
顆粒おでん用	166	(0.9)	(9.9)	(0.1)	(7)	(31.2)	(微量)	(22000)	(210)	(30)	(33)
顆粒中華だし	210	1.2	10.6	1.5	7	38.7	(0)	19000	910	84	33
顆粒和風だし 別名 だしの素	223	1.6	(26.8)	0.2	23	28.6	0	16000	180	42	20
↳ 小さじ1（3.2g）あたり	7	0.1	(0.9)	0	1	0.9	0	512	6	1	1
なべつゆ ストレート しょうゆ味	20	(93.0)	(0.8)	0	未測定	(4.3)	0	(700)	(53)	(4)	(8)
めんつゆ ストレート	44	85.4	(2.0)	0	未測定	8.9	未測定	1300	100	8	15
めんつゆ 二倍濃縮	71	75.2	3.4	0	未測定	14.4	未測定	2600	160	12	25
めんつゆ 三倍濃縮	98	64.9	(4.1)	0	未測定	20.4	未測定	3900	220	16	35
↳ 大さじ1（17.4g）あたり	17	11.3	(0.7)	0	未測定	3.5	未測定	679	38	3	6

可食部（食べられる部分）100gあたり

鉄 mg	亜鉛 mg	ビタミン ビタミンA（レチノール活性当量） µg	ビタミンD µg	ビタミンB1 mg	ビタミンB2 mg	葉酸 µg	ビタミンC mg	食塩相当量 g	備考	食品番号	参考 見た目のおおまかなめやす量
微量	0	0	0	0	0	微量	0	0	液状だし	17130	
微量	微量	0	0	微量	0.01	0	0	0.1	液状だし	17019	1カップ　200g
微量	微量	0	0	0	0.01	0	0	0.1	液状だし	17131	
微量	微量	(0)	未測定	微量	微量	2	微量	0.2	液状だし	17020	1カップ　200g
微量	0	0	0	微量	0.01	1	0	0.2	液状だし	17132	
微量	微量	(微量)	未測定	0.01	0.01	1	微量	0.1	液状だし	17021	1カップ　200g
微量	微量	0	0	0	微量	微量	0	0.1	液状だし	17148	
0.1	微量	0	0	微量	0.02	2	0	0	液状だし	17022	1カップ　200g
微量	微量	未測定	未測定	0.01	微量	1	0	0.1	液状だし	17023	1カップ　200g
0.1	微量	1	0	0.01	0.04	2	0	0.1	液状だし。鶏がらからとっただし	17024	1カップ　200g
微量	微量	未測定	未測定	0.15	0.03	1	0	0.1	液状だし。鶏肉、豚もも肉、ねぎ、しょうがなどでとっただし	17025	1カップ　200g
0.1	0.1	未測定	未測定	0.02	0.05	3	0	0.5	液状だし。牛もも肉、にんじん、玉ねぎ、セロリなどでとっただしに塩を加えたもの	17026	1カップ　200g
0.4	0.1	0	微量	0.03	0.08	16	0	43.2	市販品。顆粒状の製品を含む。固形だし	17027	小1個（4g）
(0.8)	(0.4)	0	(0.2)	(0.02)	(0.11)	(14)	0	(56.4)	粉末製品を含む。おでんの素とも呼ばれる	17092	
0.6	0.5	3	0	0.06	0.56	170	0	47.5	粉末製品を含む。顆粒だし	17093	小さじ1　4g
1.0	0.5	0	0.8	0.03	0.20	14	0	40.6	市販品。粉末製品を含む。顆粒だし、顆粒風味調味料	17028	
微量	微量	0	微量	0	0.01	微量	0	1.3			
(0.2)	(0.1)	0	0	(0.01)	(0.02)	(4)	0	(1.8)	液状だし	17140	
0.4	0.2	0	(0)	0.01	0.04	17	0	3.3	市販品。液状だし	17029	大さじ1　18g 1カップ　230g
0.6	0.3	0	(0)	0.03	0.06	13	0	6.6	液状だし	17141	
0.8	0.4	0	(0)	0.04	0.07	9	0	9.9	液状だし。100mLあたり116g	17030	
0.1	0.1	0	(0)	0.01	0.01	2	0	1.7			

・（カッコ）内の成分値および（微量）は推定値または推計値であることを意味します。

調味料及び香辛料類

食品名	エネルギー	水分	たんぱく質	脂質	コレステロール	炭水化物	食物繊維	ナトリウム	カリウム	カルシウム	マグネシウム
	kcal	g	g	g	mg	g	g	mg	mg	mg	mg
↳ 1/2 カップ（116g）あたり	114	75.3	(4.8)	0	未測定	23.7	未測定	4524	255	19	41
調味ソース											
甘酢	116	(67.2)	(0.1)	0	0	(26.6)	0	(470)	(5)	(2)	(1)
エビチリの素	54	(85.8)	(0.8)	(1.3)	未測定	(9.2)	(0.6)	(680)	(150)	(8)	(10)
オイスターソース 別名 かき油	105	61.6	(6.1)	0.1	2	19.9	0.2	4500	260	25	63
↳ 大さじ1（18.5g）あたり	19	11.4	(1.1)	微量	微量	3.7	微量	833	48	5	12
魚醤油（ぎょしょう） いかなごしょうゆ	64	63.0	9.4	0	0	5.8	微量	8300	480	3	14
↳ 大さじ1（18.3g）あたり	12	11.5	1.7	0	0	1.1	微量	1519	88	1	3
いしる （いしり） 別名 いしり、よしる	67	61.2	8.4	0	0	7.9	0.3	8600	260	25	53
↳ 大さじ1（18.4g）あたり	12	11.3	1.5	0	0	1.5	0.1	1582	48	5	10
しょっつる	29	69.4	4.4	0	0	2.4	0.1	9600	190	6	14
↳ 大さじ1（18g）あたり	5	12.5	0.8	0	0	0.4	微量	1728	34	1	3
ナンプラー 別名 魚醤	47	65.5	6.3	0	0	5.5	(0)	9000	230	20	90
↳ 大さじ1（18.3g）あたり	9	12.0	1.2	0	0	1.0	(0)	1647	42	4	16
ごま酢	212	(53.2)	(3.6)	(7.6)	未測定	(28.7)	(1.9)	(670)	(110)	(180)	(61)
ごまだれ	282	(40.7)	(6.7)	(14.2)	未測定	(27.4)	(3.0)	(1700)	(210)	(220)	(100)
三杯酢	85	(76.2)	(0.6)	0	未測定	(18.0)	0	(780)	(56)	(5)	(11)
二杯酢	59	(78.7)	(2.7)	0	0	(8.0)	(微量)	(2500)	(180)	(14)	(32)
すし酢 ちらし・稲荷用	150	(55.5)	(0.1)	0	0	(34.9)	0	(2500)	(18)	(3)	(5)
にぎり用	70	(72.0)	(0.2)	0	0	(14.3)	0	(3900)	(23)	(4)	(7)
巻き寿司・箱寿司用	107	(64.1)	(0.1)	0	0	(23.8)	0	(3400)	(21)	(4)	(6)
デミグラスソース 別名 ドミグラスソース	82	81.5	2.9	3.0	未測定	11.0	未測定	520	180	11	11

可食部（食べられる部分）100g あたり											
		ビタミン									
鉄	亜鉛	ビタミンA（レチノール活性当量）	ビタミンD	ビタミンB1	ビタミンB2	葉酸	ビタミンC	食塩相当量	備考	食品番号	参考 見た目のおおまかなめやす量
mg	mg	µg	µg	mg	mg	µg	mg	g			
0.9	0.5	0	(0)	0.05	0.08	10	0	11.5			
0	(0.1)	0	0	(0.01)	(0.01)	0	0	(1.2)		17094	
(0.3)	(0.1)	(13)	0	(0.14)	(0.04)	(5)	(1)	(1.8)		17095	
1.2	1.6	未測定	未測定	0.01	0.07	9	微量	11.4	100mL あたり 123g	17031	
0.2	0.3	未測定	未測定	微量	0.01	2	微量	2.1			小さじ1 6g
0.4	1.0	0	0	0	0.31	51	0	21.2	100 mL あたり 121.9 g	17133	
0.1	0.2	0	0	0	0.06	9	0	3.9			
1.5	4.5	0	0	0	0.25	66	0	21.9	原材料がいかの場合は「いしり」、いわし等の場合は「いしる」または「よしる」。100 mL あたり 122.9 g	17134	
0.3	0.8	0	0	0	0.05	12	0	4.0			
0.2	0.2	0	0	0.03	0.06	5	0	24.3	100 mL あたり 120.3 g	17135	
微量	微量	0	0	0.01	0.01	1	0	4.4			
1.2	0.7	0	0	0.01	0.10	26	0	22.9	100mL あたり 122.1g	17107	
0.2	0.1	0	0	微量	0.02	5	0	4.2			小さじ1 6g
(1.7)	(1.0)	0	0	(0.08)	(0.06)	(26)	0	(1.7)		17097	
(2.3)	(1.6)	(4)	(微量)	(0.11)	(0.09)	(38)	0	(4.3)		17098	
(0.2)	(0.2)	0	0	(0.01)	(0.02)	(4)	0	(2.0)	材料割合：米酢 100、上白糖 18、うすくちしょうゆ 18、かつお・昆布だし 15	17099	
(0.8)	(0.5)	0	0	(0.03)	(0.08)	(15)	0	(6.4)	材料割合：米酢 10、こいくちしょうゆ 8	17100	
(0.1)	(0.1)	0	0	(0.01)	(0.01)	0	0	(6.5)	材料割合：米酢 15 、上白糖 7 、食塩 1.5	17101	大さじ1 18g 小さじ1 6g
(0.1)	(0.2)	0	0	(0.01)	(0.01)	0	0	(9.8)	材料割合:米酢 10 、上白糖 1、食塩 1.2	17102	大さじ1 18g 小さじ1 6g
(0.1)	(0.1)	0	0	(0.01)	(0.01)	0	0	(8.6)	材料割合:米酢 12、上白糖 3、食塩 1.4	17103	大さじ1 18g 小さじ1 6g
0.3	0.3	未測定	未測定	0.04	0.07	25	未測定	1.3		17105	1人分 70g

・（カッコ）内の成分値および（微量）は推定値または推計値であることを意味します。

調味料及び香辛料類

食品名	エネルギー	水分	たんぱく質	脂質	コレステロール	炭水化物	食物繊維	ナトリウム	カリウム	カルシウム	マグネシウム
可食部（食べられる部分）100g あたり								ミネラル			
	kcal	g	g	g	mg	g	g	mg	mg	mg	mg
テンメンジャン	249	37.5	8.5	7.7	0	35.0	3.1	2900	350	45	61
ホワイトソース 別名 ベシャメルソース	99	81.7	(1.2)	(6.2)	6	9.4	0.4	380	62	34	5
ぽん酢しょうゆ 市販品 別名 ぽん酢	59	77.0	3.2	0	0	10.0	(0.3)	3100	180	16	25
↳ 大さじ1（16.8g）あたり	10	12.9	0.5	0	0	1.7	(0.1)	521	30	3	4
マーボー豆腐の素	115	75.0	4.2	6.3	未測定	10.4	未測定	1400	55	12	未測定
マリネ液	66	(83.9)	0	0	0	(10.5)	0	(370)	(26)	(4)	(3)
ミートソース	96	78.8	3.8	5.0	未測定	(9.4)	未測定	610	250	17	未測定
↳ 1/2 カップ（106.5g）あたり	102	83.9	4.0	5.3	未測定	(10.0)	未測定	650	266	18	未測定
焼き鳥のたれ	131	(61.4)	(2.6)	0	未測定	(29.0)	(微量)	(2300)	(160)	(13)	(27)
焼き肉のたれ	164	(52.4)	(3.6)	(2.1)	(微量)	(32.1)	(0.4)	(3300)	(230)	(23)	(35)
ゆずこしょう	37	64.5	1.3	0.8	(0)	3.1	6.2	9900	280	61	44
トマト加工品											
トマトピューレー	44	86.9	(1.4)	(0.1)	(0)	8.7	1.8	19	490	19	27
↳ 大さじ1（15.8g）あたり	7	13.7	(0.2)	(微量)	(0)	1.4	0.3	3	77	3	4
トマトペースト	94	71.3	(3.2)	(0.1)	(0)	17.9	4.7	55	1100	46	64
トマトケチャップ	104	66.0	1.2	0.1	0	(24.0)	1.7	1200	380	16	18
↳ 大さじ1（17.3g）あたり	18	11.4	0.2	微量	0	(4.2)	0.3	208	66	3	3
トマトソース	41	87.1	(1.9)	(0.1)	(0)	7.6	1.1	240	340	18	20
↳ 大さじ1（14.5g）あたり	6	12.6	(0.3)	(微量)	(0)	1.1	0.2	35	49	3	3
チリソース	112	67.3	(1.7)	(0.1)	(0)	25.2	1.9	1200	500	27	23
ドレッシング・マヨネーズ類											
半固形状ドレッシング											
マヨネーズ 全卵型	668	16.6	1.3	72.5	55	(2.1)	(0)	730	13	8	2
↳ 大さじ1（14.3g）あたり	96	2.4	0.2	10.4	8	(0.3)	(0)	104	2	1	微量

可食部（食べられる部分）100gあたり		ビタミン						食塩相当量	備考	食品番号	参考 見た目のおおまかなめやす量
鉄	亜鉛	ビタミンA（レチノール活性当量）	ビタミンD	ビタミンB1	ビタミンB2	葉酸	ビタミンC				
mg	mg	µg	µg	mg	mg	µg	mg	g			
1.6	1.0	0	(0)	0.04	0.11	20	0	7.3		17106	大さじ1　21g 小さじ1　7g
0.1	0.2	未測定	未測定	0.01	0.05	3	0	1.0		17109	1人分 70g
0.7	0.3	0	0	0.02	0.05	17	微量	7.8	100 mL あたり 111.8 g	17137	
0.1	0.1	0	0	微量	0.01	3	微量	1.3			小さじ1　6g
0.8	未測定	9	未測定	0.05	0.03	未測定	2	3.6	レトルトパウチ製品	17032	1袋　130g
(0.2)	0	0	0	0	0	0	0	(0.9)	ピクルス用	17111	
0.8	未測定	49	未測定	0.14	0.05	未測定	6	1.5	缶詰めおよびレトルトパウチ製品。100 mL あたり 107g	17033	
0.9	未測定	52	未測定	0.15	0.05	未測定	6	1.6			1缶　295g
(0.7)	(0.4)	0	0	(0.02)	(0.07)	(13)	0	(5.8)		17112	
(0.9)	(0.5)	(微量)	(微量)	(0.03)	(0.09)	(18)	(1)	(8.3)		17113	大さじ1　18g 小さじ1　6g
0.6	0.1	22	(0)	0.04	0.05	13	2	25.2		17115	
0.8	0.3	52	(0)	0.09	0.07	29	10	0	食塩無添加品。100 mL あたり 105g	17034	
0.1	微量	8	(0)	0.01	0.01	5	2	0			1カップ　230g
1.6	0.6	85	(0)	0.21	0.14	42	15	0.1	食塩無添加品。	17035	大さじ1　17g 1カップ　230g
0.5	0.2	43	0	0.06	0.04	13	8	3.1	100 mL あたり 115g	17036	
0.1	微量	7	0	0.01	0.01	2	1	0.5			小さじ1　6g 1カップ　240g
0.9	0.2	40	(0)	0.09	0.08	3	(微量)	0.6	100 mL あたり 97g	17037	
0.1	微量	6	(0)	0.01	0.01	微量	(微量)	0.1			小さじ1　5g
0.9	0.2	42	(0)	0.07	0.07	5	(微量)	3.0		17038	大さじ1　20g 小さじ1　5g
0.3	0.2	24	0.3	0.01	0.03	1	0	1.9	100 mL あたり 95g	17042	
微量	微量	3	微量	微量	微量	微量	0	0.3			小さじ1　4g

・（カッコ）内の成分値および（微量）は推定値または推計値であることを意味します。

調味料及び香辛料類

食品名	エネルギー	水分	たんぱく質	脂質	コレステロール	炭水化物	食物繊維	ミネラル ナトリウム	カリウム	カルシウム	マグネシウム
可食部（食べられる部分）100gあたり	kcal	g	g	g	mg	g	g	mg	mg	mg	mg
卵黄型	668	19.7	2.2	72.8	140	(0.5)	(0)	770	21	20	3
↳ 大さじ1（14.3g）あたり	96	2.8	0.3	10.4	20	(0.1)	(0)	110	3	3	微量
マヨネーズタイプ調味料 低カロリータイプ	262	60.9	2.6	26.4	58	2.6	0.8	1500	36	10	3
分離液状ドレッシング											
フレンチドレッシング 分離液状	325	(47.8)	0	(30.6)	(1)	(11.3)	0	(2500)	(2)	(1)	(微量)
↳ 大さじ1（17g）あたり	55	8.1	0	(5.2)	微量	(1.9)	0	(425)	(微量)	(微量)	(微量)
和風ドレッシング	179	(69.4)	(1.6)	(14.0)	(1)	(9.7)	(0.2)	(1400)	(75)	(7)	(16)
和風ノンオイルドレッシング	83	71.8	3.1	0.1	未測定	17.2	0.2	2900	130	10	34
↳ 大さじ1（15g）あたり	12	10.8	0.5	微量	未測定	2.6	微量	435	20	2	5
乳化液状ドレッシング											
ごまドレッシング	399	(38.1)	(2.3)	(37.1)	(7)	(12.5)	(0.8)	(1800)	(91)	(86)	(34)
↳ 大さじ1（15.8g）あたり	63	6.0	(0.4)	(5.9)	(1)	(2.0)	(0.1)	(284)	(14)	(14)	(5)
サウザンアイランドドレッシング	392	(44.1)	(0.2)	(38.1)	(9)	(11.9)	(0.4)	(1200)	(32)	(7)	(3)
↳ 大さじ1（15.5g）あたり	61	(6.8)	(微量)	(5.9)	(1.4)	(1.8)	(0.1)	186	5	(1)	(微量)
フレンチドレッシング 乳化液状	376	(44.1)	(0.1)	(37.7)	(7)	(8.5)	0	(2500)	(3)	(1)	(微量)
みそ											
米みそ　甘みそ	206	42.6	8.7	3.0	(0)	33.3	5.6	2400	340	80	32
↳ 大さじ1（17.3g）あたり	36	7.4	1.5	0.5	(0)	5.8	1.0	415	59	14	6
淡色辛みそ	182	45.4	11.1	5.9	(0)	18.5	4.9	4900	380	100	75
↳ 大さじ1（17.3g）あたり	31	7.9	1.9	1.0	(0)	3.2	0.8	848	66	17	13
赤色辛みそ	178	45.7	11.3	5.4	(0)	18.9	4.1	5100	440	130	80
↳ 大さじ1（17.3g）あたり	31	7.9	2.0	0.9	(0)	3.3	0.7	882	76	22	14
だし入りみそ	167	49.9	(10.0)	(5.2)	2	17.8	4.1	4700	420	67	61

鉄	亜鉛	ビタミンA（レチノール活性当量）	ビタミンD	ビタミンB1	ビタミンB2	葉酸	ビタミンC	食塩相当量	備考	食品番号	参考 見た目のおおまかなめやす量
可食部（食べられる部分）100g あたり		ビタミン									
mg	mg	μg	μg	mg	mg	μg	mg	g			
0.6	0.5	54	0.6	0.03	0.07	3	0	2.0	100 mL あたり 95g	17043	
0.1	0.1	8	0.1	微量	0.01	微量	0	0.3			小さじ1　4g
0.3	0.2	46	0.3	0.02	0.05	3	0	3.9	カロテン：色素として添加品あり	17118	大さじ1　15g 小さじ1　5g
(微量)	(微量)	0	0	(微量)	(微量)	0	0	(6.3)		17040	
(微量)	(微量)	0	0	(微量)	(微量)	0	0	1.1			
(0.4)	(0.2)	(微量)	未測定	(0.03)	(0.03)	(7)	0	(3.5)	オイル入り	17116	
0.3	0.2	微量	(0)	0.02	0.03	6	(微量)	7.4		17039	
微量	微量	微量	(0)	微量	微量	1	(微量)	1.1			小さじ1　6g
(1.0)	(0.6)	(4)	(0.1)	(0.04)	(0.05)	(16)	0	(4.4)	クリームタイプ	17117	
(0.2)	(0.1)	(1)	(微量)	(0.01)	(0.01)	(2.5)	0	(0.7)			小さじ1　6g
(0.1)	(0.1)	(8)	(0.1)	(微量)	(0.01)	(3)	(2)	(3.0)		17041	
(微量)	(微量)	(1)	(微量)	(微量)	(微量)	(微量)	(微量)	(0.5)			小さじ1　6g
(微量)	(微量)	(3)	(0.1)	(微量)	(0.01)	(1)	(1)	(6.4)		17149	
3.4	0.9	(0)	(0)	0.05	0.10	21	(0)	6.1	西京みそ、関西白みそ等。100mL あたり 115g	17044	
0.6	0.2	(0)	(0)	0.01	0.02	4	(0)	1.1			小さじ1　6g
4.0	1.1	(0)	(0)	0.03	0.10	68	(0)	12.4	信州みそ等。100mL あたり 115g	17045	
0.7	0.2	(0)	(0)	0.01	0.02	12	(0)	2.1			小さじ1　6g
4.3	1.2	(0)	(0)	0.03	0.10	42	(0)	13.0	仙台みそ、越後みそ等。100mL あたり 115g	17046	
0.7	0.2	(0)	(0)	0.01	0.02	7	(0)	2.2			小さじ1　6g
1.4	1.0	0	0.1	0.10	0.35	37	0	11.9	100mL あたり 115g	17120	大さじ1　18g 小さじ1　6g

・（カッコ）内の成分値および（微量）は推定値または推計値であることを意味します。

調味料及び香辛料類

食品名	エネルギー	水分	たんぱく質	脂質	コレステロール	炭水化物	食物繊維	ナトリウム	カリウム	カルシウム	マグネシウム
	可食部（食べられる部分）100gあたり							ミネラル			
	kcal	g	g	g	mg	g	g	mg	mg	mg	mg
だし入りみそ　減塩	164	52.5	9.4	4.7	1	18.2	4.9	3800	410	63	55
麦みそ	184	44.0	8.1	4.2	(0)	25.5	6.3	4200	340	80	55
↳大さじ1（17.3g）あたり	32	7.6	1.4	0.7	(0)	4.4	1.1	727	59	14	10
豆みそ	207	44.9	14.8	10.2	(0)	10.7	6.5	4300	930	150	130
↳大さじ1（17.3g）あたり	36	7.8	2.6	1.8	(0)	1.9	1.1	744	161	26	22
減塩みそ	190	46.0	9.1	(5.8)	(0)	23.2	4.3	4200	480	62	71
↳大さじ1（17.3g）あたり	33	8.0	1.6	(1.0)	(0)	4.0	0.7	727	83	11	12
即席みそ　粉末タイプ	321	2.4	(19.4)	7.4	(0)	40.7	6.6	8100	600	85	140
ペーストタイプ	122	61.5	(7.9)	3.1	(0)	14.3	2.8	3800	310	47	54
辛子酢みそ	216	(43.6)	(4.2)	(2.1)	0	(42.7)	(2.7)	(1300)	(170)	(42)	(20)
ごまみそ	245	(42.7)	(8.6)	(9.5)	0	(28.5)	(5.5)	(1600)	(280)	(230)	(74)
酢みそ	211	(44.2)	(4.4)	(1.5)	0	(42.5)	(2.8)	(1200)	(170)	(41)	(16)
練りみそ	267	(29.9)	(4.8)	(1.7)	0	(56.6)	(3.2)	(1400)	(190)	(46)	(18)
ルウ											
カレールウ	474	3.0	5.7	32.8	20	35.1	6.4	4200	320	90	31
ハヤシルウ	501	2.2	5.8	31.9	20	46.3	2.5	4200	150	30	21
その他											
お茶漬けの素　さけ	251	(2.9)	(18.0)	(2.7)	(64)	(36.9)	(3.5)	(13000)	(560)	(72)	(55)
キムチの素	125	58.2	5.3	0.8	3	21.6	3.6	3600	350	29	31
酒かす	215	51.1	(14.2)	1.5	(0)	19.3	5.2	5	28	8	9
即席すまし汁	194	(2.8)	(17.0)	(0.5)	(16)	(28.4)	(3.3)	(18000)	(490)	(76)	(61)
ふりかけ　たまご	428	(2.5)	(20.9)	(19.7)	(420)	(39.2)	(5.1)	(3600)	(490)	(390)	(120)
みりん風調味料	225	43.6	0.1	0	(0)	55.6	(0)	68	3	微量	1
↳大さじ1（19g）あたり	43	8.3	微量	0	(0)	10.6	(0)	13	1	微量	微量

可食部（食べられる部分）100g あたり									備考	食品番号	参考 見た目のおおまかなめやす量
		ビタミン						食塩相当量			
鉄	亜鉛	ビタミンA（レチノール活性当量）	ビタミンD	ビタミンB1	ビタミンB2	葉酸	ビタミンC				
mg	mg	µg	µg	mg	mg	µg	mg	g			
1.4	1.0	0	0	0.10	0.09	40	0	9.7	100 mL あたり 115g	17145	
3.0	0.9	(0)	(0)	0.04	0.10	35	(0)	10.7	田舎みそ。100mL あたり 115g	17047	
0.5	0.2	(0)	(0)	0.01	0.02	6	(0)	1.9			小さじ1　6g
6.8	2.0	(0)	(0)	0.04	0.12	54	(0)	10.9	東海豆みそ、八丁みそ。100mL あたり 115g	17048	
1.2	0.3	(0)	(0)	0.01	0.02	9	(0)	1.9			小さじ1　6g
1.7	1.4	0	0	0.10	0.11	75	0	10.7	100mL あたり 115g	17119	
0.3	0.2	0	0	0.02	0.02	13	0	1.9			小さじ1　6g
2.8	1.8	微量	(0)	0.11	2.58	65	(0)	20.6	インスタントみそ汁	17049	1袋　9.4g
1.2	0.9	0	(0)	0.04	0.27	29	(0)	9.6	インスタントみそ汁	17050	1袋　19g
(1.7)	(0.5)	0	0	(0.04)	(0.05)	(10)	0	(3.3)		17121	
(3.7)	(1.5)	0	0	(0.10)	(0.10)	(36)	0	(4.0)		17122	
(1.7)	(0.5)	0	0	(0.03)	(0.05)	(11)	0	(3.1)		17123	
(1.9)	(0.5)	0	0	(0.03)	(0.06)	(12)	0	(3.4)		17124	
3.5	0.5	6	(0)	0.09	0.06	9	0	10.6		17051	1かけ　20g
1.0	0.3	95	(0)	0.14	0.06	9	0	10.7		17052	1かけ　20g
(2.1)	(0.9)	(180)	(8.3)	(0.16)	(0.29)	(140)	(12)	(33.8)		17125	
1.3	0.3	190	0	0.04	0.11	8	0	9.3		17136	
0.8	2.3	(0)	(0)	0.03	0.26	170	(0)	0		17053	10cm角1枚　50g
(2.3)	(1.0)	(200)	(0.5)	(0.13)	(0.31)	(170)	(25)	(45.7)		17126	
(4.5)	(2.9)	(360)	(2.2)	(0.29)	(0.48)	(170)	(11)	(9.2)		17127	
0.1	微量	(0)	(0)	微量	0.02	0	0	0.2	糖液にアミノ酸などを混合して作り、みりんとは異なる（本みりんは 196 ページ参照）。100mL あたり 126.9g。アルコール 0.5 容量％	17054	
微量	微量	(0)	(0)	微量	微量	0	0	微量			小さじ1　6g

穀類
芋・でん粉類
砂糖・甘味類
豆類
種実類
野菜類
果実類
きのこ類
藻類
魚介類
肉類
卵類
乳類
油脂類
菓子類
し好飲料類
調味料・香辛料類
調理済み流通食品類

・(カッコ)内の成分値および(微量)は推定値または推計値であることを意味します。

調味料及び香辛料類

食品名	エネルギー	水分	たんぱく質	脂質	コレステロール	炭水化物	食物繊維	ナトリウム	カリウム	カルシウム	マグネシウム
可食部(食べられる部分)100gあたり								ミネラル			
	kcal	g	g	g	mg	g	g	mg	mg	mg	mg
料理酒	88	82.4	0.2	微量	0	3.5	0	870	6	2	2
↳大さじ1(15.2g)あたり	13	12.5	微量	微量	0	0.5	0	132	1	微量	微量
香辛料ほか											
オールスパイス 粉	364	9.2	5.6	(3.7)	(0)	77.1	未測定	53	1300	710	130
オニオンパウダー	363	5.0	(5.8)	(0.8)	(0)	83.0	未測定	52	1300	140	160
からし 粉	435	4.9	33.0	(14.2)	(0)	43.8	未測定	34	890	250	380
練り	314	31.7	5.9	(14.4)	(0)	40.2	未測定	2900	190	60	83
練りマスタード	175	65.7	(4.3)	(10.5)	(微量)	15.6	未測定	1200	170	71	60
粒入りマスタード	229	57.2	(6.9)	(15.9)	(微量)	14.7	未測定	1600	190	130	110
カレー粉	338	5.7	(10.2)	11.6	8	29.8	36.9	40	1700	540	220
クローブ 粉 別名 ちょうじ	398	7.5	(5.1)	(9.8)	(0)	72.2	未測定	280	1400	640	250
こしょう 黒 粉	362	12.7	(8.9)	(5.5)	(0)	69.2	未測定	65	1300	410	150
白 粉	376	12.3	(7.0)	(5.9)	(0)	73.7	未測定	4	60	240	80
混合 粉	369	12.5	(7.4)	(5.7)	(0)	72.0	未測定	35	680	330	120
山椒(さんしょう) 粉	375	8.3	10.3	6.2	(0)	69.6	未測定	10	1700	750	100
シナモン 粉 別名 にっけい、にっき	356	9.4	(2.7)	(1.9)	(0)	82.1	未測定	23	550	1200	87
しょうが 粉	365	10.6	(5.3)	4.9	(0)	75.0	未測定	31	1400	110	300
おろし	41	88.2	(0.3)	(0.4)	(0)	9.0	未測定	580	140	16	17
セージ 粉	377	9.2	6.4	(8.8)	(0)	68.2	未測定	120	1600	1500	270
タイム 粉	342	9.8	6.5	(3.2)	(0)	71.8	未測定	13	980	1700	300
チリパウダー	374	3.8	(9.2)	(8.2)	(0)	65.9	未測定	2500	3000	280	210
とうがらし 粉 別名 一味唐辛子	412	1.7	(9.9)	(8.3)	(0)	74.5	未測定	4	2700	110	170
ナツメグ 粉	520	6.3	5.7	(30.6)	(0)	55.4	未測定	15	430	160	180

可食部（食べられる部分）100g あたり									備考	食品番号	参考 見た目のおおまかなめやす量
鉄	亜鉛	ビタミン						食塩相当量			
		ビタミンA（レチノール活性当量）	ビタミンD	ビタミンB1	ビタミンB2	葉酸	ビタミンC				
mg	mg	µg	µg	mg	mg	µg	mg	g			
微量	微量	0	0	微量	0	0	0	2.2	100 mL あたり 101.6 g。アルコール 13.6 容量 %	17138	
微量	微量	0	0	微量	0	0	0	0.3			小さじ 1　5g
4.7	1.2	3	(0)	0	0.05	(0)	0	0.1	百味こしょう、ピメントとも呼ばれる。	17055	小さじ 1　2g
3.1	3.2	(0)	(0)	0.30	0.10	未測定	10	0.1	食塩添加品あり	17056	小さじ 1　2g
11.0	6.6	3	(0)	0.73	0.26	(0)	0	0.1	和がらしおよび洋がらしを含む。 100 mL あたり 40 g	17057	小さじ 1　2g
2.1	1.0	1	(0)	0.22	0.07	(0)	0	7.4	和風および洋風を含む	17058	小さじ 1　5g
1.8	0.8	4	(微量)	0.14	0.04	14	微量	3.0	フレンチマスタード	17059	
2.4	1.4	3	(微量)	0.32	0.05	16	微量	4.1	あらびきマスタード	17060	小さじ 1　5g
29.0	2.9	32	(0)	0.41	0.25	60	2	0.1		17061	大さじ 1　6g 小さじ 1　2g
9.9	1.1	10	(0)	0.04	0.27	(0)	(0)	0.7		17062	小さじ 1　2g
20.0	1.1	15	(0)	0.10	0.24	(0)	(0)	0.2	ブラックペッパー	17063	小さじ 1　2g
7.3	0.9	(0)	(0)	0.02	0.12	(0)	(0)	0	ホワイトペッパー	17064	小さじ 1　2g
14.0	1.0	7	(0)	0.06	0.18	0	1	0.1	黒・白こしょうを混ぜ合わせたもの。一般にもっとも多く流通している	17065	小さじ 1　2g
10.0	0.9	17	(0)	0.10	0.45	未測定	0	0		17066	小さじ 1　2g
7.1	0.9	1	(0)	0.08	0.14	(0)	微量	0.1		17067	小さじ 1　2g
14.0	1.7	1	(0)	0.04	0.17	(0)	0	0.1		17068	小さじ 1　2g
0.3	0.1	1	(0)	0.02	0.03	未測定	120	1.5	チューブ入り。ビタミン C：添加品を含む	17069	小さじ 1　6g
50.0	3.3	120	(0)	0.09	0.55	未測定	(0)	0.3		17070	小さじ 1　1g
110.0	2.0	82	(0)	0.09	0.69	0	0	0		17071	小さじ 1　1g
29.0	2.2	770	(0)	0.25	0.84	(0)	(0)	6.4		17072	小さじ 1　2g
12.0	2.0	720	(0)	0.43	1.15	未測定	微量	0		17073	小さじ 1　2g
2.5	1.3	1	(0)	0.05	0.10	(0)	(0)	0		17074	小さじ 1　2g

・（カッコ）内の成分値および（微量）は推定値または推計値であることを意味します。

調味料及び香辛料類

食品名	エネルギー	水分	たんぱく質	脂質	コレステロール	炭水化物	食物繊維	ミネラル ナトリウム	ミネラル カリウム	ミネラル カルシウム	ミネラル マグネシウム
可食部（食べられる部分）100gあたり	kcal	g	g	g	mg	g	g	mg	mg	mg	mg
にんにく ガーリックパウダー 食塩無添加	380	3.5	(17.2)	0.4	2	77.0	未測定	18	390	100	90
食塩添加	382	3.5	(17.2)	0.8	2	76.5	未測定	3300	390	100	90
おろし	170	52.1	(2.9)	(0.3)	(微量)	39.0	未測定	1800	440	22	22
バジル 粉 別名 バジリコ	307	10.9	(17.3)	(2.2)	(0)	54.4	未測定	59	3100	2800	760
パセリ 乾燥	341	5.0	(27.7)	(2.2)	(0)	52.6	未測定	880	3600	1300	380
パプリカ 粉	385	10.0	(14.6)	(10.9)	(0)	57.2	未測定	60	2700	170	220
わさび 粉 からし粉入り	384	4.9	(9.4)	4.4	(0)	76.8	未測定	30	1200	320	210
練り	265	39.8	(1.9)	10.3	(0)	41.2	未測定	2400	280	62	39
パン酵母 乾燥 別名 ドライイースト	307	8.7	30.2	4.7	0	19.5	32.6	120	1600	19	91
ベーキングパウダー	150	4.5	微量	(0.6)	(0)	(35.0)	未測定	6800	3900	2400	1

可食部（食べられる部分）100g あたり									備考	食品番号	参考 見た目のおおまかなめやす量
		ビタミン						食塩相当量			
鉄	亜鉛	ビタミンA（レチノール活性当量）	ビタミンD	ビタミンB_1	ビタミンB_2	葉酸	ビタミンC				
mg	mg	µg	µg	mg	mg	µg	mg	g			
6.6	2.5	(0)	(0)	0.54	0.15	30	(0)	0		17075	小さじ1　2g
6.6	2.5	(0)	(0)	0.54	0.15	30	(0)	8.4		17128	
0.7	0.5	微量	(0)	0.11	0.04	未測定	0	4.6	チューブ入り	17076	小さじ1　6g
120.0	3.9	210	(0)	0.26	1.09	290	1	0.1		17077	小さじ1　2g
18.0	3.6	2300	(0)	0.89	2.02	1400	820	2.2		17078	小さじ1　1g
21.0	10.0	500	(0)	0.52	1.78	(0)	(0)	0.2		17079	小さじ1　2g
9.3	4.4	2	(0)	0.55	0.30	未測定	(0)	0.1	ホースラディシュ粉末にからし粉末を混ぜたもの	17080	小さじ1　2g
2.0	0.8	1	(0)	0.11	0.07	未測定	0	6.1	チューブ入り。わさび、ホースラディシュ混合製品	17081	小さじ1　5g
13.0	3.4	0	2.8	8.81	3.72	3800	1	0.3		17083	大さじ1　7g 小さじ1　2g
0.1	微量	0	0	0	0	(0)	0	17.3		17084	大さじ1　12g 小さじ1　4g

・（カッコ）内の成分値および（微量）は推定値または推計値であることを意味します。

調理済み流通食品類

食品名	エネルギー (kcal)	水分 (g)	たんぱく質 (g)	脂質 (g)	コレステロール (mg)	炭水化物 (g)	食物繊維 (g)	ミネラル ナトリウム (mg)	カリウム (mg)	カルシウム (mg)	マグネシウム (mg)
可食部（食べられる部分）100gあたり											
和風料理											
あえ物類											
青菜の白あえ	81	(79.7)	(3.9)	(2.6)	(微量)	(9.2)	(2.4)	(500)	(180)	(95)	(42)
いんげんのごまあえ	77	(81.4)	(3.0)	(3.2)	(5)	(7.2)	(2.8)	(480)	(270)	(120)	(44)
わかめとねぎの酢みそあえ	85	(76.3)	(3.0)	(0.8)	(17)	(14.9)	(2.5)	(730)	(140)	(40)	(20)
汁物類											
とん汁　別名 ぶた汁	26	(94.4)	(1.3)	(1.4)	(3)	(1.6)	(0.5)	(220)	(63)	(10)	(6)
酢の物類											
紅白なます	34	(90.3)	(0.6)	(0.7)	0	(6.1)	(0.9)	(230)	(130)	(22)	(9)
煮物類											
卯の花いり	84	(79.1)	(3.1)	(3.5)	(7)	(7.4)	(5.1)	(450)	(190)	(47)	(24)
親子丼の具	101	(79.4)	(7.9)	(5.1)	(130)	(5.8)	(0.4)	(380)	(120)	(21)	(12)
牛飯の具　別名 牛丼の具	122	(78.8)	(3.5)	(8.8)	(18)	(6.6)	(1.0)	(400)	(110)	(18)	(10)
切り干し大根の煮物	48	(88.2)	(1.9)	(1.9)	0	(4.8)	(2.0)	(370)	(76)	(46)	(18)
きんぴらごぼう	84	(81.6)	(3.1)	(4.3)	(微量)	(6.4)	(3.2)	(350)	(150)	(36)	(25)
ぜんまいのいため煮	80	(82.3)	(3.0)	(3.9)	0	(7.1)	(2.2)	(420)	(67)	(47)	(19)
筑前煮　別名 いり鶏、筑前炊き、がめ煮	85	(80.4)	(4.1)	(3.3)	(19)	(8.8)	(1.8)	(430)	(160)	(22)	(15)
肉じゃが	78	(79.6)	(3.8)	(1.1)	(9)	(12.5)	(1.3)	(480)	(210)	(13)	(14)
ひじきのいため煮	75	(80.8)	(2.8)	(3.5)	(微量)	(6.5)	(3.4)	(560)	(180)	(100)	(43)
その他											
アジの南蛮漬け	109	(78.0)	(6.7)	(5.6)	(27)	(7.5)	(0.9)	(290)	(190)	(37)	(19)
松前漬け　しょうゆ漬	166	51.2	14.5	0.9	170	21.0	1.6	2000	310	41	59
洋風料理											
カレー類											
チキンカレー	131	(75.2)	(5.4)	(8.4)	(29)	(7.8)	(1.2)	(540)	(170)	(20)	(13)

可食部（食べられる部分）100gあたり											
		ビタミン						食塩相当量	備考	食品番号	参考 見た目のおおまかなめやす量
鉄	亜鉛	ビタミンA（レチノール活性当量）	ビタミンD	ビタミンB1	ビタミンB2	葉酸	ビタミンC				
mg	mg	µg	µg	mg	mg	µg	mg	g			
(1.2)	(0.6)	(130)	(微量)	(0.06)	(0.05)	(32)	(3)	(1.3)		18024	
(1.3)	(0.7)	(73)	(0.2)	(0.08)	(0.10)	(52)	(5)	(1.2)		18025	
(0.9)	(0.4)	(11)	0	(0.03)	(0.04)	(31)	(4)	(1.8)		18026	
(0.2)	(0.2)	(17)	(微量)	(0.03)	(0.01)	(7)	(1)	(0.6)		18028	
(0.2)	(0.1)	(38)	0	(0.02)	(0.01)	(19)	(6)	(0.6)		18027	
(0.8)	(0.4)	(38)	(0.1)	(0.06)	(0.04)	(13)	(1)	(1.1)		18029	
(0.7)	(0.7)	(57)	(0.7)	(0.04)	(0.13)	(20)	(2)	(1.0)		18030	
(0.6)	(0.9)	(4)	0	(0.02)	(0.04)	(9)	(2)	(1.0)		18031	
(0.5)	(0.3)	(54)	0	(0.01)	(0.02)	(7)	(微量)	(0.9)		18032	
(0.5)	(0.4)	(86)	0	(0.03)	(0.03)	(32)	(1)	(0.9)		18033	
(0.7)	(0.4)	(42)	0	(0.01)	(0.02)	(7)	(微量)	(1.1)		18034	
(0.5)	(0.5)	(80)	(0.1)	(0.04)	(0.05)	(16)	(4)	(1.1)		18035	
(0.8)	(0.9)	(53)	0	(0.05)	(0.05)	(14)	(9)	(1.2)		18036	
(0.6)	(0.3)	(84)	(微量)	(0.02)	(0.02)	(6)	(微量)	(1.4)		18037	
(0.4)	(0.5)	(39)	(3.9)	(0.06)	(0.06)	(7)	(3)	(0.7)		18038	
0.6	1.3	11	1.0	0.06	0.04	15	0	5.2	液汁を除いたもの。するめ、昆布、かずのこ等を含む	18023	
(0.7)	(0.5)	(46)	(微量)	(0.04)	(0.07)	(10)	(3)	(1.4)	レトルトパウチ製品を含む。ごはんは含まない	18040	

・（カッコ）内の成分値および（微量）は推定値または推計値であることを意味します。

調理済み流通食品類

食品名	エネルギー	水分	たんぱく質	脂質	コレステロール	炭水化物	食物繊維	ナトリウム	カリウム	カルシウム	マグネシウム
	可食部（食べられる部分）100gあたり							ミネラル			
	kcal	g	g	g	mg	g	g	mg	mg	mg	mg
ビーフカレー	119	(78.5)	(2.1)	(8.6)	(10)	(7.9)	(0.9)	(680)	(93)	(20)	(8)
ポークカレー	116	(79.2)	(2.3)	(8.2)	(9)	(7.7)	(0.9)	(550)	(100)	(14)	(7)
コロッケ類											
カニクリームコロッケ	255	(54.6)	(4.4)	(16.5)	(8)	(21.1)	(1.0)	(320)	(94)	(30)	(14)
コーンクリームコロッケ	245	(54.1)	(4.4)	(15.3)	(7)	(21.6)	(1.4)	(330)	(150)	(47)	(18)
ポテトコロッケ	226	(55.5)	(4.5)	(12.1)	(14)	(23.2)	(2.0)	(280)	(250)	(15)	(19)
シチュー類											
チキンシチュー	124	(76.7)	(5.8)	(7.6)	(31)	(7.5)	(1.2)	(280)	(160)	(38)	(13)
ビーフシチュー	153	(74.9)	(3.5)	(11.9)	(18)	(7.5)	(0.7)	(380)	(150)	(11)	(9)
素揚げ類											
冷凍ミートボール 別名 肉だんご	199	(62.1)	(9.0)	(11.4)	(23)	(14.3)	(1.3)	(460)	(240)	(22)	(26)
スープ類											
かぼちゃのクリームスープ 別名 パンプキンクリームスープ	73	(83.3)	(1.2)	(3.6)	(7)	(8.1)	(1.3)	(300)	(160)	(32)	(10)
コーンクリームスープ	62	(86.0)	(1.6)	(2.4)	(7)	(8.3)	(0.6)	(340)	(88)	(36)	(7)
粉末タイプ	425	2.1	8.1	13.7	未測定	67.4	未測定	2800	470	120	未測定
ハンバーグ類											
合いびきハンバーグ	197	(62.8)	(11.7)	(11.2)	(47)	(11.6)	(1.1)	(340)	(280)	(29)	(23)
チキンハンバーグ	171	(67.0)	(10.7)	(9.6)	(54)	(9.9)	(1.0)	(460)	(240)	(22)	(23)
豆腐ハンバーグ	142	(71.2)	(8.8)	(8.5)	(41)	(6.8)	(1.3)	(250)	(200)	(68)	(42)
フライ類											
いかフライ	227	(54.9)	(10.4)	(10.4)	(230)	(22.6)	(0.9)	(200)	(140)	(16)	(22)
えびフライ	236	(50.5)	(13.2)	(11.0)	(120)	(20.0)	(1.0)	(340)	(200)	(69)	(36)
白身フライ	299	50.7	9.7	21.8	未測定	15.9	未測定	340	240	47	未測定
メンチカツ	273	(50.3)	(9.4)	(17.7)	(26)	(16.3)	(1.7)	(350)	(240)	(24)	(27)

可食部（食べられる部分）100gあたり									備考	食品番号	参考 見た目のおおまかなめやす量
		ビタミン						食塩相当量			
鉄	亜鉛	ビタミンA（レチノール活性当量）	ビタミンD	ビタミンB1	ビタミンB2	葉酸	ビタミンC				
mg	mg	µg	µg	mg	mg	µg	mg	g			
(0.7)	(0.4)	(9)	0	(0.02)	(0.03)	(4)	(1)	(1.7)	レトルトパウチ製品、缶詰製品を含む。ごはんは含まない。	18001	1パック　200g
(0.5)	(0.3)	(26)	(0.1)	(0.07)	(0.03)	(5)	(2)	(1.4)	レトルトパウチ製品を含む。ごはんは含まない	18041	
(0.4)	(0.4)	(9)	(0.1)	(0.05)	(0.07)	(12)	(微量)	(0.8)	冷凍食品を含む	18043	
(0.4)	(0.5)	(16)	(0.1)	(0.06)	(0.08)	(27)	(2)	(0.8)	冷凍食品を含む	18044	
(0.8)	(0.5)	(10)	(0.1)	(0.11)	(0.05)	(23)	(10)	(0.7)	冷凍食品を含む	18018	
(0.4)	(0.6)	(53)	(0.1)	(0.04)	(0.10)	(15)	(7)	(0.7)	レトルトパウチ製品を含む	18045	
(0.5)	(0.8)	(58)	(0.1)	(0.03)	(0.06)	(13)	(4)	(1.0)	レトルトパウチ製品、缶詰製品を含む	18011	1パック　200g
(0.8)	(0.8)	(27)	(0.1)	(0.15)	(0.12)	(24)	(1)	(1.2)		18015	1袋　100g
(0.2)	(0.2)	(110)	(0.2)	(0.03)	(0.06)	(12)	(9)	(0.8)	レトルトパウチ製品を含む	18042	
(0.2)	(0.2)	(16)	(0.2)	(0.02)	(0.06)	(6)	(1)	(0.9)	レトルトパウチ製品、缶詰製品を含む	18005	1袋　200g
1.2	未測定	8	未測定	0.15	0.41	未測定	2	7.1	カルシウム：添加品あり	18004	1袋　19g
(1.3)	(2.4)	(18)	(0.2)	(0.23)	(0.15)	(17)	(2)	(0.9)	レトルトパウチ製品、冷凍食品を含む	18050	
(0.7)	(0.8)	(29)	(0.1)	(0.09)	(0.11)	(18)	(2)	(1.2)	レトルトパウチ製品、冷凍食品を含む	18051	
(1.3)	(0.9)	(47)	(0.2)	(0.11)	(0.09)	(21)	(2)	(0.6)	レトルトパウチ製品、冷凍食品を含む	18052	
(0.4)	(0.9)	(8)	(0.1)	(0.04)	(0.03)	(13)	(1)	(0.5)	フライ済みの食品を冷凍した冷凍食品も含む	18019	
(0.6)	(1.3)	(13)	(0.2)	(0.08)	(0.05)	(22)	0	(0.9)	フライ済みの食品を冷凍した冷凍食品も含む	18020	
0.5	未測定	57	未測定	0.10	0.10	未測定	1	0.9	フライ済みの食品を冷凍した冷凍食品も含む	18021	
(1.2)	(1.6)	(10)	(0.1)	(0.14)	(0.09)	(28)	(1)	(0.9)	フライ済みの食品を冷凍した冷凍食品も含む	18022	

・（カッコ）内の成分値および（微量）は推定値または推計値であることを意味します。

調理済み流通食品類

食品名	エネルギー (kcal)	水分 (g)	たんぱく質 (g)	脂質 (g)	コレステロール (mg)	炭水化物 (g)	食物繊維 (g)	ミネラル ナトリウム (mg)	カリウム (mg)	カルシウム (mg)	マグネシウム (mg)
フライ用冷凍食品類											
冷凍いかフライ　フライ用	146	64.5	10.6	2.0	未測定	21.4	未測定	300	180	16	未測定
冷凍えびフライ　フライ用	139	66.3	10.2	1.9	未測定	20.3	未測定	340	95	42	未測定
冷凍コロッケ　クリームタイプ　フライ用	159	67.0	4.7	6.3	未測定	20.9	未測定	270	160	43	未測定
ポテトタイプ　フライ用	157	63.5	3.9	3.5	2	27.4	未測定	290	300	20	未測定
冷凍白身フライ　フライ用	148	64.5	11.6	2.7	未測定	19.3	未測定	340	240	47	未測定
冷凍メンチカツ　フライ用	196	58.3	9.9	7.2	未測定	23.0	未測定	420	220	31	未測定
その他											
えびグラタン	128	(74.1)	(4.8)	(6.4)	(23)	(12.3)	(0.9)	(380)	(140)	(97)	(17)
えびピラフ	146	(62.9)	(2.8)	(2.2)	(8)	(27.1)	(1.2)	(560)	(63)	(11)	(9)
中国料理											
点心類											
ぎょうざ	209	(57.8)	(5.8)	(10.0)	(19)	(23.3)	(1.5)	(460)	(170)	(22)	(16)
しゅうまい	191	(60.2)	(7.5)	(8.7)	(27)	(19.9)	(1.7)	(520)	(260)	(26)	(28)
中華ちまき	174	(59.5)	(5.0)	(5.2)	(16)	(25.6)	(0.5)	(420)	(100)	(6)	(11)
菜類											
酢豚	77	(83.4)	(4.0)	(3.1)	(15)	(7.7)	(0.8)	(210)	(130)	(9)	(10)
八宝菜　別名 五目うま煮	64	(86.0)	(4.9)	(2.9)	(44)	(4.0)	(0.9)	(320)	(150)	(26)	(14)
麻婆豆腐	104	(80.0)	(7.2)	(6.4)	(10)	(4.1)	(0.7)	(380)	(150)	(64)	(43)
韓国料理											
あえ物類											
もやしのナムル	70	(84.4)	(2.5)	(4.2)	0	(4.0)	(2.7)	(510)	(160)	(91)	(29)

可食部（食べられる部分）100gあたり

可食部（食べられる部分）100gあたり									食塩相当量	備考	食品番号	参考 見た目のおおまかなめやす量
		ビタミン										
鉄	亜鉛	ビタミンA（レチノール活性当量）	ビタミンD	ビタミンB1	ビタミンB2	葉酸	ビタミンC					
mg	mg	µg	µg	mg	mg	µg	mg	g				
0.4	未測定	3	未測定	0.10	0	未測定	微量	0.8	フライ前の食品を冷凍したもの	18008	1本　60g
1.5	未測定	微量	未測定	0.04	0.07	未測定	1	0.9	フライ前の食品を冷凍したもの	18009	1本　25g
0.5	未測定	240	未測定	0.06	0.10	未測定	2	0.7	フライ前の食品を冷凍したもの	18006	1個　80g
0.7	未測定	71	未測定	0.09	0.06	未測定	7	0.7	フライ前の食品を冷凍したもの	18007	1個　60g
0.5	未測定	57	未測定	0.10	0.10	未測定	1	0.9	フライ前の食品を冷凍したもの	18010	1枚　40g
1.6	未測定	36	未測定	0.13	0.14	未測定	1	1.1	フライ前の食品を冷凍したもの	18016	1個　80g
(0.3)	(0.6)	(69)	(0.2)	(0.04)	(0.11)	(13)	(2)	(1.0)	冷凍食品を含む	18003	1食分　200g
(0.2)	(0.6)	(23)	(0.1)	(0.02)	(0.02)	(5)	(2)	(1.4)	冷凍食品を含む	18014	1袋　450g
(0.6)	(0.6)	(10)	(0.1)	(0.14)	(0.07)	(22)	(4)	(1.2)	冷凍食品を含む	18002	1個　20g
(0.9)	(0.8)	(6)	(0.1)	(0.16)	(0.10)	(26)	(1)	(1.3)	冷凍食品を含む	18012	1個　15g
(0.3)	(0.7)	(10)	(0.1)	(0.04)	(0.05)	(6)	0	(1.1)		18046	
(0.3)	(0.5)	(50)	(0.1)	(0.17)	(0.05)	(9)	(4)	(0.5)	冷凍食品を含む	18047	
(0.4)	(0.6)	(49)	(0.3)	(0.13)	(0.06)	(20)	(5)	(0.8)	冷凍食品を含む	18048	
(1.3)	(0.9)	(3)	(0.1)	(0.16)	(0.07)	(13)	(1)	(1.0)		18049	
(1.2)	(0.5)	(140)	0	(0.05)	(0.07)	(64)	(9)	(1.3)		18039	

栄養素の働きと多く含む食品

私たちが健やかに生活するためには、食べ物から栄養を摂取する必要があります。では、食べ物が体に入るとどのような働きをするのでしょうか。栄養素の働きと必要量、多く含む日常食品などをまとめました。

栄養素にはどんな種類がある?

私たちは食べることで体に必要な栄養素を得て、生命活動を維持しています。栄養素には左記の5種類がありますが、大きく分けるとエネルギー源になる物質と、ならない物質とがあります。体内で分解されてエネルギーを産生するのは、たんぱく質、脂質、炭水化物です。

エネルギー

生命活動に必要なもの

心臓を動かす、呼吸をする、体温を維持するなど、あらゆる生命活動にエネルギーが使われる。そのエネルギー源となるものがたんぱく質、脂質、炭水化物。一般に「カロリー」といわれるのは、エネルギーの量を表わす単位のこと。たんぱく質と炭水化物は1g あたり4 kcal、脂質は1g あたり 9kcal ほどのエネルギー源となる。

食事量は体重の変化を目安に調整しよう

1日に必要なエネルギー量は性別や年齢、体格、活動量など個人によって異なります。

摂取するエネルギー量が消費するエネルギー量よりも多ければ体重が増え、少なければ体重が減っていきます。体重を維持できているのであれば、摂取エネルギー量と消費エネルギー量が等しいと考えられます。

＊１日の推奨量、目標量、目安量は「日本人の食事摂取基準（2020年版）」（厚生労働省）より

●グラフ内の食品と数値について

・１回使用量あたりの「多く含む傾向のある食品類」から、それぞれ日常よく食べるもので上位の食品を選びました。
・ことわり書きのない限り、「生」の成分値です。

たんぱく質　体のあらゆる組織の構成成分

働き

骨格、筋肉、皮膚、毛髪など体のあらゆる組織の構成材料。また、体内の代謝を担う酵素やホルモン、ヘモグロビンなどの血液成分、遺伝子、免疫物質、神経伝達物質などもたんぱく質の一種でできている。生命現象を支える中心的な栄養素ともいえる。エネルギー源としても利用される。

たんぱく質を多く含む日常食品

魚介類、肉類、大豆、卵など

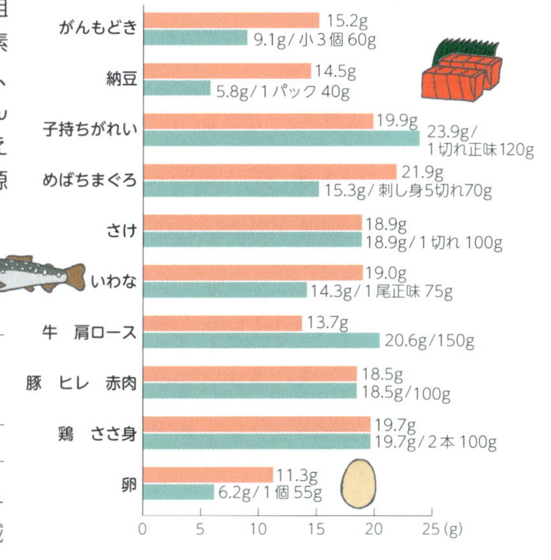

１日の推奨量	**成人男性**　18～64歳65g、65歳以上60g **成人女性**　50g
過剰症	腎臓への負担など
欠乏症	成長障害など。 高齢者では、フレイル（虚弱）やサルコペニア（加齢による筋肉量の減少および筋力の低下）。

いろいろな食品からまんべんなく栄養をとることがたいせつ

健康はさまざまな栄養素によって支えられています。どんなに体によいといわれている食品でも、そればかり食べていたら栄養が偏ってしまいます。いろいろな栄養をまんべんなく摂取するためには、いろいろな食品を食べることがたいせつです。食事は穀類、肉、魚、野菜、卵、海藻類、果物、きのこ、大豆・大豆製品、乳・乳製品など、いろいろな食品を組み合わせ、主食、主菜、副菜を基本に食べましょう。そうすれば自然と栄養バランスが整います。

脂質　ホルモンや細胞膜の材料となる

●働き

脂質は細胞膜の材料となるほか、1gあたり9kcalとたんぱく質や炭水化物の2倍以上のエネルギーを産生するエネルギー源。多くを中性脂肪として摂取する。中性脂肪は脂肪酸とグリセリンから構成され、体への作用はその脂肪酸の種類によって大きく異なる。そのため、望ましい摂取量も、飽和脂肪酸、多価不飽和脂肪酸（n-3系脂肪酸、n-6系脂肪酸）など種類ごとにも定められている。

●脂質を多く含む日常食品

魚介類、肉類、卵、植物油、バターなど

1日の目標量	**成人男性**　20～30%エネルギー* **成人女性**　20～30%エネルギー* *1800kcalの場合、360～540kcal。脂質1g＝9kcalなので、40～60gになる。
過剰症	肥満、脂質異常症、動脈硬化など
欠乏症	脳出血、体力低下など

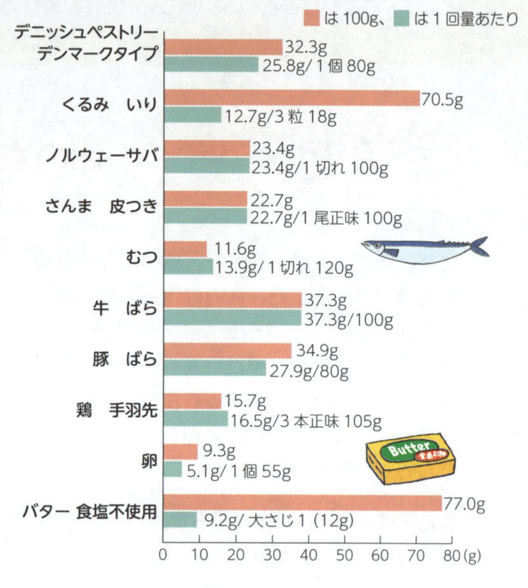

コレステロール

●働き

脂質の一種。体内でも合成され、細胞膜の構成成分である。肝臓において胆汁酸に変換される。性ホルモン、副腎皮質ホルモンなど各種ホルモンやビタミンDの前駆物質として重要。

●コレステロールを多く含む日常食品

魚介類、肉類、卵など

1日の目標量	コレステロールに目標量の設定はないが、脂質異常症の重症化予防の目的からは、1日200mg未満にとどめることが望ましい。
過剰症	脂質異常症、動脈硬化、胆石など
欠乏症	脳出血など

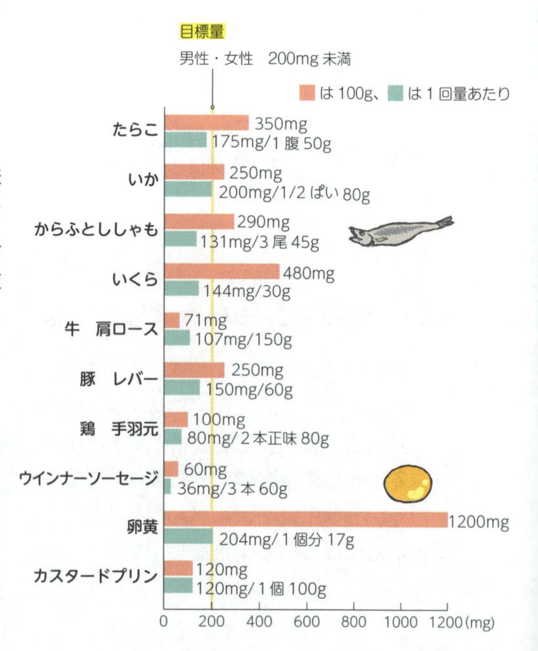

炭水化物　全身の主要なエネルギー源

●働き

ブドウ糖に分解されてエネルギーを産生する。たんぱく質や脂質に比べて分解や吸収が早く、摂取後速やかに利用できるエネルギー源。脳や神経組織、赤血球などは通常はブドウ糖しかエネルギー源として利用できない。エネルギー源として利用されにくい食物繊維を含めて炭水化物とする場合も多い。本書の炭水化物は、利用できる部分の成分値（利用可能炭水化物）。

●炭水化物を多く含む日常食品

穀類、芋類、果実類、砂糖など

1日の目標量	**成人男性**　50～65%エネルギー* **成人女性**　50～65%エネルギー* *1800kcalの場合、900～1170kcal。炭水化物1g=4kcalなので、225～292.5gになる。
過剰症	肥満
欠乏症	通常の食事では見られない

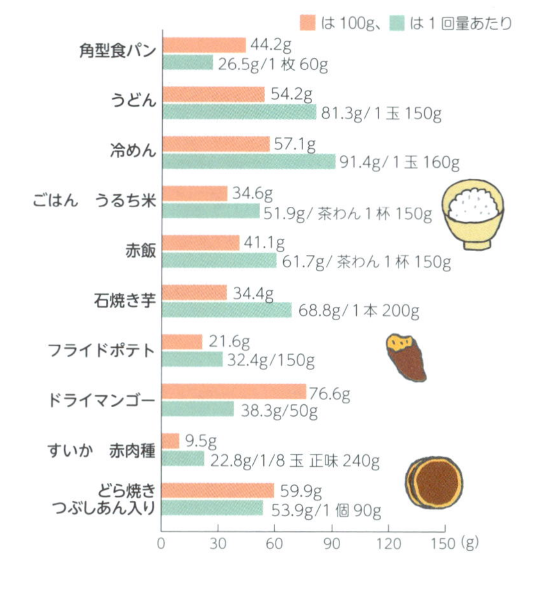

食物繊維

●働き

人の消化酵素で難消化性の成分。消化管機能や腸を刺激して働きを促したり、栄養素の吸収を緩慢にするなどの働きがある。

●食物繊維を多く含む日常食品

未精製の穀類、豆類、野菜類、きのこなど

1日の目標量	**成人男性**　18～64歳21g以上、65歳以上20g以上 **成人女性**　18～64歳18g以上、65歳以上17g以上
過剰症	下痢、栄養素の吸収阻害
欠乏症	便秘

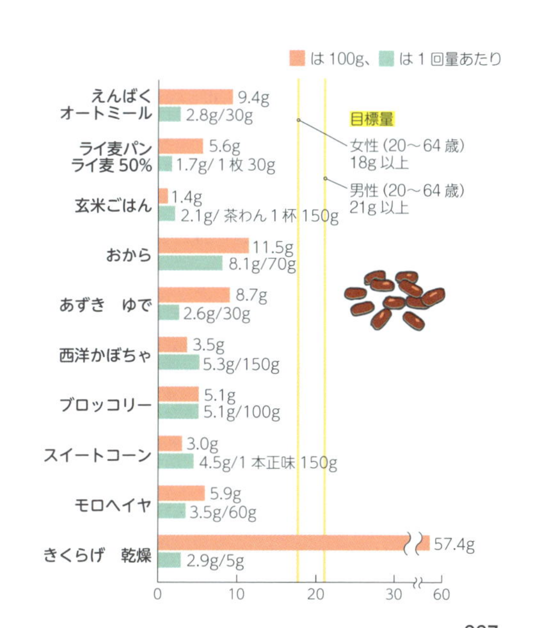

ミネラル

骨などの体の構成成分になったり、
体の機能を維持したりするのに必須の成分

ナトリウム

●働き

細胞外液の量を維持し細胞機能を維持するのに必須。神経や筋肉の活動などに関与。胆汁、膵液、腸液などの材料でもある。食塩相当量は、下の式でナトリウム値から換算している。

食塩相当量（g）＝ナトリウム値（mg）
× 2.54※ ÷ 1000　※分子量から求めた係数

●食塩相当量を多く含む日常食品

調味料、加工食品など

1日の目標量	食塩相当量として **成人男性**　7.5g 未満 **成人女性**　6.5g未満
過剰症	浮腫（むくみ）、高血圧、腎機能が低下した場合に摂取を制限
欠乏症	疲労感、めまい、消化液（胃酸）の減少等

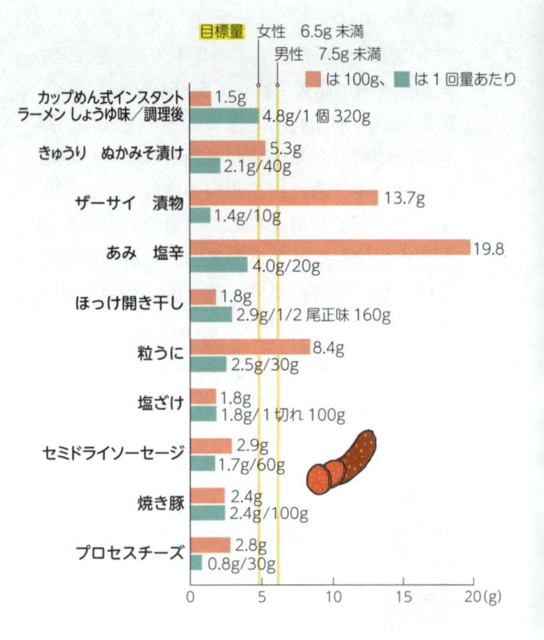

カリウム

●働き

体液の浸透圧を維持し細胞機能を維持するのに必須。筋肉の収縮や神経伝達を正常に保つためにも重要。

●カリウムを多く含む日常食品

野菜、芋、果実類など植物性食品

1日の目標量	**成人男性**　3000mg 以上 **成人女性**　2600mg 以上
過剰症	腎機能が低下した場合に摂取を制限
欠乏症	通常の食事では見られない

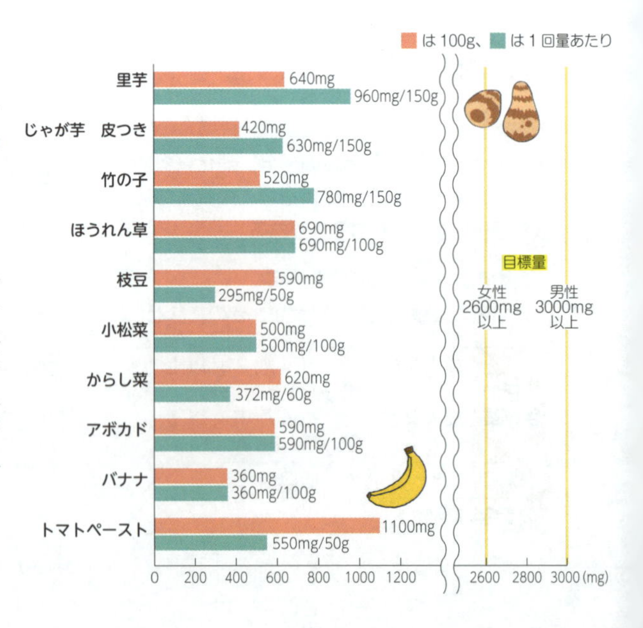

カルシウム

●働き

骨や歯の構成要素の一つ。血液の凝固や神経伝達などの生理機能にも関与。

●カルシウムを多く含む日常食品

牛乳・乳製品、小魚、大豆製品、一部の緑黄色野菜など

1日の推奨量	成人男性　18～29歳800mg、30～74歳750mg、75歳以上700mg 成人女性　18～74歳650mg、75歳以上600mg
過剰症	泌尿器系結石、ミルクアルカリ症候群
欠乏症	骨粗鬆症（こつそしょうしょう）、成長不良、神経過敏

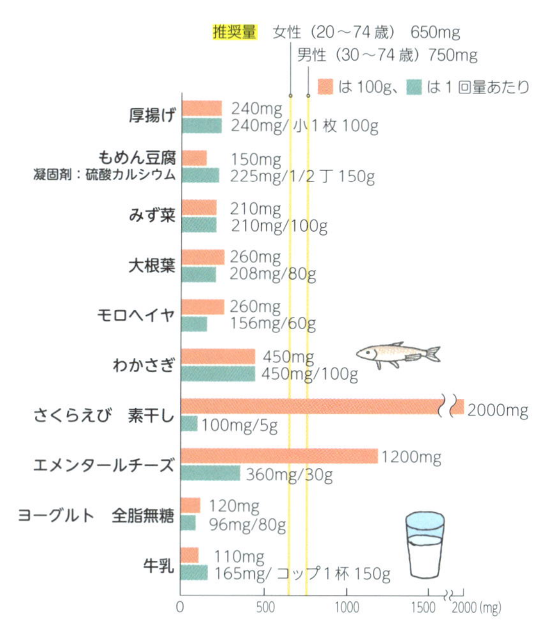

マグネシウム

●働き

骨や歯の形成に関与。血圧の調節や筋肉の収縮、神経伝達を保つのに関与。

●マグネシウムを多く含む日常食品

種実類、穀類、豆類、魚介類、野菜、ひじきなど

1日の推奨量	成人男性　18～29歳340mg、30～64歳370mg、65～74歳350mg、75歳以上320mg 成人女性　18～29歳270mg、30～64歳290mg、65～74歳280mg、75歳以上260mg 通常の食品以外からの摂取量の耐容上限量は、成人の場合1日あたり350 mg
過剰症	下痢。腎機能が低下した場合に注意が必要
欠乏症	通常の食事では見られない

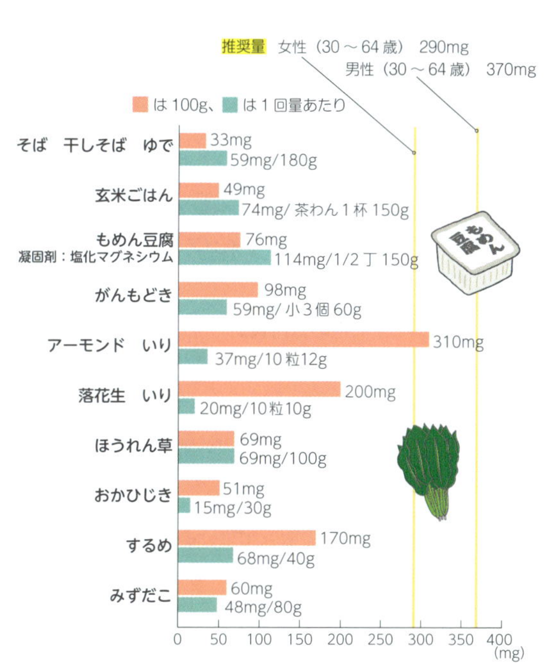

鉄

●働き

赤血球を構成するヘモグロビンの成分として酸素を全身に届けるのに必須。ミオグロビンの構成成分として筋肉に酸素をとり込むのにも重要。

●鉄を多く含む日常食品

肉類（レバー、赤身肉）、 一部の魚介類や緑黄色野菜、ひじきなど

1日の推奨量	成人男性	18～74歳 7.5mg、 75歳以上 7.0mg
	成人女性	**月経あり** 18～49歳 10.5mg、 50～64歳 11.0mg **月経なし** 18～64歳 6.5mg、 65歳以上 6.0mg
過剰症	便秘、亜鉛の吸収阻害、鉄剤の過剰投与で組織に鉄が沈着することがある（血色素症など）	
欠乏症	鉄欠乏性貧血、組織の活性低下	

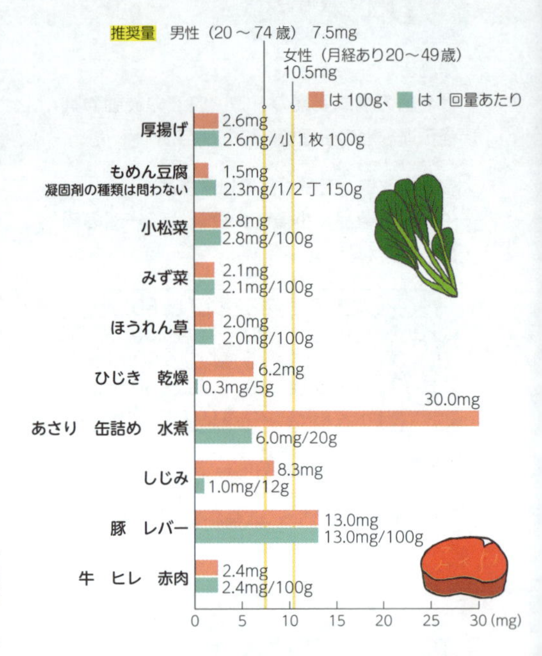

亜鉛

●働き

細胞の生成やたんぱく質の合成に関与する酵素をはじめ、非常に多くの酵素の働きに必須。血糖調節ホルモンであるインスリンの合成にも不可欠。

●亜鉛を多く含む日常食品

魚介類や肉類、乳製品、ナッツ類、大豆製品など

1日の推奨量	成人男性	18～74歳 11mg、 75歳以上 10mg
	成人女性	8mg
過剰症	銅や鉄の吸収阻害による貧血	
欠乏症	成長障害、皮膚炎、味覚・嗅覚障害	

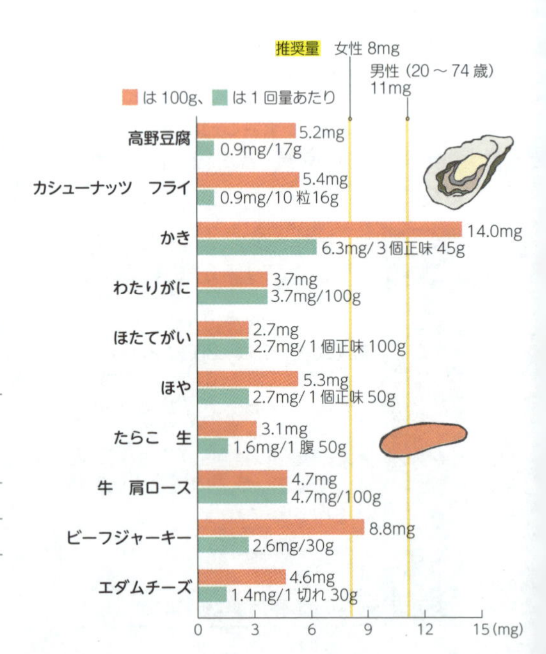

ビタミン

微量で体のさまざまな機能を調整する、生命活動に必須の成分

ビタミンA

●働き

視力など目の健康維持に不可欠。皮膚や粘膜を健康に保ち、免疫作用等にも関与する。

●ビタミンAを多く含む日常食品

魚介類、レバー、緑黄色野菜など

1日の推奨量	**成人男性**	18〜29歳 850μgRAE、30〜64歳 900μgRAE、65〜74歳 850μgRAE、75歳以上 800μgRAE
	成人女性	18〜29歳 650μgRAE、30〜74歳 700μgRAE、75歳以上 650μgRAE
	(RAE＝レチノール活性当量)	
過剰症	(急性)頭痛、嘔吐、(慢性)頭蓋内圧亢進症、妊婦は奇形児の発生、小児は骨の異常、甲状腺機能低下、筋肉痛、脱毛症など。過剰症に注意	
欠乏症	免疫力の低下、夜盲(やもう)症、生殖不能など	

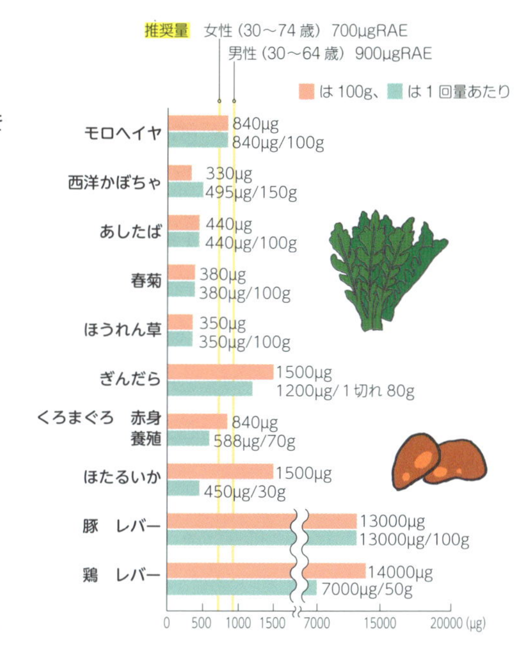

ビタミンD

●働き

紫外線に当たると皮膚でも合成される。カルシウムの吸収を助け、さらにはカルシウムが骨に沈着するのを助けて骨や歯の健康を支える。

●ビタミンDを多く含む日常食品

魚類、きのこなど

1日の目安量	**成人男性** 8.5μg **成人女性** 8.5μg	
過剰症	高カルシウム血症、腎障害、軟組織の石灰化など	
欠乏症	小児ではくる病、成人では骨軟化症、高齢者では骨粗鬆症	

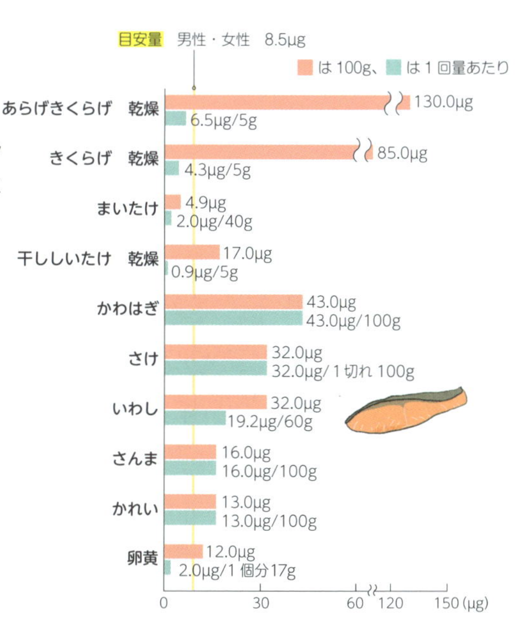

ビタミンB1

●働き

糖質をエネルギーに変えるのに不可欠。神経機能の維持にも働く。

●ビタミンB1を多く含む日常食品

豚肉、豆類、種実類、未精製の穀類など

1日の推奨量	成人男性	18～49歳 1.4mg、50～74歳 1.3mg、75歳以上1.2mg
	成人女性	18～74歳 1.1mg、75歳以上0.9mg
過剰症	頭痛、吐き気、骨や皮膚の変化など	
欠乏症	脚気、ウェルニッケ脳症ほか	

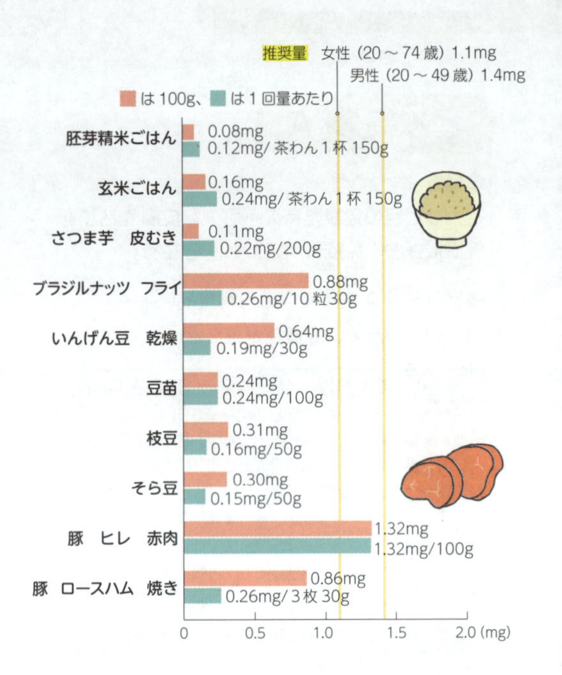

ビタミンB2

●働き

たんぱく質、脂質、炭水化物のエネルギー代謝ほかさまざまな代謝に関与している。特に脂質の代謝で多く消費される。

●ビタミンB2を多く含む日常食品

レバー、魚類、牛乳･乳製品、卵、きのこ、納豆など

1日の推奨量	成人男性	18～49歳 1.6mg、50～74歳 1.5mg、75歳以上1.3mg
	成人女性	18～74歳 1.2mg、75歳以上1.0mg
過剰症	特に確認されていない	
欠乏症	口内炎、角膜炎、にきび、成長障害など	

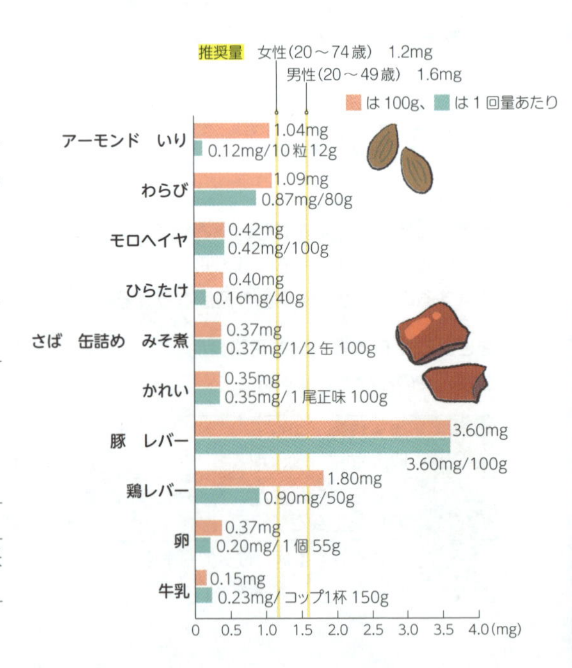

葉酸

●働き

DNA の合成に必要であり、細胞分裂の盛んな胎児の発育に特に重要な成分。正常な赤血球の形成にも関与。

●葉酸を多く含む日常食品

レバー、葉野菜など

1日の推奨量	成人男性 240μg 成人女性 240μg	
過剰症	通常の食事では見られない	
欠乏症	巨赤芽球性貧血、 胎児の神経管閉鎖障害	

推奨量 男性・女性 240μg

は 100g、は 1 回量あたり

ひよこ豆 ゆで 110μg 44μg/40g
枝豆 320μg 160μg/50g
ブロッコリー 220μg 220μg/100g
ほうれん草 210μg 210μg/100g
マンゴー 84μg 109μg/1/2 個 130g
いちご 90μg 90μg/100g
味つけのり 1600μg 56μg/ 小 5 枚 3.5g
牛 レバー 1000μg 1000μg/100g
豚レバー 810μg 810μg/100g
鶏レバー 1300μg 650μg/50g

0 500 1000 1500 2000 (μg)

目標量

ビタミン C

●働き

皮膚や細胞のコラーゲンの合成に必須。種々のホルモンの生成に関与するほか鉄の吸収を促進するなど多様な働きをする。抗酸化作用がある。

●ビタミン C を多く含む日常食品

野菜、芋、果実類など

1日の推奨量	成人男性 100mg 成人女性 100mg	
過剰症	吐き気、下痢、腹痛	
欠乏症	壊血病	

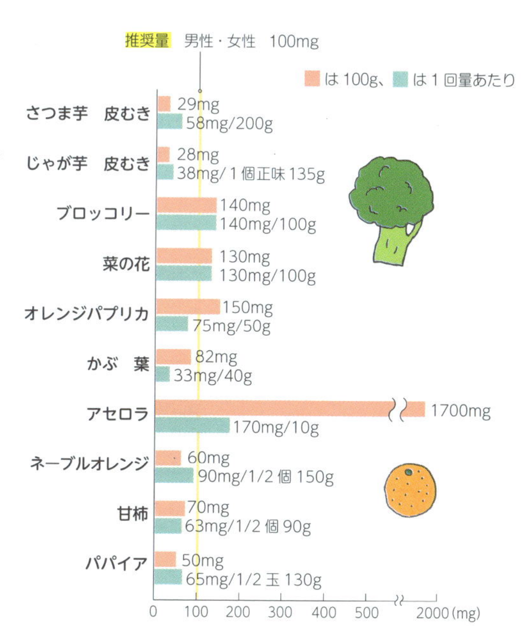

よく使う食品の廃棄率

廃棄率とは、食品全体のうち、**食べられない部分の割合**を示したものです。廃棄率を使えば、食品全体の重量しかわからなくても、可食部の重量（食べられる部分の重量）を算出することができます。また、その逆の計算もできます。

$$\text{可食部の重量} = \text{全体の重量} \times \frac{100-\text{廃棄率}(\%)}{100}$$

1尾 150g のあじの場合　あじ（三枚下ろし）の廃棄率は **55%**

$$150\text{g} \times \frac{100-55\ (\%)}{100} = 150 \times 0.45 \fallingdotseq 68\text{g}$$

★1尾 150g のあじを食べると、口に入る重量は約 68g。

$$\text{廃棄分を含めた重量} = \text{食べたい重量} \div \frac{100-\text{廃棄率}(\%)}{100}$$

80g 分のオレンジを食べたい場合　オレンジの廃棄率は **40%**

$$80\text{g} \div \frac{100-40\ (\%)}{100} = 80 \div 0.60 \fallingdotseq 133\text{g}$$

★80g のオレンジを食べたいとき、皮つきでの量は 133g。

食品名	廃棄部位など	廃棄率(%)
穀類		
角形食パン 別名 サンドイッチ用食パン 耳を除いたもの	耳の割合 45 %、耳以外の割合 55 %	45
耳	耳の割合 45 %、耳以外の割合 55 %	55
芋・でん粉類		
菊芋 生	表層	20
さつま芋類		
さつま芋 皮つき 生	両端	2
蒸し	両端	4
さつま芋 皮むき 生	表層および両端（表皮の割合 2 %）	9
蒸し	表皮および両端	5
焼き 別名 石焼き芋	表層	10
むらさき芋 皮むき 生	表層および両端	15
蒸し	表皮および両端	6
里芋類		
里芋 生	表層	15
水芋 生 別名 田芋	表層および両端	15
八つ頭 生	表層	20
じゃが芋類 別名 馬鈴薯（ばれいしょ）		
じゃが芋 皮つき 生	損傷部および芽	1
じゃが芋 皮むき 生	表層	10
蒸し	表皮	5
電子レンジ調理	表皮	6
やまの芋類 別名 山芋		
いちょう芋 生 別名 手芋	表層	15
長芋 生	表層、ひげ根および切り口	10
大和芋 生	表層およびひげ根	10
じねんじょ 生	表層およびひげ根	20
種実類		
かぼちゃの種 いり 味つけ	種皮	35
ぎんなん 生	殻および薄皮	25
栗 生	殻（鬼皮）および渋皮（包丁むき）	30
ゆで	殻（鬼皮）および渋皮	20
甘栗	殻（鬼皮）および渋皮	20
しい 生	殻および渋皮	35
すいかの種 いり 味つけ	種皮	60
はす 未熟 生	殻および薄皮	55
ピスタチオ いり 味つけ	殻	45
落花生 別名 なんきんまめ、ピーナッツ 乾燥	殻 26 % および種皮 4 %	30

食品名	廃棄部位など	廃棄率(%)
いり	殻 27 % および種皮 3 %	30
小粒種 いり	殻 27 % および種皮 3 %	30
野菜類		
アーティチョーク 生	花床の基部および総包の一部	75
ゆで	花床の基部および総包の一部	80
あしたば 生 別名 はちじょうそう	基部	2
アスパラガス 生	株元	20
アロエ 生	皮	30
いんげんまめ 生 別名 さやいんげん	すじおよび両端	3
うど類		
うど 生	株元、葉および表皮	35
やまうど 生	株元、葉および表皮	35
うるい 葉 生 別名 ウリッパ、アマナ、ギンボ	株元	4
枝豆 生	さや（茎つきの場合 60 %）	45
ゆで	さや	50
冷凍	さや	50
エンダイブ 生	株元	15
えんどう類		
さやえんどう 生 別名 絹さや	すじおよび両端	9
スナップえんどう 生 別名 スナックえんどう	すじおよび両端	5
おかひじき 生	茎基部	6
オクラ 生	へた	15
ゆで	へた	15
かぶ 葉 生	葉柄基部	30
ゆで	葉柄基部	30
根 皮つき 生	根端および葉柄基部（葉つきの場合 35%）	9
皮むき 生	根端、葉柄基部および皮（葉つきの場合 40%）	15
塩漬 葉	葉柄基部	20
ぬかみそ漬 葉	葉柄基部	20
かぼちゃ類		
日本かぼちゃ 生	わた、種子および両端	9
西洋かぼちゃ 生 別名 栗かぼちゃ	わた、種子および両端	10
そうめんかぼちゃ 生 別名 金糸瓜（きんしうり） いとかぼちゃ	わた、種子、皮および両端	30

食品名	廃棄部位など	廃棄率(%)
カリフラワー　生	茎葉	50
きく　生	花床	15
キャベツ類		
キャベツ　生	しん	15
グリーンボール　生	しん	15
レッドキャベツ　生 別名 赤キャベツ、紫キャベツ	しん	10
きゅうり　生	両端	2
塩漬	両端	2
ぬかみそ漬	両端	2
行者(ぎょうじゃ)にんにく　生 別名 アイヌねぎ、やまびる	底盤部および萌芽葉	10
キンサイ　生 別名 中国セロリ	株元	8
クレソン　生 別名 オランダみずがらし	株元	15
くわい　生	皮および芽	20
ケール　生 別名 葉キャベツ	葉柄基部	3
コールラビ　生	根元および葉柄基部	7
ごぼう　生	皮、葉柄基部および先端	10
小松菜　生	株元	15
ゆで	株元	9
コリアンダー　葉　生 別名 香菜(シャンツァイ)、パクチー	根	10
さんとうさい 別名 べが菜 生	根および株元	6
ゆで	株元	5
塩漬	株元	6
しかくまめ　生	さやの両端	5
ししとうがらし　生	へた	10
十六ささげ　生	へた	3
春菊　生	基部	1
しょうが類		
葉しょうが　生 別名 盆しょうが、はじかみ	葉および茎	40
しょうが　生	皮	20
新しょうが　生	皮および茎	10
しろうり　生 別名 あさうり、つけうり	わたおよび両端	25
塩漬	両端	1

食品名	廃棄部位など	廃棄率(%)
ずいき　生	株元および表皮	30
すいぜんじな　葉　生 別名 金時草、式部草	葉柄基部	35
すぐき菜 別名 賀茂菜 葉　生	葉柄基部	25
根　生	根端および葉柄基部	8
ズッキーニ　生	両端	4
せり　生	根および株元	30
ゆで	株元	15
セロリ　生	株元、葉身および表皮	35
ぜんまい　生	株元および裸葉	15
そら豆　生	種皮	25
ゆで	種皮	25
タアサイ 別名 如月菜(きさらぎな)　生	株元	6
ゆで	株元	6
大根類		
葉大根　葉　生	株元および根	20
大根　葉　生	葉柄基部	10
根　皮つき　生	根端および葉柄基部	10
皮むき　生	根端、葉柄基部および皮	15
高菜　生	株元	8
竹の子　生	竹皮および基部（はちく、まだけ等の小型の場合 60 %）	50
玉ねぎ類		
玉ねぎ　生	皮（保護葉）、底盤部および頭部	6
赤玉ねぎ　生 別名 レッドオニオン、紫玉ねぎ	皮（保護葉）、底盤部および頭部	8
葉玉ねぎ　生	底盤部	1
たらの芽　生	木質部およびりん片	30
チコリー　生 別名 アンディーブ	株元およびしん	15
ちぢみゆきな　生	株元	15
ゆで	株元	15
青梗菜(ちんげんさい)　生	しん	15
ゆで	しん	20
つくし　生	基部およびはかま（葉鞘）	15
とうがらし 別名 葉とうがらし 葉・果実　生	硬い茎およびへた	60
果実　生	へた	9
とうがん　生	果皮、わたおよびへた	30

食品名	廃棄部位など	廃棄率(%)
とうもろこし類		
スイートコーン 生	包葉、めしべおよび穂軸	50
ゆで	穂軸	30
電子レンジ調理	穂軸	30
トマト類		
トマト 生	へた	3
ミニトマト 生 別名 プチトマト、チェリートマト	へた	2
トレビス 生 別名 レッドチコリ	しん	20
長崎白菜 別名 とうな、ちりめん白菜 生	株元	3
ゆで	株元	5
なす類		
なす 生	へた	10
米なす 生	へたおよび果皮	30
素揚げ	へたおよび果皮	35
なずな 生	株元	5
にがうり 生 別名 ゴーヤー	両端、わたおよび種子	15
にら類		
にら 生	株元	5
花にら 生	花茎基部	5
にんじん類		
葉にんじん 葉 生 別名 にんじん菜	株元	15
にんじん 皮つき 生	根端および葉柄基部	3
皮むき 生	根端、葉柄基部および皮	10
金時にんじん 皮むき 生 別名 京にんじん	根端、葉柄基部および皮	20
ミニキャロット 生	根端および葉柄基部	1
にんにく類		
にんにく 生	茎、りん皮および根盤部	9
ねぎ類		
長ねぎ 生 別名 根深ねぎ	株元および緑葉部	40
葉ねぎ 生 別名 青ねぎ	株元	7
小ねぎ 生 一般名 万能ねぎ	株元	10
野沢菜 生	株元	3
塩漬	株元	5
調味漬	株元	3
のびる 生	根	20

食品名	廃棄部位など	廃棄率(%)
白菜 生	株元	6
ゆで	株元	10
塩漬	株元	4
パクチョイ 生	株元	10
バジル 生	茎および穂	20
パセリ 生	茎	10
二十日大根 生 別名 ラディッシュ	根端、葉および葉柄基部	25
はやとうり 生 別名 せんなりうり	種子	2
ビーツ 別名 ビート 生	根端、皮および葉柄基部	10
ゆで	皮	3
ピーマン類		
青ピーマン 生	へた、しんおよび種子	15
赤ピーマン 生 別名 パプリカ、クィーンベル	へた、しんおよび種子	10
オレンジピーマン 生 別名 パプリカ	へた、しんおよび種子	9
黄ピーマン 生 別名 パプリカ、イエローベル	へた、しんおよび種子	10
トマピー 生 別名 ミニパプリカ	へた、しんおよび種子	15
日野菜 生	根端	4
広島菜 生	株元	4
塩漬	株元	5
ふき類		
ふき 生	葉、表皮および葉柄基部	40
ゆで	表皮	10
ふきのとう 生	花茎	2
ふじまめ 生	すじおよび両端	6
ブロッコリー 花序 生	茎葉	35
へちま 生	両端および皮	20
ほうれん草 生	株元	10
ゆで	株元	5
ホースラディッシュ 生 別名 わさび大根、西洋わさび	皮	25
まこも 生	葉鞘および基部	15
みず菜 別名 きょう菜、せんすじきょう菜 生	株元	15
塩漬	株元	10

食品名	廃棄部位など	廃棄率(%)
みつば類		
根みつば　生	根および株元	35
糸みつば　生　別名 青みつば	株元	8
みぶ菜　生　別名 きょう菜	根	10
みょうが類		
みょうが　生	花茎	3
むかご　生	皮	25
もやし類		
大豆もやし　生	種皮および損傷部	4
緑豆もやし　生　一般名 もやし	種皮および損傷部	3
ゆり根　生	根、根盤部および損傷部	10
落花生　別名 なんきんまめ、ピーナッツ　生	さや	35
ゆで	さや	40
らっきょう類		
らっきょう　生	根、膜状りん片および両端	15
エシャロット　生　別名 エシャらっきょう	株元および緑葉部	40
リーキ　生　別名 西洋ねぎ、ポロねぎ	株元および緑葉部	35
ルッコラ　生　別名 ロケットサラダ、エルカ	株元	2
ルバーブ　生	表皮および両端	10
レタス類		
レタス　土耕栽培　生	株元	2
水耕栽培　生	株元	2
サラダ菜　生	株元	10
リーフレタス　生	株元	6
サニーレタス　生	株元	6
コスレタス　生　別名 ロメインレタス	株元	9
れんこん　生	節部および皮	20
わけぎ　生	株元	4
わさび　生	側根基部および葉柄	30
わらび　生	基部	6
果実類		
アセロラ　酸味種　生	果柄および種子	25
甘味種　生	果柄および種子	25
アボカド　生	果皮および種子	30

食品名	廃棄部位など	廃棄率(%)
あんず　生　別名 アプリコット	核および果柄	5
いちご　生	へたおよび果梗	2
いちじく　生	果皮および果柄	15
梅　生	核	15
梅漬け　塩漬	核	15
調味漬	核	20
梅干し　塩漬	核	25
調味漬	核	25
オリーブ　塩漬　グリーン	種子	25
ブラック　別名 ライプオリーブ	種子	25
柿　甘柿　生	果皮、種子およびへた	9
渋ぬき柿　生	果皮、種子およびへた	15
干し柿	種子およびへた	8
かりん　生	果皮および果しん部	30
かんきつ類		
いよかん　果肉　生	果皮、薄皮および種子	40
温州みかん　一般名 みかん　薄皮つき　早生　生	果皮	20
普通　生	果皮	20
果肉　早生　生	果皮および薄皮	25
普通　生	果皮および薄皮	25
ネーブル　果肉　生	果皮、薄皮および種子	35
バレンシアオレンジ　果肉　生	果皮、薄皮および種子	40
河内晩柑　果肉　生	果皮、薄皮および種子	55
清見　果肉　生	果皮、薄皮および種子	40
きんかん　全果　生	種子およびへた	6
グレープフルーツ　白肉種　果肉　生	果皮、薄皮および種子	30
紅肉種　果肉　生	果皮、薄皮および種子	30
不知火　果肉　生　別名 デコポン	果皮、薄皮および種子	30
せとか　果肉　生	果皮、薄皮および種子	20
セミノール　果肉　生	果皮、薄皮および種子	40
夏みかん　果肉　生	果皮、薄皮および種子	45
はっさく　果肉　生	果皮、薄皮および種子	35
はるみ　果肉　生	果皮、薄皮および種子	30
日向夏　別名 ニューサマーオレンジ、小夏みかん　薄皮・わたつき　生	フラベド（果皮の外側の部分）および種子	30

食品名	廃棄部位など	廃棄率(%)
果肉 生	果皮（フラベドとわた）、薄皮および種子	55
文旦（ぶんたん） 果肉 生 別名 ざぼん、ぼんたん	果皮、薄皮および種子	50
ポンカン 果肉 生	果皮、薄皮および種子	35
レモン 全果 生	種子およびへた	3
キウイフルーツ 緑肉種 生	果皮および両端	15
黄肉種 生 別名 ゴールデンキウイ	果皮および両端	20
キワノ 生 別名 ツノニガウリ	果皮	40
グァバ 赤肉種 生	果皮および種子	30
白肉種 生	果皮および種子	30
ぐみ 生	種子および果柄	10
さくらんぼ 別名 黄桃、スイートチェリー 国産 生	核および果柄	10
米国産 生	核および果柄	9
缶詰め	核および果柄	15
ざくろ 生	皮および種子。輸入品（大果）の場合 60 %	55
すいか 赤肉種 生	果皮および種子。小玉種の場合 50 %	40
黄肉種 生	果皮および種子。小玉種の場合 50 %	40
すぐり類		
グズベリー 生 別名 西洋すぐり	両端	1
スターフルーツ 生 別名 ごれんし	種子およびへた	4
すもも類		
すもも 生 別名 プラム	核	7
プルーン 生 別名 ヨーロッパすもも	核および果柄	5
チェリモヤ 生	果皮、種子およびへた	20
ドラゴンフルーツ 生 別名 ピタヤ	果皮	35
ドリアン 生	種子	15
なし類		
なし 生	果皮および果しん部	15
洋なし 生	果皮および果しん部	15
なつめ 乾燥	核	15
なつめやし 乾燥 別名 デーツ	へたおよび核	5

食品名	廃棄部位など	廃棄率(%)
パインアップル 生 別名 パイナップル	はく皮および果しん部	45
バナナ 生	果皮および果柄	40
パパイア 完熟 生	果皮および種子	35
未熟 生	果皮および種子	25
びわ 生	果皮および種子	30
ぶどう 皮なし 生	果皮および種子（大粒種の場合 20%）	15
まくわうり 黄肉種 生	果皮および種子	40
マルメロ 生	果皮および果しん	25
マンゴー 生	果皮および種子	35
マンゴスチン 生	果皮および種子	70
メロン 温室メロン 生	果皮および種子	50
露地メロン 緑肉種 生	果皮および種子	45
赤肉種 生	果皮および種子	45
もも類		
もも 白肉種 生	果皮および核	15
黄肉種 生	果皮および核	15
ネクタリン 生	果皮および核	15
やまもも 生	種子	10
ライチー 生 別名 れいし	果皮および種子	30
りんご 皮むき 生	果皮および果しん部	15
皮つき 生	果しん部	8
きのこ類		
えのきたけ 生	柄の基部（いしづき）	15
きくらげ類		
あらげきくらげ 生 別名 裏白きくらげ	柄の基部（いしづき）	4
黒あわびたけ 生	柄の基部（いしづき）	10
しいたけ 生しいたけ 菌床栽培 生	柄全体。柄の基部（いしづき）のみを除いた場合 5 %	20
原木栽培 生	柄全体。柄の基部（いしづき）のみを除いた場合 5 %	20
干ししいたけ 乾燥	柄全体	20
しめじ類		
はたけしめじ 生	柄の基部（いしづき）	15
ぶなしめじ 生	柄の基部（いしづき）	10
ほんしめじ 生 別名 だいこくしめじ	柄の基部（いしづき）	20
たもぎたけ 生 別名 にれたけ、たもきのこ	柄の基部（いしづき）	15
なめこ 生 別名 なめたけ	柄の基部（いしづき）（柄の基部を除いた市販品の場合 0 %）	20

食品名	廃棄部位など	廃棄率(%)
ひらたけ類		
エリンギ　生	柄の基部（いしづき）	6
ひらたけ　生　別名 かんたけ	柄の基部（いしづき）	8
まいたけ　生	柄の基部（いしづき）	10
マッシュルーム　生	柄の基部（いしづき）	5
まつたけ　生	柄の基部（いしづき）	3
やなぎまつたけ　生	柄の基部（いしづき）	10
魚介類		
魚類		
あいなめ　生　別名 あぶらめ、あぶらこ	頭部、内臓、骨、ひれ等（三枚下ろし）	50
あじ類		
まあじ　一般名 あじ　皮つき　生	頭部、内臓、骨、ひれ等（三枚下ろし）	55
水煮	頭部、骨、ひれ等	40
焼き	頭部、骨、ひれ等	35
開き干し　生	頭部、骨、ひれ等	35
焼き	頭部、骨、ひれ等	30
小型　骨付き　生	内臓、うろこ等	10
しまあじ　養殖　生	頭部、内臓、骨、ひれ等（三枚下ろし）	55
むろあじ　生	頭部、内臓、骨、ひれ等（三枚下ろし）	45
焼き	頭部、骨、ひれ等	25
開き干し	頭部、骨、ひれ等	35
くさや	頭部、骨、ひれ等	30
あなご　生	頭部、内臓、骨、ひれ等	35
あまご　養殖　生	頭部、内臓、骨、ひれ等（三枚下ろし）	50
あまだい　生	頭部、内臓、骨、ひれ等（三枚下ろし）	50
あゆ　天然　生	頭部、内臓、骨、ひれ等（三枚下ろし）	45
焼き	頭部、内臓、骨、ひれ等	55
養殖　生	頭部、内臓、骨、ひれ等（三枚下ろし）	50
焼き	頭部、内臓、骨、ひれ等	55
いさき　生	頭部、内臓、骨、ひれ等（三枚下ろし）	45
いしだい　生　別名 くちぐろ、しまだい	頭部、内臓、骨、ひれ等（三枚下ろし）	55
いぼだい　生　別名 えぼだい	頭部、内臓、骨、ひれ等（三枚下ろし）	45
いわし類		
うるめいわし　生	頭部、内臓、骨、ひれ等（三枚下ろし）	35
丸干し	頭部、ひれ等	15
かたくちいわし　生	頭部、内臓、骨、ひれ等（三枚下ろし）	45

食品名	廃棄部位など	廃棄率(%)
まいわし　一般名 いわし　生	頭部、内臓、骨、ひれ等（三枚下ろし）	60
水煮	骨、ひれ等	20
焼き	頭部、骨、ひれ等	35
生干し	頭部、内臓、骨、ひれ等	40
丸干し	頭部、ひれ等	15
めざし　生	頭部、ひれ等	15
焼き	頭部、ひれ等	15
いわな　養殖　生	頭部、内臓、骨、ひれ等（三枚下ろし）	50
うぐい　生	頭部、内臓、骨、ひれ等（三枚下ろし）	50
うなぎ　養殖　生	頭部、内臓、骨、ひれ等	25
うまづらはぎ　生	頭部、内臓、骨、皮、ひれ等（三枚下ろし）	65
味つけ開き干し	骨、ひれ等	9
おいかわ　生　別名 はや、やまべ	頭部、内臓、骨、ひれ等（三枚下ろし）	55
おこぜ　生	頭部、内臓、骨、ひれ等（三枚下ろし）	60
かつお類		
かつお　秋獲り　生　別名 もどりがつお	頭部、内臓、骨、ひれ等（三枚下ろし）	35
そうだがつお　生	頭部、内臓、骨、ひれ等（三枚下ろし）	40
かます　生	頭部、内臓、骨、ひれ等（三枚下ろし）	40
焼き	頭部、骨、ひれ等	40
かれい類		
まがれい　水煮	頭部、骨、ひれ等	35
焼き	頭部、骨、ひれ等 内臓等を除き焼いたもの	35
まこがれい　生	頭部、内臓、骨、ひれ等（五枚下ろし）	55
子持ちがれい　生	頭部、内臓、骨、ひれ等	40
水煮	骨、ひれ等	15
干しかれい	頭部、骨、ひれ等	40
きす　生	頭部、内臓、骨、ひれ等（三枚下ろし）	55
天ぷら	尾	2
きびなご　生	頭部、内臓、骨、ひれ等（三枚下ろし）	35
きんめだい　生	頭部、内臓、骨、ひれ等（三枚下ろし）	60
ぐち　別名 いしもち　生	頭部、内臓、骨、ひれ等（三枚下ろし）	60
焼き	頭部、骨、ひれ等	45
こい　養殖　生	頭部、内臓、骨、ひれ等（三枚下ろし）	50
水煮	骨、ひれ等	15
こち類		
まごち　生　一般名 こち	頭部、内臓、骨、ひれ等（三枚下ろし）	55

食品名	廃棄部位など	廃棄率(%)
このしろ　生　別名 こはだ（小型魚）	頭部、内臓、骨、ひれ等（三枚下ろし）	50
からふとます　塩ます	頭部、骨、ひれ等	30
大西洋さけ　一般名 ノルウェーサーモン　別名 アトランティックサーモン　水煮	皮、小骨	10
蒸し	皮、小骨	8
電子レンジ調理	皮、小骨	8
焼き	皮、小骨	10
天ぷら	皮、小骨	10
にじます　淡水養殖　生	頭部、内臓、骨、ひれ等（三枚下ろし）	45
さば類		
まさば　生　一般名 さば	頭部、内臓、骨、ひれ等（三枚下ろし）	50
ごまさば　生	頭部、内臓、骨、ひれ等（三枚おろし）	50
大西洋さば　開き干し　別名 ノルウェーサバ	頭部、骨、ひれ等	25
さより　生	頭部、内臓、骨、ひれ等（三枚下ろし）	40
さんま　皮つき　焼き	頭部、内臓、骨、ひれ等	35
開き干し	頭部、骨、ひれ等	30
みりん干し	骨、ひれ等	15
ししゃも類		
ししゃも　生干し　生	頭部および尾	10
焼き	頭部および尾	10
したびらめ　生	頭部、内臓、骨、ひれ等（五枚下ろし）	45
たい類		
きだい　生　別名 れんこだい	頭部、内臓、骨、ひれ等（三枚下ろし）	60
くろだい　生	頭部、内臓、骨、ひれ等（三枚下ろし）	55
まだい　天然　生　一般名 たい	頭部、内臓、骨、ひれ等（三枚下ろし）	50
養殖　皮つき　生	頭部、内臓、骨、ひれ等（三枚下ろし）	55
水煮	骨、ひれ等	20
皮つき　焼き	頭部、骨、ひれ等	35
たかさご　生　別名 ぐるくん	頭部、内臓、骨、ひれ等（三枚下ろし）	40
たかべ　生	頭部、内臓、骨、ひれ等（三枚下ろし）	40
たちうお　生	頭部、内臓、骨、ひれ等（三枚下ろし）	35
たら類		
まだら　干しだら　一般名 たら	骨、皮等	45
ちか　生	頭部、内臓、骨、ひれ等（三枚下ろし）	45
とびうお　生　別名 あご	頭部、内臓、骨、ひれ等（三枚下ろし）	40
なまず　生	頭部、内臓、骨、ひれ等（三枚下ろし）	55

食品名	廃棄部位など	廃棄率(%)
にぎす　生	頭部、内臓、骨、ひれ等（三枚下ろし）	45
にしん　別名 かどいわし　生	頭部、内臓、骨、ひれ等（三枚下ろし）	45
身欠きにしん	頭部、内臓、骨、ひれ等	9
開き干し	頭部、骨、ひれ等	25
くん製	頭部、骨、ひれ等	45
はぜ　生	頭部、内臓、骨、ひれ等（三枚下ろし）	60
はたはた　生干し	頭部、骨、ひれ等	50
はまふえふき　生　別名 たまみ	頭部、内臓、骨、ひれ等（三枚下ろし）	55
ひらめ　天然　生	頭部、内臓、骨、ひれ等（五枚下ろし）	40
養殖　皮つき　生	頭部、内臓、骨、ひれ等（五枚下ろし）	40
ふな　生	頭部、内臓、骨、ひれ等（三枚下ろし）	50
水煮	頭部、骨、ひれ等	35
ふなずし	頭部、ひれ、尾	20
ほうぼう　生	頭部、内臓、骨、ひれ等（三枚下ろし）	50
ほっけ　生	頭部、内臓、骨、ひれ等（三枚下ろし）	50
塩ほっけ	骨、ひれ、皮等	40
開き干し　生	頭部、骨、ひれ等	35
焼き	頭部、骨、ひれ等	25
ぼら　生	頭部、内臓、骨、ひれ等（三枚下ろし）	50
まながつお　生	頭部、内臓、骨、ひれ等（三枚下ろし）	40
めばる　生	頭部、内臓、骨、ひれ等（三枚下ろし）	55
メルルーサ　生　別名 ヘイク	皮	5
やつめうなぎ　生	頭部、内臓、骨、ひれ等	55
干しやつめ	頭部、皮等	20
やまめ　生　別名 やまべ	頭部、内臓、骨、ひれ等（三枚下ろし）	45
貝類		
あかがい　生	貝殻および内臓	75
あげまき　生	貝殻	35
あさり　生	貝殻	60
あわび　くろあわび　生	貝殻および内蔵	55
まだかあわび　生	貝殻および内蔵	55
めがいあわび　生	貝殻および内蔵	55
いがい　生　別名 ムール貝	貝殻、足糸等	60
いたやがい　生	貝殻	65
かき　生	貝殻	75
さざえ　生	貝殻および内臓	85
焼き	貝殻および内臓	85
しじみ　生	貝殻	75
水煮	貝殻	80

食品名	廃棄部位など	廃棄率(%)
たにし　生	貝殻	30
とこぶし　生	貝殻および内臓	60
ばい　生　別名 つぶ	貝殻および内臓	55
ばかがい　生　別名 あおやぎ	貝殻および内臓	65
はまぐり類		
はまぐり　生	貝殻	60
水煮	貝殻	75
焼き	貝殻	70
ちょうせんはまぐり　生	貝殻	60
ほたてがい　生	貝殻	50
水煮	貝殻	60
ほっきがい　生	貝殻	65
みるがい　水管　生	貝殻および内臓	80
えび・かに類		
えび類		
あまえび　生	頭部、殻、内臓、尾部等	65
いせえび　生	頭部、殻、内臓、尾部等	70
くるまえび　生	頭部、殻、内臓、尾部等	55
ゆで	頭部、殻、内臓、尾部等	55
焼き	頭部、殻、内臓、尾部等	55
大正えび　生	頭部、殻、内臓、尾部等	55
しばえび　生	頭部、殻、内臓、尾部等	50
バナメイエビ　生	殻および尾部等	20
天ぷら	殻および尾部	10
ブラックタイガー　生	殻および尾部	15
かに類		
がざみ　生　一般名 わたりがに	殻、内臓等	65
毛がに　生	殻、内臓等	70
ゆで	殻、内臓等	60
ずわいがに　別名 松葉がに、越前がに　生	殻、内臓等	70
ゆで	殻、内臓等	55
たらばがに　生	殻、内臓等	70
ゆで	殻、内臓等	60
いか・たこ類		
いか類		
あかいか　生	内臓等	25
けんさきいか　生	内臓等	20

食品名	廃棄部位など	廃棄率(%)
こういか　生　別名 すみいか	内臓等	35
するめいか　生　一般名 いか	内臓等	30
やりいか　生	内臓等	25
たこ類		
まだこ　生　一般名 たこ	内臓等	15
みずだこ　生	頭部、内臓	20
その他魚介		
うに　生うに	殻等（うに全体の場合）	95
なまこ　生	内臓等	20
ほや　生	外皮および内臓	80
肉類		
牛肉　尾　生　別名 テール	骨	40
豚肉　豚足　ゆで	骨	40
骨つきハム	皮および骨	10
鶏肉　若鶏肉		
手羽　皮つき　生	骨	35
手羽先　皮つき　生	骨	40
手羽元　皮つき　生	骨	30
もも　皮つき　ゆで		1
皮つき　焼き		1
ささ身　生	すじ	5
卵類		
あひる卵　ピータン	泥状物および卵殻（卵殻：15 %）	45
うこっけい卵　全卵　生	付着卵白を含む卵殻（卵殻：13 %）	15
うずら卵　全卵　生	付着卵白を含む卵殻（卵殻：12 %）	15
鶏卵　全卵　生	卵殻（付着卵白を含む）。付着卵白を含まない卵殻：13%	14
ゆで	卵殻	11
菓子類		
桜もち　関西風　別名 道明寺　こしあん入り	桜葉	2
つぶしあん入り	桜葉	2
桜もち　関東風　こしあん入り	桜葉	2
つぶしあん入り	桜葉	2
板ガム	ガムベース	20
糖衣ガム　別名 粒ガム	ガムベース	20
風船ガム	ガムベース	25

食品名索引（五十音順）

あ

い

う

え

お

か

け

こ

ち

ひ

め

memo

本書の食品成分値（1～223ﾍﾟｰｼﾞ）は、文部科学省科学技術・学術審議会資源調査分科会報告「日本食品標準成分表2020年版（八訂）」によるものです。審議会報告の内容に関してのお問合せ先は下記のとおりです。
文部科学省科学技術・学術審議会資源調査分科会事務局（文部科学省科学技術・学術政策局政策課資源室）
E-mail　kagseis@mext.go.jp

デザイン／横田洋子
イラスト／深尾竜騎（表紙・扉、261ﾍﾟｰｼﾞ）　木本直子（225～233ﾍﾟｰｼﾞ）
料理／村上祥子（口絵8ﾍﾟｰｼﾞ）
撮影／中村 淳（口絵8ﾍﾟｰｼﾞ）　松園多聞（口絵10ﾍﾟｰｼﾞ）
校正／くすのき舎

はじめての食品成分表 八訂版

2012年2月10日　初版第1刷発行
2015年6月20日　初版第6刷発行
2016年12月5日　第2版第1刷発行
2018年4月30日　第2版第2刷発行
2022年3月1日　八訂版第1刷発行
2023年3月1日　八訂版第2刷発行

監修／香川明夫
発行者／香川明夫
発行所／女子栄養大学出版部
〒170-8481　東京都豊島区駒込3-24-3
電話　03-3918-5411（販売）
03-3918-5301（編集）
ホームページ　https://eiyo21.com/
振　替／00160-3-84647
印刷所／凸版印刷株式会社

ISBN978-4-7895-0326-6